中国古典文学名著丛书

[清] 李雨堂 著

華夏出版社
HUAXIA PUBLISHING HOUSE

前 言

在传统中国人的心目中,中华帝国的大一统观念是神圣不可动摇的。可在北宋时代却偏偏外侮不断、内患重重,后来宋亡于金、元,明亡于清的历史现实,更使得国人痛心疾首。在这种社会背景下,讲述英雄传奇的文艺作品(如评书、戏剧、小说)便流行起来,因为这对于民众心理来说,是一种对社会现实的补偿,在一定程度上表达了群众的爱国主义情感、英雄主义情结。

在中国历史上,爱国英雄代有人出;在中国民间,英雄传奇小说洛阳纸贵。《万花楼》中所述狄青五虎将的故事就和杨家将、呼家将、岳家将的故事一样,长期以来传诵不衰。

《万花楼》属于历史演义类英雄传奇小说,全称《万花楼杨包狄演义》,又名《大宋杨家将文武曲星包公狄青初传》,此书为“杨家将”故事的续书。《万花楼》为《五虎平西平南》(《狄青全传》)的前传,但是成书却比《五虎平西平南》要晚。

《万花楼》成书于清代嘉庆年间,作者李雨堂,鹤邑(今广东龙川县)人氏,生平事迹不详。全书共六十八回。书中讲述的是宋真宗年间发生的故事:太原总兵狄广之妹狄千金被选入宫,真宗赐予八王爷为妃。八王爷派差官孙秀至狄府慰问,差官乃庞太师门人,与狄家有隙,就谎报狄千金自尽,惹得龙颜大怒。狄广为避祸携夫人及女金鸾、子狄青返乡。狄广病故,狄青年方七岁,发大水时母子失散。狄青是武曲星下界,被王禅老祖接往峨眉山,习得文武韬略。狄青出师后,在万花楼偶遇张忠、李义,并打死作恶多端的胡伦。公案堂上,包拯惜才,铁面断案,救出狄青,使狄青免遭官司,几经波折后与自己的姑姑狄太后相认,从此成了皇亲国戚。后与包公、杨宗保、范仲淹等忠诚良将力抗西夏、斥佞除奸、忠君报国。

此书的一大特色,即是虚实结合,情节内容自成首尾。实,在于故事背景大体有些史实依据,如狄青与庞洪的斗争,狄青征西夏赵元昊以及平叛依智高等，均见于史籍载录。书中人物也大多史有其人，如狄青，《宋史》有《狄青列传》，是著名的北宋名将，包拯是有史可查的清官等。虚，在于离奇的故事情节、夸张的人物形象，如狄青仙术战沙场、包拯施宝救冤魂等，人物形象神魔化，更使得情节跌宕起伏、生动有趣。此书还有一大特色就是将历史演义与公案小说巧妙地结合成一体。包公智断狸猫换太子案，更影响后世小说戏曲作品，使得众多评书、戏曲、小说纷纷效仿，至今广为流传。杨宗保、包拯、狄青与大权奸庞洪的斗争更写得有声有色，扣人心弦，是贯穿全书始终的主线。

《万花楼》的作者妙笔生花，文字功底深厚，将人物形象更是刻画得惟妙惟肖，个性鲜明。杨宗保的武艺精湛、老成持重，狄青的血气方刚、年少轻狂，包拯的铁面无私、足智多谋，范仲淹的深谋远虑、温文儒雅，焦延贵的刚直鲁莽、有勇无谋，庞洪的老奸巨猾、毒蝎心肠等，都尽显笔端、跃然纸上。

全书的语言简洁明快、朴素易懂、更不乏幽默诙谐之处，娓娓道来，读之酣畅淋漓，人心大快，实乃演义传奇小说中的上乘之作。

为弘扬中华传统文化，促进明清小说的学习交流，编者为重新出版此书投入了较大精力。对原书原来缺字的地方用□表示了出来。但限于学力，在整理排印中难免出错，欢迎广大读者和业界同仁批评、指正。

编　者

2015 年 5 月

目　录

第 一 回

选秀女内监出京 赴皇都娇娥洒泪

诗曰：

一编欣喜有奇文，奸佞①忠良各判分；
决狱同钦包孝肃，平戎共仰狄将军；
威棱面具留佳话，旋转宫闱立大勋；
莫笑稗官②凭臆说，主持公道最情殷。

却说大宋真宗天子，乃太宗第三太子。名恒，初封寿王，寻③立为皇太子，太宗崩，遂登大宝。在位二十五载，寿五十五而崩。溯其即位在戊戌咸平元年，其时乃契丹统和十六年。考帝之初政，宽仁慈爱，大有帝王度量，然好奉道教，信惑异端，以致祸乱丛生，屡有边疆之患，后有契丹澶州之扰也。

且说真宗登基后，即进刘皇妃为东宫皇后，封赠李妃为宸妃，二后俱得宠幸。其年两宫皇后齐怀龙妊，真宗暗暗欣然，唯愿二后早生太子接嗣江山。当时朝中文武，自首相一品以下，二三四品官不下百余员，其中忠诚为国者不少，奸佞不法的亦多。时称为贤良的有太师李沆、枢密使王旦、平章寇准、龙图阁待制孙奭④四位大臣，真乃忠心贯日的贤臣。只有王钦若、丁谓、林持、陈彭年、刘承畦五人，相济为恶，聚敛害民，时人号为朝中五鬼。又有包拯初为开封府尹，庞洪职居枢密副使，忠佞二臣，容后交代。

却说庚子三年，有内监陈琳，一天出朝上殿，俯伏金阶，口称："我主万岁，奴婢见驾。"天子一见说道："你乃掌管宫闱，司礼内监，今来见朕，有何章奏？"陈琳奏道："奴婢并非文武司职，并无本章上奏，不过面陈罢

---

① 奸佞（nìng）——奸邪谄媚的人。

② 稗（bài）官——古代的小官，专给皇帝述说街谈巷议，风俗故事。

③ 寻——旋即，不久的意思。

④ 奭（shì）。

了。”天子道：“你且当面奏来。”陈琳道：“只因上年蒙我主隆恩，放出宫内中年妃嫔一千五百余名，各官民父母领回已讫。如今三宫六院，缺少了许多妃嫔，遂觉不够使唤，望乞我主万岁颁旨，另选少艾，以备宫中充用。奴婢职掌内宫，不敢隐瞒。”当下天子闻奏，暗想：宫中妃嫔，上年虽则放出一千五百余名，目下少年者尚属不少，倘若再选，岂不有屈民间多少年少美女！如今朕有个主意，想上年王嫂宾天①，八王兄中馈②已缺。他年将半百，尚无后嗣，不若趁此选点秀女，挑其美丽超群有贵相的，送与王兄作配，岂不是美事。倘或一二载产下麟儿，以接宗支，也未可知。当日真宗想定主意，随即降旨前往山西太原，只许一府挑选才女八十名，不许多选，亦不得借端滋扰良民，限五个月内回朝缴旨，即命陈琳前往。陈琳领旨，天子退朝进宫，文武官员各回衙署不提。

单说内监陈公公赍③了圣旨，带了八名近身勇士，一千护送宫女的兵丁，一路长行，一月余方得到了山西省首府太原。早有大小文武官员前来迎接钦差。陈公公一路进到城中，一同滚鞍下马，到了大堂，开读圣旨已毕。众文武接旨之后，一同见礼，依次坐定，谈说一番。是夜，置酒相待，晚膳已完，众文武各自散去不表。

却说太原府城中大小文武五十多位官员，当时得知万岁旨下，挑选才女，以备内宫之用，大家怎敢延慢。知府转委知县，传集保领人等一刻齐集县堂。有县主吩咐传言：“当今万岁旨意，挑选美女八十名。不论官家宦女，民家才女，凡十三岁以上，十九岁以下，生来才貌两全，俱要报名上册。限十日之内，报足八十名之数，候钦差挑选。如有匿名违命徇私，定当重责不贷。”众保各领命而去。

当日地方保领于一府之中，城厢内外，不论名门宦户，逐一点名核查。不想太原一府地方，军民百姓贫富不一，闻此消息，甚是惊惶。内有许了人的，自然即时完娶，其年少些未曾定配的，仓卒间也不用过聘，立刻嫁娶的甚多。至有年高定了年少，贫贱娶过富豪的也不少。若论挑选宫女，于一府地方只选八十名，众民何故如此慌忙？皆因父母爱惜子女，好不容易

---

① 宾天——称帝王之死，亦用来泛称尊者之死。

② 中馈（kuì）——原谓妇女在家主持饮食等事，引申指妻室。

③ 赍（jī）——携带。

将女儿育成十四五岁,有六七分姿容,倘或被选,便永无相见之日,犹如死了一般,为父母者又怎不着急?当日不特民间慌乱,即名门官宦之家,倘有美貌超群、才情出众的,也都不敢隐瞒,只因奉了圣上旨意,你倾我轧,皆要献出。

期满这一天,众美人带至金亭驿中,计民家美女却有二百余名,内中官宦之家的贵女不过二十名。陈琳一一挑选过,其上等美丽,身材窈窕,纤纤指足者,不过五六十名,其余的虽然有六七分容貌,不是面色黑些,便是身材不称,都选不上。陈琳道:"众位大人,你们若不嗔怪,咱就直言了。想圣上上年放出中年宫女一千五百余名,如今只选回稍美者八十名,可谓仁德之至了。咱家临出京之时,圣上曾命要首选一名绝色才貌双全的为贵人,岂知太原一府地方,八十名尚且不足,众位大人试想,难道咱家就这样还朝复命不成?倘列位大人有意隐瞒,欺着圣上,就难怪陈某亲往挨查。倘若众官长中查出有美丽贵人,勿言某之不情,奏明圣上,以违旨论!"众文武听罢,皆无言语,只得眼睁睁地看着一位官员。此人姓狄名广,现为本省太原府总兵,祖上原居山西,他祖父名狄泰,五代时曾为唐明宗翰林院。父亲名狄元,于本朝先帝太宗时,职居两粤总制,威震边夷,名声远播,中年而亡。老夫人岳氏尚存,生下一子一女,长子即今狄广总爷,后得怀胎幼女,唤名千金,长成十六之年,真有闭月羞花之貌,沉鱼落雁之容,不独精于女工,而且长于翰墨,还未许字人家。这岳氏老太太爱之犹如掌上之珠,怎肯去报名上册?如今狄广听了陈琳要亲身到各府搜查,众官员也都知狄门有此美女,内中亦有为子求过婚的,只因老太太不舍,未能成就。当时狄爷知瞒不过,心中闷闷不乐,只得与众官同声说道:"陈公公将就些,且宽限我们三天,如有美不献,一朝奏知圣上,也怪不得了。"当时陈琳允诺,众文武各散回衙。

单说狄爷已有二女一子,长名金鸾,次名银鸾,但次女未及三岁已早夭亡。如今大小姐年方九岁,公子狄青初产,方才对月。当日狄爷回至府中,滚鞍下马,回进后堂,闷闷不乐,不言不语。孟氏夫人见此光景,即呼:"老爷往日回来,愉颜悦色,如今有何不乐?"狄爷见问,便将陈琳催迫之言细细说知。夫人听了,也觉惊骇。正在对坐愁闷,不料小姐适进中堂,一闻愁叹之声,也觉惊惶。听了哥嫂之言,早已明白,便轻移莲步来到堂中,与哥嫂见礼,只做不懂,开言道:"哥嫂缘何在此愁叹,有甚因由?"狄爷见问,只得叫声:“贤妹,愚兄因思你父亲弃世太早,说起不禁令人感伤。”小姐道:“哥哥既然思念父亲,缘何又有违逆圣旨只恐举家受累,罪过非轻之言,此是何说?”狄爷夫妇听罢,低头不语。小姐又道:“哥嫂所言,妹子已经尽悉,今日既然事急,何必隐瞒?”狄爷听了,即道:“贤妹呵!不幸父亲归天太早,抛下萱亲[①]在堂,只有你我兄妹二人。如若今日将妹子献出上册,一来怕哭坏了老母,二来难以割舍同胞之谊,因此觉得愁闷不堪。明天待愚兄备下一本,请陈琳还朝,奏个明白,正在筹思,不知可否。”小姐听了,说:“哥哥,此事万万不可!哥哥为官日久,岂有不明法律之理?圣上倘准了此本固好,倘或不准,怪责起来,圣上一怒,哥哥便有逆旨之罪,一家性命难保,反累及母亲,岂不是只因妹子一人,使哥哥负了不忠不孝之名,此举望哥哥再为参详。”狄爷听罢,低头想了一番,便问:“贤妹,依你主意怎样?”小姐说:“依愚妹之见,还是舍着我一人,既保全了举家大小,又免了哥哥逆旨之罪,方为上策。但不知哥哥意下如何?”狄爷不觉愁眉倍蹙[②],长叹一声。三人谈论一番,不觉天色已晚。

忽然过了三天,是日狄爷夫妻正与小姐商量之际,只见一个老家人慌忙走进内堂,口称:“老爷,今有陈公公领了军兵,先往节度使衙门搜寻,少刻定到我们府中来的。”狄爷听了,闷上添愁,孟夫人吓得没了主意。小姐说:“哥嫂不必慌忙,愚妹自有定见。”便吩咐老人家:“且往外堂唤中军迎接陈公公,请他早回金亭驿,不必到我府中。就说狄总爷有位姑娘报册。”当下老家人领命出外堂去了。小姐唤丫环进佛堂内,请到岳氏,老太太坐下,看见孩儿愁容满面,又见媳妇女儿各人一汪珠泪。太太见此,好不惊骇,即问:“你夫妻兄妹为何如此?”狄爷只是摇首难言,犹恐太太悲痛。太太又问女儿:“你因何也是如此悲伤?其中必有缘故,快些说与为娘得知。”狄小姐未及启言,泪浮粉面,说声:“母亲,女儿从小长育宦门,深居闺阁,有谁委屈我,只因今日圣上有旨,到本省点选秀女,册上缺少人数,钦差难以复旨,只要官宦人家闺女补数。如今挨户搜查,如若再匿名不报,全家就有不测之灾。早闻报到挨搜至节度使府中,搜毕必然来搜查我府了。只因哥嫂慌乱,又无可再设施的,女儿只得舍着一身去报名,

---

① 萱亲——母亲。

② 蹙(cù)——皱眉头。

以免满门之累,但割舍不得母亲之恩,哥嫂之情,因此不免悲伤。”言罢,珠泪沾襟。老太太听了此言,吓得魂飞魄散,手足如冰,母女抱头痛哭。

狄爷夫妇正劝解间,有老家人跑进内堂,报说:“中军官方才将陈公公请回金亭驿去了。陈公公说:‘老爷若肯将小姐献进,至为知机,但切不可延留过久,即日就要回朝复旨。’”狄爷说:“知道了,你去吧。”家人退出。

却说这狄广只有一子,方在哺乳,固属不知事体,即九岁女儿,虽知人事,别离苦楚到底不甚明白。只有母女夫妻四人十分凄惨。又过了三天,见老家人传报:“陈公公今日立刻要请小姐出府,因于官宦人家选足了八十名之数,只少我家小姐一人未到。”老太太听了,倍加凄惨。狄爷夫妇含泪苦苦相劝,老太太只得揩了眼泪,说:“也罢,为娘且送你至驿中,以尽母女之情。”狄爷连忙吩咐备了两乘大轿伺候。小姐带泪相辞嫂嫂,这孟氏夫人下泪纷纷,各言珍重之话。

当时母女上了大轿,狄爷骑上骏马,一班随行家将,一路呼呼喝喝,出了大堂,来至驿中。先差旗牌官去通报,然后将二乘轿抬到内厢,狄爷下马相随,来到大堂。陈公公敬她是位小姐,又是狄爷同到,忙下阶相迎。母女下了大轿,太太携挽娇儿站立堂右,陈琳先与狄爷见礼,后对小姐举目一看,果然生得姿色美丽,与众不同。有诗赞曰:

娇艳轻盈一朵花,西施敢与斗容华?
慢言秀美堪餐色,再世杨妃产狄家。

当下陈琳看见小姐生得容光姣艳,迥异寻常,满心喜悦,说声:“总戎夫人,此位是令爱小姐么?”狄爷道:“非也,乃下官同胞小妹。”陈琳道:“原来乃大人令妹。果然天生丽质,非凡美所及,倘注上册名回朝,如经圣上青目,必然大贵,福分非轻的。”狄爷说:“老公公前日有言在先,倘众文武中有美不一即献出,回朝奏知圣上,以违旨论。但下官思量,妹子虽有此美才,只因家母年高,爱惜女儿如珍,真难割爱,是以延迟至今始报。望祈老公公回朝将就些,以免下官有欺君之罪,不胜感激!”陈琳道:“总戎大人何须过虑。你今依旨将令妹上册,何云欺君?其迟些报献,不过人子体念亲心之意,陈某怎敢诛求①。但令妹是何闺名?”狄爷道:“小妹闺名千金。”陈琳即命执笔人,将宫女册上头名注上狄千金毕。

---

① 诛(zhū)求——勒索的意思。

陈琳得此美人，随即于众美中选了十余名，凑足了八十名之数，余女发回各家父母领还。当时不用狄府大轿，要请小姐坐上香车。老太太心如刀割，泪似泉涌，小姐牵衣顿足，母女奚忍分离①？狄爷见此光景，也觉惨然，只得硬着心解劝母妹一番。老太太无奈，含泪嘱咐女儿一遍，转身又向陈琳道："老公公，我女儿年少，寸步未离闺阁，娇生惯养，一十六年。万里风霜，望祈照管，老身即死在九泉，亦当衔环相报②。"陈琳一口应允，又呼："老太太，小姐今日应选还朝，定然是一位大贵人，实乃可喜，何须悲苦？陈某凡事自当照管，不用挂怀，且暂请回府去，吾即速登程回朝了。"母女只是珠泪纷纷，实乃生离死别，母子情深笔难尽述。狄爷也来催促，小姐又含泪道："哥哥，小妹此去，吉凶未卜。但母亲年老，小妹一别之后，定然愁惨不堪，万望哥哥嫂嫂百般解劝，诸事留心，小妹别后，死死生生，别无所虑了。但今日陈公公催促甚急，不能与嫂嫂面别一言，心实不安，望哥哥回去代小妹多多拜上。侄儿侄女，哥嫂自能教育，不用小妹多嘱，总于母亲处用心留意，即是哥哥看待小妹之恩了。"一言未罢，珠泪双行。狄爷带泪，连声答应道："贤妹放心！愚兄平日侍奉母亲，你亦尽晓，尽可宽怀，一切还望留意珍重。"

当日兄妹二人，身同一脉，也觉不忍分离，有许多衷曲之语要说，一句话都说不出来。不特小姐女流情重，固属依依留恋，即狄爷是轰轰烈烈英雄，此际也未免儿女情长，英雄气短，说到胞谊生离，不禁潸然③下泪。

不知狄小姐分袂④如何，且看下回分解。

---

① 奚（xī）——疑问词，作"何"讲。奚忍分离，何能忍得住分离呢？

② 衔环相报——报恩。

③ 潸（shān）然——形容流泪不止的样子。

④ 分袂（mèi）——分别的意思。

第 二 回

八王爷蒙恩获美　狄千金慰母修书

当时狄爷兄妹正在悲离之际，老太太流泪，在袖中取鸳鸯一对，呼唤女儿：“此对玉鸳鸯，乃是当初你爹爹奉旨征辽，回朝加爵，圣上恩赐此宝。善能辟邪镇怪，刀斧不能砍下。此乃传家之宝，父亲去世遗下，为娘敬谨①收藏数十秋，今日与一只给你带去，留下一只与你哥哥，以作日后遗念便了。”小姐伸手接过，正要说话，有陈公公几次催促，小姐只得含泪上了香车，同着众女子进京。当日也有父母姑嫂一班相送，何止三五百人。哭泣的哭泣，嘱咐的嘱咐，一一实难尽述。陈公公吩咐起程，文武官纷纷送别。

单说岳氏太太见女儿香车一起，泪如雨下，心似刀割，哭声凄楚，扑跌于地。狄爷连忙扶起，解慰一番，太太只得带泪上轿，狄爷辞别众官，乘马回衙，进内安慰太太。孟氏夫人已知姑娘别去，夫妻谈论，不胜伤感。按下狄府慢提。

却说陈琳催车出了城外，一路直向汴京而来。水陆并进，过了月余，已到河南地面，又是数天方达帝都，于午朝门外候旨。此日适值真宗天子方才朝罢，与南清宫八王爷在长乐殿内下棋，有内侍奏知挑择秀女回朝一事。天子闻奏，龙颜大悦。传旨先宣陈琳，一一奏明；然后又命宣进美人于殿内。陈琳领旨，即跑出外殿，到午朝门外，吩咐众美人下了香车，即要入朝见圣。当下陈琳带领八十位美人，引进长乐殿中，在丹墀②下齐齐倒身下跪。陈琳捧册献上，有内侍展于龙案上，天子举目一观，只见头一名美女姓狄名千金，下边注着宦门二字。天子看罢，却传旨宣首名狄千金上殿。陈琳领旨下阶，奉宣千金见驾。言毕，只见中央一位美裙钗，金莲慢步，上了丹墀，正身跪下俯伏，燕语莺声，口称万岁。天子见着这位美人，

---

① 敬谨——虔诚小心地对待。

② 丹墀(chí)——古时，宫殿前的石阶以红色涂饰，故名丹墀。

不啻①蕊宫仙女，宛如月殿嫦娥，龙颜倍喜，说："此女果然美丽不凡。"八王爷也赞叹道："不独姿色美丽，而且礼数雍容，出身必非贫贱之辈，但不知是怎样官职人家？"天子说："待朕细问。"便朗呼道："狄千金，你既是山西太原人氏，生长宦门，父居何职？且细细奏与朕知。"狄千金说："臣妾领旨。"即有七言绝句奏上，诗曰：

原籍山西府太原，父为总制狄名元。
总兵狄广亲兄长，深沐皇恩世代沾。

真宗天子听奏，喜色扬扬。八王爷道："不意此美人才貌双全。"天子说："王兄果然眼力不差，且她是世代勋臣之女。朕选此美女，原有个主意在先，想来王嫂去岁登仙，王兄目今尚缺中馈之人，朕今将此女赐与王兄，送到南清宫内，以为内助便了。"当时八王爷一闻天子之言，慌忙离位，欠身打躬，口称："陛下虽有此美意，但臣该有罪欺天了。狄千金乃奉旨挑选，以充圣上宫中使唤，微臣焉敢领旨作配？伏望我主龙意详察。"天子说："王兄不必推辞，朕已有旨在先，如不合于理，陷王兄于不义，朕岂为之哉？"即传旨着陈琳将狄美人送至南清宫，再赠宫娥十六名，陪伴美人，又赐脂粉银十万两。八王爷只得谢恩而出。

此时陈琳领旨，送狄小姐往南清宫去了。天子又看名册上第二名美人，乃是寇承御。天子说声："好个承御的美名也！"就将她改作头名。当时天子又命宫娥领了七十九名美人，带引至东宫娘娘处交代，分发在三宫六院，暂且不表。

次日天子命发出库银一万六千两，发往山西应选各家父母，以为保养之资。

是日，狄小姐早有宫娥与她梳洗，换过官衣服饰。八王爷望北阙②先拜谢君恩，后坐于正殿当中，早有宫娥扶出贵人，两边音乐齐鸣，铿锵盈耳。来至正殿中，朝见千岁，行了君臣大礼，然后参拜天地。拜毕，有宫女一班扶了美人还宫。当晚王府内排设筵宴，众文武俱来叩贺，在正殿上饮燕庆闹，直到日落西山，众大人才拜辞千岁爷回府而去。陈琳复又进宫，回复圣上不表。

---

① 啻(chì)——仅，只的意思。

② 北阙(què)——文中指皇帝住所的方向位置。

单言是夜王爷回进宫中与贵妃合卺①，传情交杯，酒至数巡，方命散去余席。次日梳洗已毕，清晨进朝谢了君恩。退朝还归王府，有狄妃迎接王驾坐下。王爷开言说："贤妃，你匹配孤家，实乃圣上龙恩美意。但有一言，前日陈琳奉旨往选时，将你名姓报入皇册内，充作宫娥以供使唤，今日身作王妃贵人，你的令堂令兄远隔数千里外，未必知之。明日圣上差官往山西赏赐银两与众秀女父母，以补养育之资，你何不修书一封，待孤家命差官付你母兄，以免他切望之心，不知你意如何？"狄妃闻命，高位下拜谢恩。八王爷命左右宫娥扶起。即取过文房四宝放于桌上，宫女浓研龙煤②，轻拂玉笺，狄妃提起笔来一挥而就。书中大意不过请安问候，不用多述。八王爷见狄妃下笔敏捷，将书笺一看，吉言锦绣，字字珠玑，心中暗喜，赞道："贤妃真乃才貌两兼！"此刻妃子将家书封固，八王爷接转，即起位离后宫，到正殿上坐下。命掌府官宣往山西的钦差来见。掌府官领旨，去不多时，将钦差宣到王府，一见王爷，顿时俯伏朝见。八王爷即命平身。原来这钦差乃一个奸臣，由知府贿赂上司，拜大奸臣冯拯太尉为门下。庞太师是他岳丈，数进财帛于众权奸，是以由知府升任巡道，以至知谏院。此人姓孙名秀。当日躬身立着，八王爷唤道："孙钦差，你今奉旨往山西给赏，孤家狄妃有家书一封，劳你顺便带去，投于狄总戎府中，回朝之日，孤家自有重赏。"孙秀听了，诺诺连声，双手接过书来，叩谢出了王府，扶鞍上马，数名家丁随后，心下暗想："这狄总兵名狄广，乃是狄元之子。想当初狄元为两粤总制时，吾父在他麾下奉命解粮，只因违误了限期，被他按军法枭首，死得好不惨伤。我与狄门有不共戴天之根，如今八王选这狄妃，此女是他亲生，此书不过是报喜的吉信，不若我将此书埋没不与，再与他报个凶信，暂解心头之愤，岂不快哉！"主意已定，即将原书藏过。

次晨，孙秀领了王库中一万八千两白金，押着车辆，离却汴京城，一路登程，水陆并进，已至山西。城中大小官员，早知钦差到来，远远恭迎，见礼之间不能尽述。当日孙钦差将银子交付布政使司暂存，即命县主传示选女的父母，报名领赏，每一名赏白金二百两，实得一百二十两。此缘孙秀是奸贪之辈，每二百两减克了八十两，赚出六千四百两，饱充私囊，众人

① 合卺（jǐn）——指成婚。

② 龙煤——指皇家所用的墨与砚台。

哪里得知?

当日狄总爷闻圣上有银两恩赐,故钦差一到,他正要打听妹子信息。次日早晨,具备名帖,邀请孙秀。孙秀吩咐即日打道,向总戎狄府而来。狄爷闻报孙钦差来拜会,又称言有机密事相商,必要到后堂才好相见,连忙出府迎接。两下见礼毕,携手进后堂,再复叙礼坐下,家丁敬递过香茗,狄爷道:“无事不敢邀驾,钦差大人奉旨到来,给赏众秀女父母,内有位狄千金之名,进京之后,不知如何下落?谅大人在朝,必然细悉,故小将特请孙大人到来,求达消息。”孙秀听了,反问:“老总戎,你何以知有狄千金之名,又是同姓,莫非此女是总戎令爱么?”狄爷道:“非也,不瞒大人,此女乃小将舍妹。”孙秀道:“原来乃总戎大人令妹,真是可惜!”狄爷听了,连忙问道:“孙大人为何说起可惜二字,莫非有甚差池么?”孙秀故意左右一瞧,呼声:“总戎大人,凡入侍家丁,可是内堂家人,还是外班散役?”狄爷回言,都是内堂服役。孙秀道:“下官言来,不要传扬出外方妙,倘走漏风声,恐有不测之祸,连下官也有累及了。初时令妹进到王宫,略闻她思念家乡,怀忆父母,日夜悲啼,天天怒吵,三宫六院个个憎嫌不悦。岂知令妹性急,抑或忧忿过多,竟是悬梁而死。圣上闻知大怒,说污渎了宫闱,罪不容诛,已将尸首抛弃荒郊之外。下官奉旨之日,圣旨命我密访她父母问罪,幸得陈公公一力为大人遮瞒,不说是大人嫡妹。在下官想来,大人还是趁早寻条出路,以免罗网之灾,下官但据事直言,只恐冲渎,休得见怪。”狄爷听了,神色惨变,只得满口称谢。孙秀登时告别,狄爷当时亦无心款留。

待钦差去了,回到内堂,早有岳氏太太在堂后听得明白,一见狄爷进来,她便一把扯住问道:“我儿,方才钦差之言,是真是假?倘若是真的,为娘性命断难留于人世了。”狄爷听了,忙道:“母亲何用惊慌?早间钦差不过谈论国家事情,未有什么言辞,母亲为甚如此着忙?”太太呼道:“我的儿呵!方才钦差与你说的一番话,我已听得明白,你还要瞒我么?”狄爷听了,不觉垂泪,说:“母亲,这是祸福无常,如今亦不必追究真假,母亲既然听得钦差之言,便是如此了。”老太太说:“你的妹子到底怎生光景,须速速说来。”狄爷道:“母亲呵,今日圣上旨调孙钦差到来,恩赏众秀女父母,不论官民,一概俱有给赏,唯我家无名,想起来妹子定然吉少凶多了,这钦差之言,岂不是真的么?”岳氏老太太听了,早已吓得三魂失去,七魄飞腾,大呼一声道:“我的女儿呵,你死得好惨伤也!”往后一跤,跌倒地中,气息顿时绝了。狄爷夫妇齐步赶上,慌忙扶起,哭呼母亲、婆婆。众丫环使女齐集,看见老太太面如金纸,一息俱无,已是死了。狄爷含泪道:“手足已冰冷了。”夫妇对看,放声大哭,狄爷道:“今日妹死母亡,如此惨伤,何天之不祚①,弄得如此收场呵!”孟氏夫人纷纷下泪说:“不意狄门不幸,祸从天降,有此灾殃。可怜姑娘年少惨死,又受此暴露尸骸之罪,老婆婆又因此而亡,数月之间,人亡家散,言之痛心不已!”狄爷闻言,更觉凄惶,夫妻对着尸骸只是痛哭。当时众家丁丫环仆妇一同下跪,禀道:“老爷、夫人不可过恸②,老太太既已归天,打点料理后事要紧。况天气炎热异常,诚恐老太太玉躯不得久停。”狄爷夫妇听得家人禀告,只得收泪,即于堂中安放。狄爷又进内取出白金百两,命得力家丁去备办棺木,不一会将材料等抬到,即命匠人登时赶造一棺一椁,又命人赶办衣衾等类。官家使用自然不比民间,一一实难尽述。到了次日入殓,夫妇又复痛哭一番。其时大小姐金鸾,年及十岁,已知人事,亦不免伤感,忆着婆婆。只有公子年幼,不知人事。

当日收殓老太太之后,少不得僧道追荐,狄爷忙乱数天,方得安静。一日,夫妻商议,狄爷道:“如今妹子在朝自尽,母亲又因妹子气愤身亡,且孙钦差又通知皇上大怒,只因妹子自缢,污秽了宫闱,还言要访拿父母。幸得此机未泄,我今不如趁母亲亡故,预上一本,辞退官职,一来省却祸患,二来归回祖居,以葬母亲,夫人以为何如?”孟氏夫人听了道:“此言亦是,只是孙钦差之言未知真假,岂可因此一言,便灰了壮志?老爷还该细细酌议,或命人回朝打听明白,再作计议。”狄爷道:“据孙秀之言如此,想必不差,况他从京都来,事关重大,必无讹传之理。若要回朝打听,往返又要数十日,倘圣上当真追究起来,那时逃遁不及了。况吾年已四旬,在朝为官十余年,后来奉旨回乡剿寇,不觉将近十载,如今看得仕宦之途,甚是无味。不若趁早退归林下,乐得逍遥自在,省得担忧吃惊,受制于人。如今亦不必管孙秀之言是真是假,总是辞官归里为妥。”

不知狄爷如何辞官,究竟允准否,且看下回分解。

---

① 不祚(zuò)——不祥之意。

② 过恸(tòng)——极度悲哀。

第　三　回

寇公劝驾幸澶州　刘后阴谋换太子

却说狄广夫妻商议已定,是夜狄爷于灯下写了一道辞官殡母本章,次日打道来至节度使衙中,恳求代为转呈,节度使只得顺情收了。狄爷辞别回府,登时打点行装,天天等候圣旨慢表。

先说孙钦差颁给完了回朝。彼乃奸贪之辈,所有各府司道送来财礼,一概收领,并不推辞。是日文武官员纷纷送别,克日登程,月余方到汴京城中。次日上朝缴旨①,后到南清宫复命,对八王爷道:"狄总兵出外巡边,未曾讨得回书,且臣难以久候,今日还朝,特来复命。"当下八王爷信以为确,倒厚赏了孙秀数色礼物,孙秀拜谢回府。所有私克秀女银两及各官送礼,共得银三万余两,他即派作三股,与冯拯、庞洪共分,两个奸臣大悦。次日上朝,冯太尉、庞枢密启奏圣上,言孙秀奉旨往山西,一路风霜,未得赏劳,且力荐他才可大用,请圣上升他为通政司,专理各路本章。孙秀不胜喜悦,感激冯、庞二人,侍奉甚恭,三人十分相得。

闲话休提。忽一日,山西节度使有本回朝奏圣,并附着狄广辞官告假本章一道,一同投达通政司。孙秀见了此本,犹恐八王爷得知,泄露机关,就不妙了,竟将狄广本章私下隐没,只将节度使本章呈达,又阴与冯、庞二相酌量,假行圣旨,准了狄广辞官归林,此事果然被三奸隐瞒了。

狄爷接得旨意,欣然大喜,与孟夫人连日收拾细软物件,打点起程。是日带领家眷人口车辆驾着老太太灵柩,一直回到西河县小杨村故居宅子。住了数天,选择良辰吉日,将老太太灵柩安葬已毕,狄爷又在坟前起造一间茅屋,守墓三年,方回故居,这也是狄爷天性纯孝,不忍离亲之意。

且说狄青原是武曲星君降世,为大宋撑持社稷之臣。狄门三代忠良,卫民保国,是以武曲降生其家,先苦后甘,以磨砺其志。另有江南省庐州府内包门,三代行孝,初时玉帝,原命武曲星下界,降生包门。文曲星得

---

① 缴(jiǎo)旨——办完皇帝交给的差事后,向皇帝交代清楚。

知,亦向玉帝求请下凡,先到包氏家降生了,故玉旨敕命①武曲往狄府临凡。还有许多凶星私自下凡。原因大宋讼狱兵戈不少,文武二星应运下凡,除寇攘奸。故在仁宗之世,文包武狄都能安邦定国。

按下闲言少表,且说景德甲辰元年,皇太后李氏崩,文武百官挂孝,旨下遍告四方,不用多述。至仲秋八月,毕士安、寇准二位忠贤,并进相位。至闰九月,契丹主忽兴兵五十万,杀奔至北直保定府,逢州夺州,遇县劫县,四面攻击,兵势甚锐。定州老将王超据守唐河,契丹几次攻打,王将军百般保守,城上准备弓箭火炮,亲冒矢石,日夜巡查,契丹攻打不利,只得驻师于阳城。王老将军即日告急于朝,又有保定府四路边书告警,一夕五至,中外震骇,文官武将,个个惊惶。

真宗天子心头烦闷,惶惶无主,问计于左相寇准。寇准道:“契丹虽然深入内境,无足惧也!向所失败,皆由他众我寡,人心不定,以至失去数城,倘我主奋起,御驾亲征,虏寇何难却逐!”时天子心疑略定,适值内宫报道:“刘皇后、李宸妃两宫娘娘,同时产下太子。”当日帝心闷乱,忧喜交半,闻奏正欲退内宫,有寇公谏道:“今日澶州有泰山压卵之危,人心未定,若陛下疑难不决,不往进征,则北直势难保守。北直既陷,大名府亦危,况大名府与汴梁交界,若此则中外彷徨,大势去矣!恳乞陛下深思,请勿回宫,俯如微臣所请,宗社幸甚,天下幸甚!”当时毕士安丞相亦劝帝听寇准之言。真宗于是准奏,中止回宫,酌议进征之策。传旨两宫皇后,好生保护二位太子。

是日,真宗召集群臣,问以征伐方略,有资政学士王钦若,乃南京临江人,深恐圣上亲征,累及自己要随驾同往征伐,暗思契丹兵精将勇,抵敌不过就难逃遁了。故奏请圣上驾幸金陵,以避契丹锋锐,然后调各路勤王师征剿,无有不克。又有陈尧叟附和,奏请帝走成都,因他是四川保宁府人。二人都是各怀私见,便于家乡之意。其时天子尚未准奏,即以二臣奏请出幸之言,问于寇公,寇公心中明白二人奸谋,乃大言道:“谁为陛下设划此谋者,其罪可诛也!此人劝驾出幸,不过为一身一家之计,岂以陛下之江山为重乎?况今陛下英明神武,君臣协和,文武共济,倘御驾亲征,敌当远遁,不难出奇以挠其谋,坚守以亡其师,兵法所谓以逸待劳,以主待客,无

① 敕命——命令,多指天命或帝王的诏令。

往而不胜者,正今日之谓也。奈何陛下弃社稷而远幸楚蜀乎？万一人心散溃,敌人乘势深入,岂不危哉!”于是帝意乃决,准于即日兴师,将陈尧叟罚俸。寇公又惧王钦若诡谋多端,阻误军国大事,奏他出镇大名府。却有冯拯太尉,见圣上依寇准之谋,御驾亲征,又罚去陈尧叟俸,贬出王钦若,心中忿恨不平,即奏道:“寇准之言,未可深恃,望陛下详察,切勿轻举。谚云:‘凤不离窠,龙不离窝。’今陛下离廊庙而履疆场险地,岂不危乎！不若命将出师,以伐契丹,何必定请圣上亲征,伏乞我主勿用寇准之言,则社稷幸甚!”圣上未及开言,寇公怒道:“谗言误国,妒妇乱家,自古如斯！冯拯不过以文章耀世,军国大事,非你所知也。如再沮疑君心,所误非浅,不念君恩,不顾生民,只图身家计者,岂是做人臣的道理?”冯拯亦怒,正要开言,恼了一位世袭老元勋,官居太尉,姓高,他乃高怀德之子高琼,即出班大声奏道:“寇丞相之谋深远,真安社稷良谋,奈何沮惑于奸臣之论。今日澶州危在旦夕,百姓徬徨,将士离心,目击澶州全境将陷,陛下再迟疑不往亲征,则北直失守,中州四面受敌,社稷非吾有矣。陛下不免为失国之君!”冯拯在旁大喝道:“辱骂圣上,罪当斩首,还敢多言么!”高太尉厉声喝道:“老匹夫！无非仗着区区笔墨,以文字位至两府,不思报答君恩,只图私己以病天下生民,人面兽心,还敢多言沮惑！如众文武中有忠义同心者,当共斩你头,以谢天下,然后请圣上兴兵;况你既以文章得贵,今日大敌当前,你何不赋一诗以退寇虏乎?”冯拯被他骂得羞惭满面,不敢复言。当时天子决意亲征,不许再多议论。即日点精兵三十万,偏将百余员,命高千岁挂帅,寇丞相为参谋,大小三军,皆听高寇二人调度。即日祭旗兴师,旌幡①招展,一直出了汴京。水陆并进,非止一日。自是一连相持十余年,契丹方得平服。按下不提。

却说宫中刘皇后当日闻知李妃产下太子,至晚自己产下了公主,心头不悦,却命内监奏报,也说是生的太子。但刘后思量,今日圣上虽然出征,不知何日回朝,倘班师回来,吾生下公主,谎报太子,因一时之愤,岂不惹下欺君之罪,怎生是好？忽想,内监郭槐是吾得用之人,且喜他智谋百出,不免召他来商议有何良策便了。想罢,即命宫女寇承御召郭槐到来。郭

① 旌幡(jīngfān)——旌,古代一种旗杆顶上用五色羽毛做装饰的旗子;幡,古代一种窄长旗子,垂直悬挂。

槐叩见刘娘娘,问道:“呼唤奴婢,有何吩咐?”当下刘娘娘将一时心急差见,报产太子之事说了一遍。犹恐圣上回朝诘责,既防见罪,又恼着碧云宫李宸妃产下太子,将来圣上倍宠于她,故今日特召你来商量,怎生了结。郭槐听了,想了一计,呼道:“娘娘勿忧,只须如此如此,包管谋陷得太子了。”刘后听了大悦,说:“好妙计!”即要依计而行。

忽一日,李氏娘娘正在宫中闲坐,思量圣上为国辛劳,不见亲生太子一面,克日兴兵去了。但愿早早得胜回朝。如今太子生下数月,且喜精神焕发,相貌翘秀①,倒可放怀。李娘娘正在思量间,忽见宫女报说刘娘娘进宫。李娘娘听了,出宫相迎,二后一同见礼坐下,细细谈论。刘后装成和颜悦色,故意说为了公主乏乳,要太子的乳娘喂乳,当时李娘娘接抱了公主,刘娘娘抱着太子,要弄一番。刘后十分喜悦,说:“今日圣上亲征北夷,闲坐宫中,甚是寂寥,贤妹不若到吾宫中一游,以尽姊妹之乐,不知贤妹意下如何?”李后不知是计,不好过却,只说:“蒙贤姐娘娘美意,但吾往游,只恐太子无人照管,怎生是好?”刘后说:“不妨,这内侍郭槐,为人甚是谨慎小心,太子交他怀抱,一同进宫去,便可放心了。”李后欣然应允。是日只带领了八个宫娥,将公主交回刘后,刘后将太子交郭槐怀抱,一路进到昭阳宫。二后分坐定,刘娘娘传命摆宴。不一刻摆上盛筵,二位皇后东西并席,两行宫娥奏乐,欢叙畅饮,刘后殷勤相劝,交酢②多时,已至日落西山,方才止宴。李后问及太子时,刘后言太子睡熟,恐惊了他,故命郭槐早送回贤妹宫中去了。此时李后信以为真,安心在此交谈一番,已是点灯时候,李后谢别,刘后相送回宫去了。

却说刘后回至宫中,唤来郭槐,问及太子放于何所。郭槐道:“禀上娘娘,已用此物顶冒,并将太子藏过了。但奴婢想来,此事瞒不得众人,况娘娘生的是公主,人人尽知,倘圣上回朝被他查明,便祸兴不测,不特奴婢罪该万死,即娘娘亦危矣。”刘后听了大惊,说:“此事弄坏了,怎生是好?”郭槐一想,说:“娘娘,如今事已到此,一不做,二不休,只须用如此如此计谋,方免后患。”刘后说:“事不宜迟,即晚可为。”时交三鼓,二人定下计谋,刘娘娘命寇宫娥将太子抱往金水池抛下去。寇宫娥大惊,只得领命,

① 翘秀——高出于众人,出类拔萃。
② 酢(zuò)——客人用酒回敬主人。

抱着太子到得金水池。是时已将天亮，寇宫娥珠泪汪汪，不忍将太子抛溺，但无计可出得宫去，救得太子，只深恨郭槐奸谋，刘后听从毒计，此事秘密，只有我一人得知，如何是好？

不表寇承御之言，却说碧云宫李后回至宫来，问及众宫娥太子在哪里。宫娥言："郭槐方才将太子抱回，放下龙床，又用绫罗覆盖了，说太子睡熟，不可惊醒他，故我们不敢少动，特候娘娘回宫。"李后说："如此，你们去睡吧。"众宫娥退出，其时李后卸去宫妆，正要安睡，将罗帐揭开，绫袱揭去，要抱起儿子。一见吓得魂魄俱无，一跌倒仆于尘埃，顷刻悠悠复苏，慢慢挨起，说："不好了！中了刘后、郭槐毒计，将我儿子换去，拿一只死狸猫在此，如何是好？"不觉纷纷下泪，"况且圣上不在朝，何人代我做主，刘后凶狠，外与奸臣交通，党羽强盛，泄出来圣上未得详明，反为不美。不若且待圣上班师回朝，密密奏明，方为妥当。"

不表李后怨愤，却说寇宫娥抱持太子在金水池边，下泪暗哭。时天色已亮，有陈琳奉了八王爷之命，到御花园来采摘鲜花，一见寇宫娥抱持一位小小王子在金水池边落泪，大惊，即问其缘由，寇宫娥即将刘后与郭槐计害李后母子缘故，一一说明。陈琳惊怕说："事急矣！且不采花了，你将太子交吾藏于花盒之内，脱离了此地才好。"当时寇宫娥将太子交与陈琳，叮嘱他："须要小心，露出风声，奴命休矣！"陈琳应允，急忙忙将太子藏于盒中，幸喜太子在盒中，不独不哭泣，而且沉沉睡熟，故陈琳捧着花盒，一路出宫，并无一人知觉。

寇宫娥回宫复禀刘后不提。且说是晚刘后与郭槐定计，又要了结李娘娘。至三更时候，待众宫娥睡去，然后下手。有寇宫娥早知其谋，急忙奔至碧云宫，报知李娘娘，李后闻言大惊。寇宫娥说："娘娘不可迟缓了。倘若多延一刻，脱逃不及了！幸太子得陈公公救去，脱离虎口，今奴婢偷盗得金牌一面，娘娘可速扮为内监，但往南清宫狄娘娘处权避一时，待圣上回朝以后，再伸奏冤情。"当下李后十分感激，说："吾李氏受你大恩，既救了吾儿，又来通知奸人焚宫，今日无可报答，且受吾全礼，待来生衔环结草，以酬大恩。但今一别，未卜死生，你如此高情侠义，令我难忍分离。"言罢倒身下拜。寇宫娥慌忙跪下道："娘娘不要折煞奴婢，且请起，作速改妆，逃离此难，待圣上还朝，自有会期。但须保重玉体，不可日久愁烦。"说完，李后急忙忙改妆，黑夜中逃出内宫，一时不知去向，后文自有交待。是晚火焚碧云宫，半夜中宫娥太监，三宫六院，惊慌无措，及至天明，方才救灭。众人只言可惜李娘娘遭这火难，哪里知是奸人计谋。

却说有宫人报知刘后：寇宫娥投水死于金水池中。刘后与郭槐闻知大惊，说："不好了！此事必定是她通知李后逃出去。她既通知李后，太子必不曾溺死。"但此时又无踪迹可追，只得罢了，命人掩埋了寇宫娥。

却说狄广自从埋葬了母亲，守墓三年，不觉又过几载，狄爷年已四十八，狄青公子年方七岁，小姐金鸾年已十六。此时狄爷对夫人言道："女儿年已长成，前时已许字张参将之子，吾年将五十，来日无多，意欲送女儿完了婚，也了却心头大事。"孟夫人说："老爷之言不差。男大须婚，女大须嫁，一定不移之理。所恨者前时姑娘年长，尚未许字，可怜她青年惨死。现在我的女儿，不可再误。"于是具柬通知张家。这张参将名张虎，原做本省官，为人正直，与人寡合。数年前夫妇前后逝世，遗下一子张文，他自父母弃世，得荫袭守备武职官，年方二十岁。这日接得狄爷书信，他思量父母去世，又无弟兄叔伯，不免承命完娶了，好代内助，维持家业，是以一诺允承，择了良辰吉日，娶了狄小姐，忙乱数天，不用烦言。他二人年少夫妻，小姐又贤惠和顺，夫妻自是恩爱。这张文家与狄府同县，时常来探望岳家，时狄公子年已八岁，郎舅相得，言谈极尽其欢。张文见小舅虽然年少，生得堂堂仪表，气概与众不同，必不在于人下，甚是喜欢。

话休烦絮。一天狄爷早起，打个寒噤，觉得身子欠安，染了一病。母子惊慌，延医调治，皆云不治。这日，张文夫妇同到狄府，看见狄爷奄奄一息，料想此病不起，母子四人暗暗垂泪，不敢高声哭泣。小姐暗对狄公子含泪道："兄弟呵，你今年幼，倘爹爹有甚差池，倚靠何人？"公子含泪道："姐姐，这是小弟命该吃苦。"姐弟相对谈论，愈加悲切。

不表姐弟伤心，忽一天狄爷命人与他穿着冠带朝服，众家人不知其故，孟夫人早会其意。又见狄爷两目一睁，也知辞世之苦，泪丝一滚，呼道："贤妻子女，就此永别了。"说完，瞑目而逝。孟夫人母子哀恸悲切，一家大小，哭声凄惨，张文含泪劝解岳母道："不必过哀，且料理丧事要紧。"当日公子年幼，未懂事情，丧事均由张文代为料理，忙了数天，方才殡葬了狄爷。

这狄爷在日，身为武职，并非文员有财帛的。况他为人正直，私毫不苟，焉有重资遗后，无非借些旧日田园度日。是以身后，一贫如洗，小公子只得倚靠园中蔬菜之类与母苦度。亏得张文时常来往照管,公子年幼,真是伶仃孤苦。

转眼又是一阳复始,家家户户庆贺新年,独有那公子母子寂寥过岁。忽一日天正中午,狂风大作,呼呼响振,乌云满天,又闻平空水浪汹涌之声,一乡中人高声喧叫:“不好了! 如何有此大水滔滔涌进,想必地陷天崩了!”母子听了大惊,正要赶出街中,不想水势奔腾,已涌进内堂,平地忽高三尺,一阵狂风白浪滔天,母子漂流,各分一处。原来此地向有洪水之患,这次竟将西河一县变成汪洋,不分大小屋宇,登时冲成白地,数十万生灵,俱葬鱼腹。当日公子年方九岁,母子在波浪中分离。

按下孟夫人不表,单言公子被浪一冲,早已吓得昏迷不醒,哪里顾得娘亲,耳边忽闻狂风一卷,早已吹起空中;又开不得双目,只听得风声中呼呼作响,不久身已定了。慌忙定睛四面一看,只见山岩寂静,左边青松古树,右边鹤鹿仙禽,茅屋内石台石椅,幽雅无尘,看来乃仙家之地。心中不明其故,见此光景,心下只自惊疑,发觉洞里有一位老道人,生得童颜鹤发,三绺长须,身穿道衣,方巾草履,浩然仙气不凡。公子一见慌忙拜跪,口称:“仙长,想来搭救弟子危途也。”老道人听了,呵呵笑道:“公子,若非贫道救你,早已丧身水府了。你今水难虽离,但休想回转故乡了。”

不知公子有何话说,何日回归故土,且看下回分解。

第四回

遭洪水狄青遇救　犯中原西夏兴兵

当下狄公子言道："仙师，弟子如此苦命，自幼年失怙①，与母苦度安贫。不意洪水为灾，母亲谅来已死于波涛之内。今弟子虽蒙仙师救起，但想母亲已亡，又是举目无亲，一身孤苦，实不愿偷活人间，伏望仙师仍将弟子送回波涛之内，以毕此生，免受风尘苦楚，实感恩德。"道人听了微笑道："公子不用心烦，吾非别人，道号王禅老祖，此地是峨眉山，贫道在此山修道有年，久脱尘凡，颇明天意。目今你虽然困苦多灾，日后实乃国家的栋梁，即你母亲虽然被水漂流，尚还未死，已经得救了，日后母子还有重逢之日。你且坚心在吾山中守候几年，待贫道传授你兵机武艺，灾退之后，再归故土，自有一番惊天动地扬名后世之举，方合吾救你上山一番遇合之缘。"公子听了，即连连叩首不已，愿拜仙长为师。自此狄公子在洞中，安心习学武艺，王禅又授他六韬三略奇门，以待天时。公子虽听仙师劝勉，但思亲之念未尝或忘，又时时想到姊丈夫妻生死未卜，心中甚为愁闷。这且按下不表。

却说南清宫八王爷自从陈琳救得小太子回宫，只因圣上起兵征讨未回，故未奏明奸后奸监陷害太子情由，只将太子认作亲生，由狄妃抚育。至次年狄妃产下一子，八王爷大喜，一同抚养。又过了数年，圣上仍未回朝，时真宗亲征已有九载，太子已有九岁，狄妃子已八岁。其年八王爷年五十八。一日，王爷得病不起，薨②于庚申四月，圣上未回，满朝文武百官开丧挂孝。只因八王爷乃太祖匡胤嫡裔，其威名素著外夷，萧后也闻其贤，即当今皇帝亦敬重他，故其薨逝，不异帝崩，大小文武挂孝，禁止音乐。

闲言休絮，却说真宗天子一连进征十一载，方解了澶州之围，败逐契丹，遣使讲和，每岁纳币二十万，天子准旨，命寇丞相、高元帅即日班师。

---

① 失怙（hù）——死了父亲。

② 薨（hōng）——君主时代，称诸侯或大官死。

涉水登山，非止一日，大兵一路唱奏凯歌。王者之师，秋毫无犯，百姓安宁。一日回至汴梁，各文武大臣齐集，远远出城接驾。天子只因得胜还朝，文武大臣各各加升，随征文武，论功升赏，不能尽述。帝回朝后，方知八王去世，不甚伤感，赐谥①为忠孝王。其子长的原是太子，真宗哪里得知，八王去世，狄妃又不敢奏明，故圣上只痛恨火毁碧云宫，李后母子遭难而已。只言不幸，不得太子接嗣江山，自思年将花甲，精力已衰，即有孕嗣，恐己不久于世，冲子亦难接嗣位，不如册立八王长子，以嗣江山便了。主意已定，次早降旨，册立受益为王太子，改名曰桢，是年十四岁。又敕旨②加封狄妃为王后，八王次子封潞花王，年方十三，袭父职。于是群臣朝贺，大赦天下。次年壬戌干兴元年春二月，真宗疾渐重，御医诊治无效，不一月崩于延庆殿，享年五十五，在位二十五载，谥曰文明武定，葬于永定陵。是时百官举哀，遍颁天下，不用多述。太子桢即位，是为仁宗。刘、狄二太后并尊为皇太后，其时未有太子，故未册立，癸亥天圣元年，立正宫郭氏为皇后，美人张氏为贵妃。后来听吕夷简唆言，郭后被废，再立曹彬孙女曹氏为皇后，后话不提。到秋闰九月，故相寇准卒于雷州。自真宗得胜回朝，王钦若、丁谓、钱惟演、冯拯、陈尧叟、内侍雷允恭等一班奸贼，谗毁寇准。丁谓内结刘太后，假传圣旨，降贬寇准为雷州司户。帝尚年幼，人畏太后、丁谓，无人敢奏明此事，终至卒于雷州，归葬西京。丧到荆州公安县，民感其德，皆设祭于路，因立庙祠之，号竹林寇公祠。公三居相位，忘身报国，守正嫉邪，终被奸臣陷害，深为可叹。后追赠为中书令，敕封莱国公，谥曰忠愍③，从优赐恤不表。

更考大宋真宗之世，常有契丹入寇之患，至仁宗即位之后，增岁币为四十万，契丹侵扰之患方息。然当日虽无契丹北扰，而西夏日见强盛，屡思夺占宋室江山，幸亏杨延昭拒敌，屡次兴师，未见得利。延昭既没，子杨宗保镇守三关，屡挫其锋，多年不见侵扰。不意西夏自被杨宗保败回之后，日事训练，养精蓄锐，以图报复。是年秋间，竟发动大兵四十万，战将数十员，赞天王为领兵主帅，子牙猜为副元帅，大孟洋、小孟洋为左右先

---

① 赐谥（shì）——古代帝王、贵族、大臣死后，依其生前事迹所给予的称号。

② 敕旨（chìzhǐ）——皇帝的诏令。

③ 愍（mǐn）。

锋，伍须丰为中军，五员猛将，乃西戎头等英雄。奉了西夏主命，径往巩昌府进发。巩昌府在陕西边界，一连凤翔、平凉、延安几府，俱被攻陷，直抵绥德府与山西省偏头关交界。守三关口主将杨宗保几次开兵，未分胜负，只得差官驰驿上本告急。当时差官不分昼夜，赶程来京。是日正在设朝，众文武趋跄①朝贺毕，有值殿官传旨："有事出班启奏，无事退朝。"旨意宣罢，只见武班中有兵部尚书孙秀出班奏道："雄关杨元帅有本上奏。"当有殿前侍接本，展开在御案上，仁宗看时，上写着：

雄关总领、兼理军兵粮务事、军国大臣杨宗保奏：臣奉守三关二十余年，向借圣朝威德，陛下深仁，宁谧②多年，兵无锋镝③之忧，将无甲胄之苦。不意西夏国赵元昊贼心不改，称帝于西羌，于七月某日，兴兵四十万，水陆并进，寇陷陕西。全省震动，数府沦陷，直抵绥德，将近三关，臣几次开兵，未得其利。臣年逾花甲，精力已衰，恐难胜任，恳乞陛下速简良将，统领锐师，以解旦暮之危；缓则兵力单薄，雄州之地，恐非吾有矣。并虑隆冬天气，军士苦寒，伏望陛下早赐军衣三十万，得以均沾兵挟纩④，不至兴嗟无衣，以致军士离心，兵民幸甚！天下幸甚！臣冒死谨陈，不胜迫切待命之至！

当下仁宗看毕，开言问道："既然元昊作叛，寇陷陕西，众卿有何良策？"一言未了，只见文班中吏部天官文彦博执笏步至金阶奏道："臣思偏头关与绥德府交界，三关重地，若非杨元帅镇守，不独陕西失守，即邻省山西亦危矣。今他飞章告急，军情之危，不言可知，遣师往援，固有不可终日之势。但北有契丹，朝中谋臣良将，如曹伟、韩琦、种世衡等，皆分守要镇，此外更无可遣之将，可调之师。唯有一面出榜求贤，或令内外大臣各举贤能，如有武艺超群，才略出众，堪膺⑤将帅之任者，不次超擢⑥即令彼统兵往援。一面招兵募勇，挑选健卒，练成劲旅，听候统兵大臣调拨，并赶办征

① 趋跄——谓行步快慢有节奏。
② 谧（mì）——安宁，无动荡不安的情况。
③ 锋镝（fēngdí）——泛指兵器，也比喻战争。
④ 纩（kuàng）——丝绵。
⑤ 膺（yīng）——承当，承受。
⑥ 超擢（zhuó）——不受限制地提升、任用。

衣,即令解送,未知陛下以为何如?"仁宗点头道:"依卿所奏。"即降旨着内外大臣,各举所知贤能之士,听候录用。并降旨命孙兵部招集兵勇,往御教场操演十万军马,以备登程。是日孙秀领旨,天子退朝,文武各散回衙不表。

却说当日仁宗即位之后,选了庞洪之女为西宫昭仪,因命庞洪入相。庞洪之婿孙秀,因由通政司进为兵部尚书。二人权势,显耀中外,更兼西夏用兵,丈人参军机,女婿掌兵符,愈加威赫。按西夏姓拓跋,自赤眉归唐,太宗赐姓李氏,后又讨黄巢有功,虽未称国而已称王。历五代至宋太祖,加封彝兴太尉,赐德明姓赵,臣事宋室,到子元昊始僭称帝,兴兵寇宋。用兵几二十年,被狄青降服,乃以父事宋,凡传二百五十八年,后为蒙古所灭不提。

却说狄青公子自遭水难之后,母子分离,幸得王禅仙师救上峨眉山,收纳为徒,传授诸般武艺。屈指光阴迅速,已有七载,一日独自思量道:我生不辰,父亲身居武职,祖父亦是名将,不料父亲亡后,与母借些薄产,苦挨清贫,命途多舛[①],九岁时洪水为灾,室庐淹没,母亲被水漂去,存亡未卜。吾虽蒙王禅老祖救到山上,收纳为徒,但母子分离,举目无亲,孤苦伶仃,实是伤心。日前师父说吾母命不该终,定有人拯救,自得重逢。但师父虽如此说,此刻心中如何安放得下。几次要拜辞师父下山,寻访母亲,无奈师父不允,我亦不明其意。今在山中七载,蒙师父传授韬略,俱已娴熟,他日果能安邦定国,建功立业,恢复先人之结,方遂我愿。想我年已十六,正是少年英雄,应该与国家出力,师父教我待时而动,下山扶助宋君,但不知待到何时。

正在胡思乱想,只见童子呼道:"师兄,师父有话等你。"狄青闻唤,即同童子前来拜见师父。说道:"蒙师尊呼唤,不知有何嘱咐?"老祖道:"贤徒,我推算阴阳,喜得你灾难已满。今日命你往汴京去,一则你到汴京,该有亲人相会;二则你不该在山修道,理应扶佐宋室。现在西夏猖獗,须你平定。趁此机会,作速下山吧!"公子闻言,不觉垂泪道:"师父,既然弟子灾难已满,可以离山,但蒙师父拯救教育七年,一日分离,实觉不忍;二者弟子思亲念切,意欲先回山西故土,找着母亲,然后到汴梁,未知可否?"

---

① 舛(chuǎn)——差错的意思。

老祖听了微笑道："贤徒，我许你到汴梁，自有亲人相会，岂有误你的，何必定转故乡？至于不忍分离，虽是师徒至情，但国事要紧，断不能久留。"公子思想道：师父命我速回汴梁，许有亲人相见，想必是我母亲了。只得诺诺应允，但盘费毫无，哪里走得？不免要求师父指示。老祖却冷笑道："男子汉大丈夫，盘费小事何须挂虑。我今与你子母钱一个，须当谨谨收藏，便是盘费日用了。只要到汴河桥地面，就没了这金钱也无妨碍了。"公子听了大喜，双手接了金钱，拜谢师尊，收入囊中，微笑道："上启师尊，再有什么神通法术传些与弟子，以作防身之用。"老祖道："贤徒，你的随身武艺尽可护身，何必再求仙术？趁此天气晴明，下山去吧！"公子称："是，弟子就此拜别了。"

说完，肩负行囊，迈开大步而去。老祖微笑道："好个少年英雄也。实乃国家栋梁之臣，西羌虽有猛将雄师，有何虑哉？但狄青此去，尚有微灾，但趁赶机会应该如此，虽然先历些苦楚，后来自然显贵非常。"因唤童子道："你可于七月十五日在河南开封府汴河桥，将狄青子母金钱收取回来，不得有误。"童子奉命去了不提。

却说狄公子出洞下山，独自行走，忽然耳边呼呼响亮，开不得双目，身不由主，起在空中。不久腾腾而下，双眼睁开来一看，不是仙山，乃平街大道，日已归西，一见旅店，即进内安身，但思量不知此处是何地名，正值店主拿到酒饭，便问他此地何名。店主言河南省近开封府。狄青闻言大悦道："不料师父一阵风送我到汴京，不用跋涉程途，妙呵！"不觉放开大量饮嚼。只因在山上素食七年，如今见了三牲鱼肉，觉得甘美异常，吃个不休。这狄青生来堂堂仪表，身躯不长不短，肥瘦合宜，面如敷粉，唇似丹朱，口方界直，目秀眉清，看来不甚像个有勇力有武艺之辈。岂知他乃一员虎将，食量自然广大，店主所送酒馔，一概吃个净尽，反吓得店主惊讶不已。老夫妻两口儿说："不料这人生来如此清秀，又不是猛汉粗豪，吃酒馔①却如此大量，真是奇哉！"

且不提店主两夫妻言语，却说小英雄吃酒半酣半饱之际，偶然想起没有盘费给店主酒馔钱，心中筹思，说声："罢了，且将囊内金钱与店主婉商，暂做抵押，且另寻机会便了。"用饭已毕，即向囊袋中一摸，不觉大喜，

① 酒馔(zhuàn)——酒食。

说道："奇了！吾别师父动身之时，只得一个金钱，为何此时有了许多！"摸将出来数了一数，却有一百个铜钱，再摸没有了。原来老祖的子母金钱，乃是仙家宝物，产出一百个铜钱，待他作一天用途，多也不得，少也不得。狄青深感师父大恩，一铜钱反化出一百个来。但愿天天如此，路中盘费可不用顾虑了。当日歇宿一宵，次日通告了早膳，店主算账：用了酒饭铜钱九十三文。公子交付完毕，又问明开封府城路途，据云：还有四五天，方得进城。问毕，别了店主，一路而去。这子母钱日日产出一百个来。公子一连走了数天，夜宿晓行，单身遄征①，不觉到了皇城。但见六街三市，人烟稠密，到了一处，名曰对河桥。公子就驻足于桥栏上，想道："师父有言吩咐，倘我进了汴京城，自得亲人相会。我今已进了皇城，未知亲人在何方？教我哪里找寻？况且我年交九岁就上了仙山，到今七载，纵使亲人在目前，日久生疏，也难识认。料想必非别的亲人，想必是我生身母亲，但不知究竟在于何方？"一路感叹，腹中饿了，伸手向袋中一摸，不觉大惊说："不好了，因何子母钱今天只得一个，连余剩的一文也没了！"不信又摸一回，果然只剩下金钱一个，此时小英雄心中烦恼，紧敛双眉。

不知狄青此后如何度日寻亲，且看下回分解。

① 遄（chuán）征——迅速地行路。

第 五 回

小英雄受困求签　两好汉怜贫结义

当下狄公子道:“金钱呵,我一路而来,天天亏得你以作用度。为什么你今天产不出百十个来?倘你化不出来,就没了盘费,教我哪里去觅食。”当时公子自言自语地踌躇,取出金钱,反反复复地摸弄,不觉失手落到桥栏上,咕碌碌滚将下去。公子说声:“不好。”两手抢抓不及,跌于桥下波澜中。公子心中大恼,眼睁睁只看着桥下水似箭流,对着波澜说出痴话来,叫声:“水呵,你好作孽!此子母钱,乃师父赠我度日的,你因何夺去!真好狠心也!如今失去金钱,将何物觅食,又无亲戚可依,如何是好?”心中气闷,长叹一声道:“罢了!我狄青真是苦命之人,该受困乏的,奉师之命到此,只望得会亲人,岂知到此失去子母钱,弄得我难以度日。想我是顶天立地之汉,断不能在街头求乞的,不如身投水府,以了此生,岂不是干干净净!”当时放下衣裳,在桥边低头下拜,叹声:“水呵,我九岁时便遭大难,因命未该终,得师拯救。今朝没了子母钱,难以度日。又不愿沿途求乞,累辱我亲,不如仍入波涛之内。”

说罢,正在倒身下拜,有些来往之人,立着观看,多说他痴呆,交头接耳,纷纷谈论。忽然来了一位年老公公,扯着小公子问道:“你这小小年纪,是何方来此,缘何在此望空叩拜?且说与老汉得知。”公子抬头一看,说道:“老公公,你有所不知,吾不是贵省人,我乃山西省来的,只为遭了水难,得仙师救上仙山收录为徒,习武七年。”老公公说:“你既上仙山,为何又来此处?”公子道:“只因奉师父之命,到此访亲,得师赠我金钱度日,方才堕下水中,没有盘费,又不愿乞食偷生,特地拜谢师父之德,父母之恩,愿溺于波涛之中。”老公公听了,微笑道:“你这小官人好痴呆,万物皆惜生,为人岂不惜命!你为失此金钱小事,就寻此短见么?”公子道:“老公公,非我看得生死轻微,只因没了金钱,乏了盘费,乞食道中,岂不羞煞先人?不如速死为愈。”老人听罢,说:“小汉子,你是远方外省人,不晓得我们本省事。待老汉指点你一个所在,离此地不远,有一座相国寺,当日周朝郑国贤大夫子产，为官爱民清正，死后人感其德，立庙祀之，十分灵感。人若虔诚祈祷，十有九验。你不如去求问神圣，倘若神圣许你得会亲人，自然会相见。如神圣说你难会亲人，那时候再死，亦不为晚。”

在旁观看之人，也来相劝。狄公子听罢，只得依从，说道：“既蒙老公公和众位指教，我前往求祷神明便了。”老人又呼小汉子道：“还有一言，你可晓得？古语云：‘逢人且说三分话，未可全抛一片心。’你师命你下山，必有用意，言语之间，须要敛迹些。在老汉跟前，言既出口便罢，倘别人询你真情，断断不可透露。”公子应允，当时拿回包囊，踩开大步而去。

列位须知这子母钱，虽是狄青失落水中，实是老祖手下童子收去。老祖因他到得汴京，自然另有机会，故收去此钱。正是助他尽快得会亲人。即方才老公公对他说的那些话，亦是老祖化身来点化他的。

却说当下狄青一路上逢人便问相国寺的去处。一到寺前，果见来往参神之人，十分拥闹。公子等候一回，俟人少些，即忙进内，放下衣囊。只见有僧人在此，便呼道：“和尚，吾要参神，求问灵签。”僧人听了应诺，即引公子到了中殿，炷上名香，跪于蒲团之上，稽首默祷，诉明来意。告罢起来，到神案上签筒里，伸手拈起竹签一支。公子一看，其签上有绝句诗道：

古木连年花未开，到今长出嫩枝来。

月缺月圆周复始，原人何必费疑猜。

狄公子看罢，持签对僧人道：“和尚，吾请问你，我要寻访一人，未知可得会晤否？”和尚接着签诗看罢，问道：“你寻访之人，未知是亲戚还是朋友？”公子道：“是亲戚。”和尚道：“据贫僧看来，此位亲人分离日久的了。”公子道：“何以见是久不会的？”和尚道：“首言古木连年，岂不是日久不会之意。”公子说：“不差。”和尚又道：“至今长出这句，是与你至亲至切，同脉而来，他是尊辈，你是幼辈之意。其人必然得以相会，日期不远。”公子想来一脉亲人，必然吾母亲无疑了。又问：“应于何时相会？”和尚道：“月缺月圆，即在此一二天可以相会了。但今日虽是月圆之夜，据贫僧推详起来，即此七月还未得相会。”公子道：“缘何还有一月间隔？”和尚道：“周复始三字，还要过了此月，待至下月中旬中秋节，定得亲人叙会无疑了。”公子听罢，复又倒身下跪，叩谢神祇，又拱手再谢过僧人。

正要走出，僧人上前与公子讨签资，公子微笑道：“和尚，小子是个初到汴京贫客，实无钱钞，今动劳于你，实不该当，待改日多送双倍香资便了。”

岂知出家人最是势利，钱财上岂肯放得分文？听了狄青之言，即上前扯牢，怒道："万般闲物，可以赊脱得，唯有神明的求神问卜之资，难以拖欠。你这人真是可恶，动劳贫僧一番，分文不与的么？你真不拿出钱钞来，休想拿出此包囊。"说未了，将包囊抢下。当时公子大怒，喝声："休走！"抢上拉住僧人一手按住。这僧人十分疼痛，挣扭不脱，高声嚷救。不意当时外边来了两个人，一人是淡红脸，宛如太祖赵匡胤一般，一人生得黑漆脸，好像唐朝尉迟敬德模样。若问两汉来由，乃是天盖山的绿林英雄，结义弟兄。当日扮为贩卖绸缎客商，实是在山打劫得来的绸缎，来到河南开封府城贩卖。进城将缎子放在行家销售。因尚未销完，是以也来相国寺中参神。参神甫毕，早闻公子僧人争论之言，并见狄公子仪表人才，必非等闲之辈，便带笑言道："你这和尚行为太差，你既为出家之人，原要方便为主。既然他是外省的人，未曾带得钱钞也罢了，不该强抢他包囊。"又呼公子道："此位仁兄，且看我弟兄面上，不必和他争论！放手饶了他吧。"当下公子抬头一看，便道："僧人势利，何足为怪，多蒙二位排解，小弟感谢不尽！"

僧人见状，虽是心中气闷，只好进内拿出杯茶相奉。三人叙礼坐下，红脸汉道："请问仁兄尊姓高名，贵省仙乡，乞道其详。"狄公子道："小弟姓狄，贱名青，乃山西太原府西河人氏。二位尊姓高名，还要请教。"红脸汉微笑道："原来狄兄与弟有同乡之谊。"公子道："足下也是西河人么？"他道："非也，乃同府各县，吾乃榆次县人，姓张名忠。"公子道："久仰英名，此位是令昆玉么？"张忠道："不是，他是北直顺天府人，姓李名义。吾二人是结义弟兄。但不知狄兄远居山西，来到汴京何干？"狄青道："小弟只因贫寒困乏，特到京中寻访亲人下落。二位仁兄到此，未知作何贵干？"二人道："吾二人只因学些武艺，无人推荐，不得效力之处，在家置办些缎子布匹来京销售。如今货物尚未销完，偶然来此闲游，不意得逢足下，实是三生有幸。"公子道："原来二位也是英雄，欲与国家效力，实与弟同心相应。"张忠道："敢问狄兄，小弟闻西河县有位总戎狄老爷，是位清官，勤政爱民，除凶暴，保善良，为远近人民称感，不知可是狄兄贵族否？"公子道："是先严也。"二人闻言，笑道："小弟有眼不识泰山，多多有罪，乞恕冒昧不恭。原来狄兄是一位贵公子，果然品格非比寻常。"公子道："二位言重，弟岂敢当。但吾一贫如洗，涸辙之鱼①，言之惭愧。"二人笑道：

---

① 涸辙（hézhé）之鱼——比喻处在困境中急待援助的人。

“公子休得太谦,既不鄙我弟兄卑贱,且到吾们寓中叙首盘桓,不知尊意如何?”公子道:“既承推爱,受赐多矣。”于是李义又呼唤和尚,且拿去一小锭银子,只作狄公子的香资。这僧人见了五两多一锭银子,好生欢喜,连连称谢,还要留住再款斋茶,三人说不消了,于是一同出庙。

三人一路谈谈说说,进了行店中,店主人姓周名成,当时与狄公子通问了姓名,方知狄青乃官家之子,格外恭敬。当晚周成备了一桌上品酒筵,四人分宾主坐下,一同畅叙,传杯把盏,话得投机,直到更深方始各自睡去。次日,张忠、李义对狄青言道:“足下乃一位官家贵公子,吾二人出身微贱,原不敢亲近。但我弟兄最敬重英豪,今见公子英雄义气,实欲仰攀,意欲为异姓手足之交,不知尊意肯容纳否?”公子听罢,笑道:“我狄青虽然忝①叨先人之余光,今已落魄,是个贫寒下汉,二位仁兄是富豪英雄,弟为执鞭②尚虞不足,今辱承过爱,敢不如命!”二人听了大悦,张忠又道:“若论年纪,公子最小,应该排在第三,但他英武异常,必成大器,若称之为弟,到底心上不安,莫若结个少兄长弟之意。”李义笑道:“如此甚好!”公子闻言道:“二位仁兄说的话未免于理不合,既为兄弟,原要挨次序才是。年长即为兄,年少即为弟,方合于理。”李义又道:“吾二人主意已定,公子休得异议,即在店中当空叩告神祇③便了。”当下又烦店主周成备办香烛之类,焚香毕,一同祷告。三人祝毕,起来复坐,自此之后,张忠、李义不称狄公子,呼为狄哥哥。

是日,狄青想道:我自别恩师,来到汴梁,岂料亲人不见,反得邂逅异姓弟兄,算来也是奇遇。他二人一红脸,一黑脸,气宇轩昂,定是英雄不凡。他说在家天天操习武艺,未知哪个精通,且待空闲之日,与他比个高低。一日,张忠呼声:“狄大哥,你初到汴京,未曾耍过各地头风俗,且耽搁几天,与你玩耍。待销完货物,再与你一同访亲,未知意下如何?”狄公子未及开言,李义笑着先说。

不知李义有何言语,且看下回分解。

---

① 忝(tiǎn)——辱,有愧于,常用作谦词。

② 执鞭——为人驾驭车马,意谓给他人服役。

③ 神祇(qí)——“神”指天神,“祇”指地神,“神祇”泛指神明。

第　六　回

较技英雄分上下　闲游酒肆惹灾殃

当时李义笑道："张二哥，今日既为手足，何分彼此，好鸟尚且同巢，何况我们义气之交？狄哥哥遭了水难，亲人已稀，此地访寻，又不知果否得遇亲人，莫若三人同居，岂不胜于各分两地？"张忠听罢，说道："贤弟之言有理。"狄青听了二人之言，不觉咨嗟①一声，说道："二位贤弟，提起我离乡别井，不觉触动吾满腹愁烦。"张、李道："不知哥哥有何不安？"狄青道："吾单身漂泊，好比水面浮萍，倘不相逢二位贤弟，如此义气相投，寻亲不遇，必然流荡无依了。"张、李齐呼道："哥哥，你既为大丈夫英雄汉，何必为此担忧。古言：'钱财如粪千金义'，我三人须效管、鲍分金，勿似孙、庞结怨。"狄青听了道："难得二位如此重义，吾见疏识浅，有负高怀，抱愧良多。"谈论之际，不觉日落西山，一宵晚景休提。

次日，李义取了几匹缎子与狄青做了几套衣裳更换。张忠又对行主周成说："狄哥哥要用银子多少，只管与他，即在我货物账扣回可也。"周成应允。从此三人日日往外边玩耍，或是饥渴，即进酒肆茶坊歇叙，玩水游山，好生有兴。当时张忠对李义私议道："吾们且待货物销完，收起银子，与狄大哥回山受用，岂不妙哉！今且不与他说明。"

不表二人之言，原来狄青又是别样心思，要试看二人力量武艺如何。有一天，玩耍到一座关公庙宇，庭中两旁有石狮一对，高约三尺，长约四尺。狄青道："二位贤弟，当日楚项王举鼎百钧，能服八千英雄，此石狮贤弟可提得动否？"张忠道："看此物有六百斤上下，且试试提举吧。"当下张忠将袍袖一摆，身躯一低，右手挽住狮腿，一提拿得半高，只得加上左手，方才高高擎起。只走了七八步，觉得沉重，轻轻放下，头一摇，说声："来不得了，只因此物重得很。"李义道："待吾来。"只见他低躯一坐，一手提起，亦拿不高，双手高持，在殿前走了一圈，力已尽了，只得放将下来笑道：

---

① 咨嗟——叹息。

"大哥,小弟力量不济,休得见笑。"狄青道:"二位贤弟力气很强,真是英雄!"李义道:"大哥你也提与小弟一观。"狄青道:"只恐吾一些也拿不动。"张忠道:"哥哥且请一试。"狄青微笑,走上前,身躯一低,脚分八字,伸出猿臂,一手插在狮腿上,早已高高擎起,向周围走了三四转。张忠、李义见了,吐舌摇头道:"不想哥哥如此弱怯之躯,力量如此强狠,我们真不能及。"当下狄青提着狮子连转几回,面不改色,气不速喘,将狮子一高一低连举数次,然后轻轻放下,安于原处。张忠笑道:"哥哥,你果然勇力无双,安邦定国,意中事耳,功名富贵何难唾手而得。"狄青道:"二位贤弟休得过誉,愚兄的力量武艺有甚稀罕。"又见庙左侧有青龙偃月刀一把,拿来演舞,上镌着重二百四十斤。张忠、李义虽然舞动,仍及不得狄青演得如龙取水,燕子穿梭一般。张、李实在深服。

玩耍一番,三人一同出了庙门,向热闹街道而去。李义道:"二位哥哥,如今天色尚早,玩得有些饿了,须寻片酒肆坐坐才好。"张忠、狄青皆言有理。一路言谈,不觉来到十字街头。只见一座高楼,十分幽雅,三人步进内楼,呼唤拿进上好美酒佳馔来。酒保一见三人,吓了一惊,说:"不好了!蜀中刘、关、张三人出现了,走吧!"张忠道:"酒保不须害怕,我三人生就面庞凶恶,心中却是善良的。"酒保道:"原来客官不是本省人声音,休得见怪,且请少坐片时,即有佳酒馔送来。"只见阁子上有几桌人饮酒。那楼中不甚宽大,可望到里厢,对面有座高楼,雕画工巧,花气芳香,远远喷出外厢,阵阵扑鼻。张忠呼酒保,要换个好座头。酒保道:"客官,此位便是好了。"张忠道:"这个所在,我们不坐,须要对面这座高楼。"酒保说:"三位客官要坐这高楼,断难从命。"张忠道:"这是何故?"酒保说:"休要多问,你且在此饮酒。"张忠听了,问道:"到底为什么登不得此楼?快些说来!如果实在坐不得的,我们就不坐了,你何妨直言。"酒保说:"三位客官,不是吾本省人,怪不得你们不知。隔楼有个大势力的官家,本省胡坤胡大人,官居制台之职。有位凶蛮公子,强占此地,赶去一坊居民,将吾阁子后厢,起建此间画楼。多栽奇花异草,古玩名画,无一不备,改号此楼为万花楼。"张忠道:"他既是官家公子,如何这样凶蛮呢?"酒保道:"客官不知其故,只因孙兵部就是庞太师女婿,胡制台是孙兵部契交党羽,倚势作恶,人人害怕。这公子名叫胡伦,日日带领十余个家丁,倘愚民有些小关犯,他即时拿回府中打死,谁人敢去讨命?如今公子建造此楼,时常到来赏花游花,饮酒开心,并禁止一众军民人等，不许到他楼上闲玩。如有违命者，立刻拿回重处，故吾劝客官休问此楼，又恐惹出灾祸，不是玩的。”

当时不独张忠、李义听了大怒，即狄青也觉气愤不平。张忠早已大喝一声道：“休得多说！我三人今日必要登楼饮酒，岂怕胡伦这小畜生！”说罢，三人正要跑上楼去，吓得酒保大惊，额汗交流，跪下磕头恳求道：“客官千祈勿上楼去，饶我性命吧！”狄公子道：“酒保，吾三人上楼饮酒，倘若胡伦到来放肆，自有我们与他理论，与你什么相干，弄得如此光景？”酒保道：“客官有所不知，胡公子谕条上面写着：‘本店若纵放闲人上楼者，捆打一百。’客官呵，我岂经得起打一百么？岂非一命无辜，送在你三人手里！恳祈三位客官，不要登楼，只算是买物放生，存些阴骘①吧。”张忠冷笑道：“二位兄弟，胡伦这狗才如此凶狠，恃着数十个蠢汉，横行无忌，顺者生，逆者死，不知陷害过多少良民呢！”狄青道：“我们不上楼去，显然怕惧这狗乌龟了，不是好汉！”李义也答道：“有理。”当下三人执意不允，吓得酒保心头突突乱跳，叩头犹如捣蒜一般。张忠一手拉起，呼道：“酒保且起来，吾有个主张了。如今赏你十两银子，我三人且上楼暂坐片时就下来，难道那胡伦有此凑巧就到么？”李义又接言道：“酒保，你真呆了，一刻间得了十两银子，还不好么！”酒保见了十两银子，转念想道：“这紫脸客官的话，倒也不差，难道胡公子真有此凑巧，此时就来不成？罢了，且大着胆子，受用了银子吧。”即呼道：“三位呵，既然欲登楼，一刻就要下来的。”三人说道：“这个自然，决不累着你淘气的，且拿进上上品好酒肴送上楼来，还有重赏。”酒保应诺。三人登楼，但见前后纱窗多已闭着，先推开前面纱窗一看，街衢上多少人来往，铺户居民，屋宇重重。又推开后面窗扇，果见一座芳园，芳草名花，珍禽异兽，不可名状，亭台院阁，犹如画图一般。三人同声称妙，说道：“真真别有一天，怪不得胡公子要赶逐居民，只图一己快乐，不顾他人性命了。”

谈论间，酒肴送到，排开案桌，弟兄放开大量畅饮。又闻阵阵花香喷鼻，更觉称心。原来这三位少年英雄，包天胆量，况且张忠、李义乃是天盖山的强盗，放火伤人，不知见过多少，哪里畏惧什么胡制台的儿子。他不登楼则已，到了此楼，总要吃个爽快的。酒保送酒不迭，未及下楼，又高声喧闹，几次催取好酒。酒保一闻喊声，即忙跑到楼上说道：“客官，小店里

① 阴骘（yīn zhì）——阴德。

实在没酒了,且请往别处去用吧。"张忠喊道:"狗囊!你言没了酒,欺着我们么!"一把将酒保揪住,圆睁环眼,擎起左拳,吓得酒保变色发抖,蹲做一堆求饶。李义在旁道:"酒保,到底有酒没有酒?"狄青言道:"酒是有的,无非厌烦我们在此,只恐胡伦到来,连累于他罢了。——酒保,如若胡伦到来,你只言我们强抢上楼的,决然不干累于你。"酒保道:"既如此,请这位红脸客官放手,吾拿酒来吧。"当下张忠放手,酒保下楼来,吐舌伸唇道:"不好了!这三人吃了两缸酒,还要添起来。这也罢了!只怕公子到来,就不妥当的。"酒保正在心头着急,恰巧胡伦到了。

却说胡伦年方二十开外,生得面貌丑陋,他并非胡坤亲生,乃是继养义子。只贪游荡,不喜攻书,胡坤并不拘束,听其所为,把胡伦放纵得品行不端,平素凌虐良善,百姓一闻他到,便远远躲避,所以送他一个诨名胡狼虎。这一天,乘了一匹白马,带了八个家丁,各处去玩耍而回。本来不是要到酒肆中,只因狄青三人未登楼之先,已有一个无赖汉诨名徐二在里面饮酒,后来看见酒保得了张忠十两银子,私放三人在万花楼饮酒。徐二暗言道:我前日吃他的酒肴,未有钱钞,仰恳他记挂数日账,他却偏偏不肯,要我身上衣衫抵折了。如今破绽落我眼内,我不免报禀与公子得知,搬弄些唇舌,料想恶公子必不肯甘休,将这狗囊混闹一场,方出我的怨气。正是明枪易躲,暗箭难防!想罢,完了酒钞,出门而去。

事有凑巧,胡公子正在那路回府,徐二急赶上跪下道:"小人迎接胡大爷。"胡伦道:"你是何人,有甚事情?"徐二道:"无事不敢惊动大爷,只因方才酒保故违大爷之命,贪得财帛,擅敢容放三人在万花楼饮酒,特来禀知大爷。"胡伦听了,问道:"如今还在么?"徐二道:"如今还在楼中。"胡伦道:"你且去吧,明天到来领赏。"徐二道谢而去,暗喜道:搬弄口舌,还有赏领,这场买卖真算得好。

不谈徐二喜悦,却说胡伦怒气冲冲,带了家丁,如狼似虎,一直来至酒肆中,喝问酒保,何人登楼饮酒?当时店中阁内的饮酒人,一见公子到来,一哄都走散了。酒家吓得魄散魂飞,连忙跪下叩头不止。八个家丁跑进楼台,大喝道:"这里什么所在,你们胆敢在此吃酒么?"弟兄三人听了大怒,立起言道:"酒楼是留客之所,人人可进,你莫非就是胡家几个狗奴,来阻挠吾们吃酒,好生大胆!"八人齐喝道:"我家胡府大爷要登楼来,你们快些走下还好,只算不知者不罪。"三人喝道:"放屁!胡伦有甚大来头，不许吾们在此么？快教他来认认我桃园三弟兄，立着侍酒，方恕他简慢之罪！”家丁大怒，喝道：“大胆奴才，好生无礼！”早有胡兴、胡霸抢上，挥起双拳就打，被张忠一手格住一人，乘势一摺，二人东西跌去丈远，又有胡福、胡祥飞步抢来。

不知如何争持，且看下回分解。

第　七　回

打死凶顽除众害　开脱豪杰顺民情

当时李义看见两人打来，他圆睁环眼，喝声："慢来！"飞起连环脚，二人一齐跌倒。胡昌、胡顺、胡荣、胡贵四人一齐拥上，向三人奔来。狄青毫不介怀，将身一低，伸开双手，在四人腿上一擦，四人喊声不好，立即扑地跌下。八人同时爬起，又要抢上，岂知身躯未近，人已先跌，只得爬起身来，逃下楼去。狄青看见，冷笑道："这八个奴才，不消三拳二脚，打得奔下楼去。二位贤弟，我想胡伦未必肯甘休，料他必来寻事，我们三人一同下楼，方为上策。虽然不是怕他，恐他多差奴才来，就虎落平阳被犬欺了。"张忠道："哥哥所算不差，我们下楼去吧。"狄青在前，张忠、李义在后，正要下楼，岂料胡化公子已经雄赳赳气昂昂抢上楼来，高声大喝："谁敢无礼，我胡大爷来也！"狄青问道："你就是胡伦么？"用手在他肩上一拍，胡伦已立脚不稳，全身跌下，八个家丁上前扶起，已跌得头晕眼花了。即唤家丁们，快拿住三个贼奴才。狄青喝道："胡伦！你还敢来么？"胡伦被跌扑得疼痛，心中愤怒，喝声："何方野畜，擅敢放肆，我公子就来，你便怎的！"直抢上前，八个家人随后，只有胡兴见势头不好，先回家中禀报去了。

胡伦抢奔至狄青跟前，狄青伸手夹胸抓住，提起脊背向天，如拎鸡一般。七个家人只管呐喊，又见张忠、李义怒目睁圆，不敢上前，大骂："这还了得！三个死囚如此胆大凶狠，还不放下公子！胡大人一怒，只怕你三条狗命不保！"狄青乃少年英雄，酒已半酣，一闻家丁之言，怒气冲冲，喝声："狗奴才！要吾放他么，也不难，且还你吧！"说着，将胡伦一抛，高高掷起，头向地，脚顶天，已跌于楼下。三人哈哈冷笑，重回楼中饮酒，已忘记了方才下楼之言。当下七名家丁见抛了公子下楼，急急跑走下楼来，只见公子跌破天灵盖，血流满地，已是死了，吓得面如土色，大呼："反了，反了！清平世界，有此凶恶之徒，将公子打死，真乃目无王法了！"店家早已跌得半死，街上闲观之人渐多，是时胡府家丁又添上百十余人，将万花楼重重围了。

这三人在楼中饮酒，还不晓得胡伦跌死，正在饮得高兴，你一杯，我一盏,见有二三十人一拥上楼来,要捉拿凶手。这三人一见大恼,立起来仍复拳打脚踢,都已打退下去。酒家看来不好,只得硬着胆子,登楼来跪下,叩头不已,称言:"三位英雄,祈勿动手,救救小人狗命才好。"三位道:"我们又不是打你,何用这样慌忙?"酒家道:"三位啊,你今跌扑胡公子死了,他的势大凶狠,你不知么?方才小人已曾告禀过了。"狄青道:"胡伦死了么?"酒保道:"天灵盖已打得粉碎,鲜血满地,还是活的么?但今胡大人必来拿问我了,岂不是小人一命,丧于你三位之手!"狄青道:"店主休得着忙,我们一身做事一身当,决不来干连你的。"酒家道:"你虽然如此说,只是你三位乃异省人氏,一时逃脱,岂不连累了小人?"张忠道:"我三人乃顶天立地英雄,决不逃走的,你且再去拿美酒上来,我弟兄饮得爽快就是。如不送来,我们就逃走了。"酒家听了,诺诺应允道:"要酒也容易。"因急忙跑下楼去,取一坛美酒送上楼来,只恐三人脱身而去,是以不论美酒佳肴,多送上楼。三弟兄大悦,尽量畅饮不休。

是日胡坤闻报,大惊大怒,即刻传祥符知县前往拿捉凶身。差役等人数十名,到了酒肆门前,县主于此排堂,验明尸伤,系扑跌殒命的。只因知县要奉承上司胡大人,少不得要格外苛求,当唤酒家问其姓名,酒家禀道:"大老爷在上,小人名唤张高。"县主又讯三人姓名,怎样将公子打死的,须从实说来。酒家道:"启老爷,他三人名姓,小人倒也不晓,只是一个红脸的,一个黑脸的,一个白面的,同来饮酒,要上对面楼中。当时小人再三不肯,再三推辞,岂知他们十分凶狠,伸出大拳头,将小人揪住要打。小人力怯无奈,只得容他登楼。后来公子到了,即时登楼厮闹,若问如何殴打,小人倒也不知。只为小人在楼下,殴斗在楼上,所以不知其由。老爷若问公子死法,只要讯三个客人,就得明白。"县主听罢点头,当下衙役唤过三人,县主问道:"你等什么名姓?"张忠道:"吾姓张名忠,山西榆次县人氏。"李义禀道:"吾是北直顺天府人,名唤李义。"狄青道:"吾乃山西西河人,姓狄名青。"县主道:"你三人既为异省人氏,在外为商,该当事事隐忍才是。在此饮酒,缘何便将胡公子打死?你们且从实招来,以免动刑。"张忠道:"大老爷明见,吾三人在楼中饮酒,与这胡伦两无交涉。岂料他领了七八个家丁打上楼来,不许我们饮酒,这先是胡伦的错。"县主听了,喝声:"胡说!你还说与胡公子两无交涉么?你既坐了他楼,理须相让,用些婉辞,赔话解劝,何到相殴?况他是个贵公子,你三人是平民,即同辈中借用了东西,还要婉辞求让，如今你三个凶徒，欺他弱质斯文，行凶将他打死了，还说此蛮话，好生可恶！”狄青道：“老爷若论理来，胡伦亦有错处，他一到店中，即差家人打上楼来，不由理论。后至胡伦厮闹进楼，小人并不曾将他殴打，他已怒气冲冲，失足扑于楼下，他是失足跌死，怎好冤屈小人打死他？望乞大老爷明见详察！”县主大怒，喝声：“利口凶徒！你将公子打死，还要花言强辩，皇城法地，岂容如此凶恶强徒，若不动刑，怎肯招认！”吩咐先将这红脸贼狠狠夹起来。

当时差役正要动手脱张忠靴子，岂知这时来了一位铁面阎罗。此人姓包名拯，一路巡查到此。若论包爷身为开封府尹，此时不是圣上差他做个日巡官，乃是包公因目下奸党甚多，恐防作弊陷民。是日不打道，不鸣锣，只静悄悄带了张龙、赵虎、董超、薛霸四个亲军，各处巡察。才近酒肆坊中，只见喧哗人拥，包爷住轿，唤张龙、赵虎去查问何事。两人领命而去，回来禀道：“大老爷，有三位外省人氏张忠、李义、狄青，将胡制台的公子打死于酒肆中，县主老爷在此相验问供，是以喧闹。”包爷一想，这老胡奸贼，纵子不法，横行无忌，几次要捉他破绽，无奈他机巧多端，无从下手。这小畜生有了今日，正死得好，地方除一大虫了。

想未了，有知县到来迎接，曲背拱腰，称言：“卑职祥符县接见包大人。”包爷就问：“贵县，这三个凶身哪一个招认的？”知县道：“上禀大人，这三个凶身都不招认，卑职正要用刑，却值大人到此，理当恭迎。”包爷道：“贵县，这件案情重大，谅你办不来，待本府带转回衙，细细究问，不由他不招认。”县主道：“包大人，卑职是地方官，待卑职审究，不敢重劳大人费心。”包爷冷笑道：“你是地方官，难道本府是个客官么？张龙、赵虎，可将三名凶犯带转回衙。”二人应诺，一同带住三人。包公转店，再验尸首，并非拳刀所伤，只是破了天灵脑盖。当下心中明白，登轿回衙，只有祥符知县心中不悦，恨着包公多管闲事，必要带去开脱凶身，岂不教胡大人将吾见怪，只恐这官儿做不成了。便吩咐衙役，录了张酒家口供，将公子尸首送来胡府。

却说胡坤一闻儿子身亡，愤怒不已，夫人哀哀啼哭，痛恨儿子丧于无辜。忽报祥符县到来，胡坤命后堂相见。知县进来叩见毕，低头禀道：“大人，方才卑职验明公子被害，正要严究凶身，不想包大人到来，将三名凶犯拉去，为此卑职特送公子尸身到府，禀明大人定夺。”胡坤说：“包拯如此无礼么？”知县道：“是。”胡坤道：“包拯啊，这是人命重大事情，谅你不敢将凶身开脱的。暂请贵县回衙吧。"知县打拱道:"如此卑职告退了。"

知县去后,胡坤回进后堂,一见尸首,放声悲哭。又见夫人伤心,家丁丫头也是悲哀,胡坤长叹一声道:"只为爹娘年老,单养成你一人,爱如掌上明珠,儿呵!指望你承嗣香烟,今被凶徒打死,后嗣倚靠何人?贼啊,我与你何仇,竟将吾儿打死,斩绝我胡氏香烟,恨不能将你这贼子千刀万剐。"闲话休提,是日免不得备棺成殓。

却说包公带转犯人升堂坐下,命先带张忠,吩咐抬起头来。张忠深知包公乃是一位正直无私清官,故一心钦敬,呼声:"包大老爷,小民张忠叩见。"包公举目一观,见他豹头虎额,双目如电,紫红面庞,看他是一个英雄之辈,如挑他做个武职,不难为国家出力,即言道:"张忠,你既非本省人,做什么生理,因何将胡伦打死?且从实禀来!"张忠想道:这胡伦乃是狄哥哥撩下楼去跌死的,方才在知县跟前,岂肯轻轻招认。但今包公案下,料想瞒不过的,况且结义时立誓义同生死,罢了!待我一人认了罪,以免二人受累便了。定下主意,呼声:"大老爷,小民乃山西人氏,贩些缎匹到京发卖,与李、狄二人,在万花楼酒肆叙谈。不料胡伦到来,不许我们坐于楼中,领着家人七八个,如虎如狼,打上楼来。只为小人有些膂力①,打退众人下去,后来胡伦跑走上楼,与小人交手,一交跌于楼下,撞破脑盖而亡。虽是小人不是,实是误伤的。"包爷想道:本官见你是个英雄汉子,与民除害,倒有开脱之意,怎么一刑未动,竟是认了?若竟开脱,未免枉法,罢了,且带下去,再问这两个吧。

主意已定,喝声:"带下去,传李义上来。"当下李义跪下,包公一看,李义铁面生光,环眼有神,燕颔虎额,凛凛威仪。包爷道:"你是李义么?哪里人氏?这胡伦与你们相殴,据张忠说,他跌坠下楼身死,可是真的么?"原来李义亦是莽夫,哪里听得出包公开释他们之意,只想张二哥因何认作凶手,待我禀上大老爷,代替他吧。想罢说道:"启禀大老爷,小民乃北直顺天府人,三人到来贩卖缎匹,在万花楼饮酒,与胡伦吵闹,小的性烈,将他打下楼,堕扑身亡。"包爷喝道:"张忠说是他与胡伦相争,失足坠楼而死,你又说是你打死的,难道打死人不要偿命的么?"李义道:"小的情愿偿命,只恳大老爷赦脱张忠的罪,便沾大恩了。"包爷听了冷笑道:"张忠说是他失手伤的,

---

① 膂(lǚ)力——体力。

李义又说是他失手伤的。一个胡伦,难道要二人抵命?此中定有蹊跷,且待我带狄青上来讯问。”吩咐李义也退下,再唤狄青上堂。

包爷细看小英雄十分英俊,不由心中爱惜。原来包公乃文曲星,狄青乃武曲星,今生虽未会过,前世已相会,故当时包公满腹怀疑,此人好生面善,但一时记认不起,呼道:“你是狄青么,哪省人氏?”狄青禀道:“小民乃山西省太原府西河人,只为到此访亲不遇,后逢张、李,结拜投机。是日于楼中饮酒,不知胡伦何故,引了多人跑上楼,要打吾三人。小民等颇精武艺,反将众人打退下楼,吾将胡伦丢抛下楼坠死。罪归小民,张、李并非凶手,大老爷明见万里,开脱二人之罪。”包爷暗忖①道:这又奇了!别人巴不得推诿,他三人倒把打死人认在自己身上,必有缘故。想来三人是义侠之徒,同场做事,不肯置身事外,所谓甘苦患难,死生共之。但三人抵一命,决无此情理。想张忠、李义,像是凶手,狄青如此怯弱,决不致打死人。大约他因义气相投,甘代二人死的,本部且将他开脱,再问张、李二人吧。于是把惊堂木一拍,大喝道:“你小小年纪,说话糊涂,看你身躯怯弱,岂像打斗之人,况且胡伦验明被跌身死,如何这等胡供,岂不知打死人要偿命的!你莫不是疯痴的么?”喝命撵他出去!早有差人将狄青推出去了。旁边胡府家人看见,急上前禀道:“大老爷,这狄青既是凶身正犯,因何将他赶出?”包爷道:“他乃年轻弱质,不是打架之人。”家丁启上:“大老爷,他自己招认作凶身的。”包公道:“他乃冒认,欲脱张、李二人之罪,本部欲将张、李二人再讯,狄青并非凶犯,留他怎的?况且一人抵一命,公子之命,现有张、李二人在此,何得累及无辜?”家丁说:“求恳大老爷,切勿放走凶手,只恐家老爷动恼了。”包公怒道:“你这狗才,将主人来压制本府么?”扯签撒下,大喝:“打二十板!”打得家丁痛哭哀求,登时逐出。包公本欲将张、李一齐开脱了,乃无此法律,不免暂禁狱中再处。即时退堂。有众民见包公审三人,将狄青赶出,打了胡府家人,好不称快。只为胡伦平日欺侮众民,被害过多,今日见三人乃外省人氏,打死他儿子,犹如街道除去猛虎,十分感激三人,实欲包公一齐放脱了他们。你言我语,不约同心,想来好善憎恶,个个皆然。

不知张、李如何出狱,且看下回分解。

---

① 暗忖(cǔn)——心里思量,推测。

第八回

说人情忠奸辩驳　演武艺英杰纵横

话说众人喜得打杀了胡伦公子，除去本地大患。却说狄青被包公赶逐，出了衙门，不解其意。一路思量：包大人将吾开释了，难道我父亲做官时与他是故交？但我幼年时，父亲升到本籍山西省做总兵，包爷初在朝内做官。今虽将我罪名出脱，还不知两位弟兄怎么样了？狄青正在思想，只见衙役等押出二人，连忙上前道："二位贤弟出来了么？愚兄在此守候多时了。"二人说："哥哥，你且回店中，等我二人作甚？"狄青道："候你二人一同回去。"二位微笑道："小弟回去不成了。"狄青道："不知包大人如何断你二人？"张忠道："包大人没有怎么审断，只传谕下来，将我二人收禁候审。"狄青道："你二人监牢内去，如此我也同去。"二人道："大哥你却痴了。你是无罪之人，如何进得狱中？"狄青道："贤弟说哪里话来！打死胡伦，原是我为凶手，包大人偏偏不究，教我如何得安？岂忍你二人羁于缧绁①之中！我三人不离死生，方见桃园弟兄之义呢。"张忠笑道："哥哥，你今日就欠聪明了。吾二人是包大人之命，不得不然，你是局外之人。况且这个所在，不是无罪之人可进得的。吾还有一说……"便附耳细言道："这件事情，包公却有开释之意，小弟决无抵偿之罪，哥哥可放心回去，对周成店主说知，拿一百两银子来使用便是了。"狄青闻言叹道："屡闻包大人铁面无私的清官，若得他开脱你二人，我心方定呢。"谈谈说说，不觉到了牢中，狄青无奈，只得别去。回归店中，将近情达知周成店主，吓得他一惊不小，就将货物银子，兑了一百两，交付狄青。次日到狱中探望二人，分发使费。少停回转行中，心头烦闷，日望包公释放二人。按下不表。

再说胡坤府内之事，家丁被打回来，向家主禀道："包爷审理此事，将一个正犯狄青释放，小人驳说得一声，登时拿下打了二十板，痛苦难堪。"胡坤听了，怒道："可恨包拯，竟将正犯放走了，又毒打家人，如此可恶！包黑贼真不近人情了。"吩咐打道出衙，一路往孙兵部府中而来。原来孙

---

① 缧绁(léixiè)——捆绑犯人的绳索。这里喻监禁。

秀因庞洪入相,进女入宫为贵妃,他是国丈女婿,故由通政司升为大司马,成为名声赫赫的大权奸。这胡坤是庞国丈的门生,故孙、胡二人十分交厚,宛然莫逆弟兄。胡坤不去见包公,名正言顺,说秉公之论,反鬼头鬼脑来见孙秀,显见他不是光明正大之人了。当日孙兵部闻报,吩咐大开中门,衣冠楚楚地迎接。携手进至内堂,分宾主坐下,孙爷问道:“不知胡老哥到来,有失远迎,望祈恕罪。”胡坤道:“老贤弟,休得客气。愚兄此来,非为别故。”当将此事一长一短说知,又道:“孙贤弟,吾平日本与包拯不投机的,今又打吾家丁,欺我太甚,故特来与人相商。但狄青是个凶身正犯,他已放脱了,有烦老贤弟去见这包拯,要他拿回狄青,与张、李一同审作凶身,一同定罪,万事干休。如若放走了狄青,势不两立,立要奏明圣上,究问他一个坏法贪赃之罪,管教头上乌纱帽子除下!”孙兵部听了大怒道:“可恼,可恼!包黑贼欺人太甚,胡兄不必心焦,愚弟亦与包拯不合,为此事且代你走一遭,凭他性子倔强固执,吾往说话,谅包拯不得不依。”胡坤道:“如此足感贤弟,有劳了。”孙秀当日吩咐在书房备酒,二人饮酒,谈至红日西沉,胡坤方才作别回衙。

次日,孙秀一直来至开封府,令人通报。包公一想:孙秀从不来探望我的,此来甚是可疑。只得接进衙内,两下见礼坐下。包公道:“不知孙大人光降,有何见教?”孙秀冷笑道:“包大人,难道你不晓得下官来意么?”包公道:“不晓得。”孙秀道:“只为胡公子被人打死,理当知县审究,却被包大人把人犯带回衙来。”包公道:“孙大人,这件案情知县办得,难道下官管不得么?”孙秀道:“管是管得的,但不应该将个凶身正犯放脱,不知是何道理?”包公道:“怎见小小少年狄青是凶身正犯?”孙秀道:“这是狄青自己招认的。”包公道:“是孙大人亲眼目睹么?”孙秀道:“虽非目睹,难道那胡府家人算不得目睹么?”包公道:“如此只算得传来之言,不足为信。倘国家大事,大人可以到来相商,如今不过是一件误伤人命,不是什么大不了的事情。若要私说情面,休得多言。”孙秀道:“包大人,你说的都是蛮话。”包爷冷笑道:“下官原是蛮话,只要蛮得有理就是!但这胡伦是自己跌扑楼下而死,据你的主见,要三人偿他一命。你岂不晓得家无二犯,罪不重科?比方前日有许多人在那里饮酒,难道俱要偿他的命么?为民父母,好善乐生,应当矜恤①民命。况且此案下官未曾发落,少

① 矜恤(jīnxù)——怜惜体谅的意思。

不得还要复审，再行定夺。”孙秀道：“包大人，你一向正直无私，是以圣上十分看重，满朝文武人人敬你。岂知今日此桩人命重案，偏存了私心，放了正犯，胡坤岂肯甘休？倘被他奏闻圣上，你头上乌纱帽可戴得牢稳么？”包爷听罢，冷笑道：“孙大人，下官这乌纱时刻拼着不戴的，只有存着一点报国之心，并不计较机关利害。”孙秀道：“包大人，据你的主见，这狄青不是个凶犯，应得释放的么？”包公道：“不是凶犯，自然应放脱的，少不得也要奏知圣上。这胡坤不奏明圣上，下官也要上本的。”孙秀道：“你奏他什么来？”包公道：“只奏他纵子行凶，欺压贫民，人人受害的款头。”孙秀道：“这有什么为据？”包公冷笑道：“你言没有凭据么？这胡伦害民，恶款过多，我已查得的确，即现在万花楼之地，亦是赶逐居民强占的。况且张忠、李义、狄青三人乃异乡孤客，这显见是胡伦恃着官家势力，欺他们寡不敌众，弱不敌强，哪人不晓。岂有人少的，反把人多的打死，实难准信。倘若奏知圣上，这胡坤先有治家不严之罪，纵子殃民，实乃知法犯法，比庶民罪加一等。即大人来私说情面，也有欺公之罪。”这几句话说得孙秀无言可答，带怒说：“包大人，你好斗气，拿别人的款头，捉别人的破绽。我想同殿之臣，何苦结尽冤家，劝你把世情看破些吧！”包公言道：“孙大人，这是别人来惹下官淘气的，非我去觅人结怨。奏知圣上，亦是公断，是是非非，总凭公议。倘若我错了，纵然罢职除官，我包拯并不介怀的。”

当时包公几句侃侃铁言，说得孙秀也觉惊心。想来这包黑子的骨硬性直，动不动拿人踪迹，捉人破绽，倘或果然被他奏知圣上，这胡坤实乃有罪的，悔恨此来反是失言了。此时倒觉收场不得，只得唉声：“包大人，下官不过问得传言，说你将凶手放脱了；又想大人乃秉正无私的，如何肯抹私瞒公，甚是难明，故特来问个详细，大人何必动怒？如此下官告辞了。”当下孙兵部含怒作别，一直来到胡府，将情告复。又将包拯硬强之言，反要上朝劾奏胡兄的话述了一遍。胡坤听罢这番言语，深恨包公，是晚只得备酒相待孙秀。讲起狄青，言他乃一介小民，且差人慢慢缉访查明下落，暗暗拿回处决他，有何难处。

不表二奸叙话，再言铁面清官包公，见孙秀去后，冷笑道：“孙秀啊，你这奸贼，虽则借着丈人势力，只好去压制别人。若在我包拯跟前弄些乖巧，你也休想，真个刮得他来时热热，去时淡淡的。”又想：胡伦身死，到底因张忠、李义而起，于律不能无罪，故我将二人权禁于囹圄①中，这胡坤又奈不得我何。

不说包公想论，再说狄青自别张忠、李义之后，独自一人在店中，寂寞不过，心中烦闷。只因弟兄二人坐于狱中，不知包爷定他之罪轻重，一日盼望一日。当有周成笑呼："狄公子，有段美事与你商量。"狄青道："周兄有何见教?"周成道："小弟有一故交好友，姓林名贵，前一向当兵，今升武职，为官两载。日中闲暇，到来谈叙，方才无意中谈起你的武艺精通。林老爷言，既是年少英雄，武艺精熟，应该图个进身方是。我说只为无人提拔，故而埋没了英雄。林爷又说，待他看看你人品武艺如何。依吾主见，公子有此全身武艺，如何不图出身？强如在此天天无事，若得林老爷看待你，就有好处了，不知公子意下如何?"狄青想道："这句话却是说得有理。"但想这林贵不过是个千总官儿，有什么稀罕，有什么提拔得出来?又因周成一片好意，不好拒却他，即时应诺，整顿衣巾，一路与周成同来拜见林贵。

当日林老爷一见狄青，身材不甚魁伟，生得面如敷粉，目秀神奇，虽非落薄低微之相，谅他没有什么力气，决然没有武艺的。看他只好做文官，武职休得想望了，便问狄青："你年多少?"狄青道："小人年已十六了。"林贵道："你是年少文人，哪得深通武艺?"狄青道："老爷，小人得师指教，略知一二。"周成道："林兄长，不要将他小觑②，果然武艺高强，气力很大。"林贵哪里肯信，便向狄青道："既有武艺，须要面试，可随吾来。"狄青应允。林贵即刻别过周成，带了狄青回到署中，问狄青："你善用什么器械?"狄青道："不瞒老爷，小人不拘刀枪剑戟，弓矢拳棍，皆颇精熟。"林贵想：你小小年纪，这般夸口，且试演你一回，便知分晓了。即同到后院，已有军械齐备，就命狄青演武。狄青暗想：可笑林贵全无眼力，轻视于我，且将师父所传武艺演来，只恐吓煞你这官儿。当时免不得上前叫声："老爷，小人放肆了。"林贵道："你且试演来。"小英雄提起枪，精神抖擞，舞来犹如蛟龙翦尾，狮子滚球，真乃枪法稀奇，世所罕有。随营士卒，见了心惊，林贵更觉慌张，深服方才周成之言非谬。枪法已完，又取大刀舞弄，只

① 囹圄(líng yǔ)——监牢。
② 觑(qù)——看，瞧的意思。

见霞光闪闪，刀花飞转，不见人形。一时人人喝彩，个个称扬。林贵登时大悦。舞完大刀，剑戟弓矢，般般试演，实是无人可及。林贵不胜赞叹，暗道：肉眼无能，错觑英雄！便问："狄青，你的武艺哪人传授你的？"狄青道："家传世习的。"林爷道："既是家传，你父是何官职？"狄青道："父亲曾为总兵武职。"林贵道："原来将门之种，怪不得武艺迥异寻常，吾今收用你在营效用，倘得奇遇，何难显达？恨我官卑职小，不然还借你有光了，今且屈你在此效力。"狄青道："多谢老爷提携！"狄青思算，欲托足于此，以图机会，不然即做了千总官儿，亦不稀罕的。周成店主得知此事，心中喜悦，以为狄公子得进身之地了。是浅人之见如此，但他一片好心，故狄公子也不忍却他之意，权在林贵营中羁身。

不知如何图得机会进身，且看下回分解。

第　九　回

急求名题诗得祸　报私怨越律伤人

慢言狄青在林贵营中候用。其时七月方残，始交八月。前时西夏赵元昊兴兵四十万，攻下陕西绥德、延安二府，一直进兵偏头关。有杨元帅镇守三关口。三关一日偏头，二日宁武，三日雁门，全是万里长城西北隘口重地，屡命名将保守。如今关内亦是兵雄将勇。上月杨元帅已有本告急回朝，仁宗天子旨命兵部孙秀，天天操演军马，挑选能将，然后发兵。时乃八月初二，选定吉日，谕集一班武职将官，要往教场开操。是日，城守营正值林贵，将教场命人打扫洁净，铺毡结彩，安排了座位。各款预备，以俟孙秀下教场不表。

却说狄青在教场中，独自闲玩，不觉思思想想，动着一胸烦恼，长叹一声道："吾蒙师父打发下山，到了汴京，已有二十多天，不见亲人，反结交得异姓骨肉，实是义气相投。岂知不多几日，惹起一场飞灾。想我虽在营中当兵效用，到底不称我心，不展我才，就是目下兵团三关，我狄青埋没在个小小武员名下，怎能与国家出力，真枉为大丈夫啊！"当时，小英雄双眉交锁，自嗟自叹，又想：目下正是用兵较武之际，只可惜我狄青任有全身武艺，又不便恳求林爷，将自己推荐。这孙兵部焉能晓得石中藏玉，草里埋珠，这便怎么是好？自言自想，走过东又走过西，只见公案上有现成的笔墨在此，不免在粉墙上面题下数言，将姓名略现，好待孙兵部到此细问推详。倘得贵人抬举，便可一展安邦定国之略了。想罢，即提起羊毫，写了四句诗词于粉壁间，后边落了姓名，放下笔说道："孙兵部啊，你是职居司马，执掌兵符，总凭你部下许多将士，焉能及得我狄青仙传技艺。"眼见红日沉西，径自回营去了。

次日五更，教场中许多武将兵丁，纷纷聚集，队队排班，盔明甲亮，旌幡招展，人马拥挤。当时天色黎明，尚未大亮，壁上字迹，没有人瞧见。少停，鼓乐喧天，孙兵部来到教场。各位总兵、副将、参将、守备、游击、都司、总管等，五营八哨，诸般将士，挨次恭迎，好不威严。孙兵部端然坐下公位，八位总兵分开左右，下边挨次侍立，两名家将送上参汤用过。时天色大明，偶然东首正面壁上有字几行，不知哪人胆大，书于此壁。只为往日开操，此壁并无一字，孙秀如今一见，命张恺、李晁二总兵，往看分明。二位总兵奉命向前，细将诗句姓名记了，上禀部台道："粉墙上字迹，乃是诗词，旁边姓名书着，乃山西人姓狄名青。"孙秀闻言，想来狄青还在京，又问："其词如何？"张恺将其诗呈上：

玉藏璞内少人知，识者难逢叹数奇，
有日琢磨成大器，唯期卞氏献丹墀。

孙秀当下想来一些不错，料是前日打死胡公子的狄青，却被包拯放走了他。虽则同名同姓，天下少有，怎的却又是山西人氏，想必他仍在京中，未回故土，但未知安身在于何处。倘然为着胡伦之事，查捕于他，恐怕结怨于包黑，不着借此事问罪，何难了结这小畜生的性命。想罢，传知八位总兵，道："作诗之人，诗句昂昂，寓意狂妄，你等须要留心细访其人，待本帅另有规训于他。"众人同声答应，旁边闪出一员总兵道："启上大人，卑职冯焕，前日查得兵粮册上，有城守营林贵麾下，新增步卒，姓狄名青，亦是山西人氏。"孙兵部听罢，喜形于色，即传谕道："暂停演操，着林千总引领狄青来见本部。"一声军令，谁敢有违。

当时孙秀心花大放，暗言：狄青呵，谁教你题诗句，这是你命该如此。少停来见本部时，好比蜻蜓飞入蛛丝网，鸟入牢笼哪里逃。此时弄翻了，这包黑子哪里晓得，还能来放脱他么！想还未了，家将领进营员林贵到案下，双膝跪下，呼声："大人在上，城守营千总林贵叩见。"孙秀道："林贵，你名下可有一新充步兵狄青么？"林贵禀道："小弁名下果有步兵，姓狄名青，蒙大人传唤，已将狄青带同在此。"孙秀道："如此快些唤来见本部。"林贵只道是好意，恨不能狄青得遇贵人提拔，是以满心大悦，忙带同他到来参叩。此时，狄青跪倒尘埃，头不敢抬，孙秀吩咐抬头，呼声："狄青，你是山西人氏么？"狄青道："小人乃山西人氏。"孙秀道："前日你在万花楼上，打死了胡公子，已得包大人开脱，你怎不回归故土？"狄青道："启禀大人，小的多蒙包大人开释了罪名，实乃感恩无涯，如今欲在京中求名，又蒙林爷收用名下，故未回归故里。今闻大人呼唤，特随林爷到来参见。"孙秀听了点头，暗想正是打死胡伦之狄青，登时怒容满面，杀气顿生，喝声："左右，拿下！"当下一声答应，如狼似虎抢上，犹如鹰抓雏儿一般。若论狄青的英雄膂力，更兼拳艺绝群，这些军兵焉能拿捉他，只因国法为重，这孙秀乃一位兵部大臣，此时身充兵役，是他营下之人，哪里敢造次？这是有力不能用，有威不敢施，只得听他们拉拉扯扯。当时旁边林贵吓得面如土色，又不敢动问。孙秀复喝令将狄青紧紧捆绑起。狄青急呼道："孙大人呵，小人并未犯法，何故将吾拿下？"孙秀大喝道："大胆奴才，你缘何于粉壁上妄题诗句？"狄青禀道："若言壁上诗句，乃是小人一时戏笔妄言，并未冒犯大人，只求大人海量开恩！"孙兵部喝声："狗奴才，这里是什么所在，擅敢戏笔侮弄么？既晓得本部今日前来操演，特此戏侮，显见你目无法纪，依照军法，断不容情！"吩咐林贵："将他押出斩首报来！"狄青呼道："大人，原是小人无知，一时误犯，只求大人海量，恕小人初次。"说罢，又跪下连连叩首。林千总也是跪在左边，一般的求免死罪。孙兵部变脸大喝道："休得多言，这是军法，如何能看面情！林贵再多言讨情，一同枭首正法。"林千总暗想：狄青必然与孙贼有甚宿仇，料然难以求情得脱的，只可惜他死得好冤屈。逆不过兵部权令，早将小英雄紧紧捆绑起，两边刀斧手推下。狄青见此情形，只是冷笑一声道："我狄青枉有全身武艺，空怀韬略奇能，今日时乖运蹇，莫想安邦定国，休思名入凌烟，既残七尺之躯，实负尊师之德。"不觉怒气冲天，双眉倒竖，二目圆睁。不一时，推出教场之外，小英雄虽然不惧，反吓得林贵非常忧惊，教场中大小将官士卒个个骇然。又见林贵被叱，哪得还有人上前讨救。

当时军令森严，不许交头接耳，到底军众人多，暗中你言我语道："狄青死得无辜，孙兵部实乃糊涂之辈，全不体念人苦当兵，也是出于无奈。他纵然一时戏写了几句诗词，犯了些小军法，也不该造次将他斩杀的。"有人说："孙兵部乃是庞太师一党，共同陷害忠良，想这狄青是忠良后裔，是以兵部访询得的确，要斩草除根，不留余蔓，也未可知。况且狄青是一小卒，入队尚未多日，怎能尽晓军法，尽可从宽饶恕于他。有意陷害于人，也就狠心过毒了！"

不表众将、众兵私谈，再表狄青正在推出教场之际，忽报来说，五位王爷千岁到教场看操。孙秀吩咐将狄青带在一旁等候开刀。是时兵部躬身出迎，林贵带狄青在西边两扇绣旗里隐住他的身躯。林贵附耳，教他待王爷一到，快速喊救，可得活命。

却说兵部迎接的王爷，第一位潞花王赵璧；第二位汝南王郑印，是郑恩之子；第三位是勇平王高琼，高怀德之子；第四位静山王呼延显，呼延赞之子；第五位东平王曹伟，曹彬之子。此五位王爷，除了潞花王一人，皆在七旬以外，在少年时，皆是马上功名，故今还来看军人操演。当下五人徐徐而至，许多文武官员伺候两边，林贵悄悄将狄青肩背一拍，狄青便高声大喊："千岁王爷冤枉，救命呵！"一连三声，孙兵部呆了一呆。有四位王爷不甚管闲账的，只有汝南王郑印，好查察军情，问："什么人喊叫？左右速速查来！"当下孙兵部低头不语，接了五位王爷坐下，一同开言问道："孙兵部，因何此时尚未开操？"孙秀道："启上众位千岁，因有步卒一名，在正对公位的粉壁上胡乱题诗戏侮，将他查明正法，故而还未开操。"郑王爷问道："诗句在哪里？"孙秀道："现在对壁上。"汝南王踱上前去，将诗词一看，思量这几句诗词，也不过自称高才，求人荐用之意，并非犯了什么军法。想孙秀这奸贼，又要屈害军人，本藩偏要救脱此人。即踱回坐下。早有军兵禀复："千岁，小人奉命查得叫屈之人，乃是一名步兵，姓狄名青。"王爷吩咐带他进来，汝南王呼道："孙兵部，此乃一军卒无知偶犯，且姑饶他便了，何以定要将他斩首？"孙秀呼声："老千岁，这是下官按军法而行，理该处斩的。"千岁冷笑道："按什么军法？只恐有些仇怨是真。"一言未了，带上狄青，捆绑得牢牢地跪下，王爷吩咐："放了绑，穿上衣。"狄青连连叩首，谢过千岁活命之恩。王爷道："你名狄青么？"狄青俯伏称是。王爷又问："你犯了什么军法？"狄青道："启禀千岁，小人并未犯军法，只为壁上偶题诗句，便干孙大人之怒，要立时处斩。"郑千岁听了，点头言道："你既充兵役，便知军法，今日原算狂妄。孙兵部，本藩今日好意，且饶恕他如何？"孙秀道："狄青身当兵役，岂不知军法厉害，擅敢如此不法，若不执法处斩，便于军法有乖了。"王爷冷笑道："你言虽有理，只算本藩今日讨个情，饶恕于他吧。"孙秀道："千岁的钧旨①，下官原不敢违逆，但狄青如此狂妄，轻视军法，若不处决，则千万之众，将来难以处管了。"郑千岁道："你必要处斩他么？本藩偏要释放他。"一旁激恼了静山王道："孙兵部，你太无情了！纵使狄青犯了军法，郑千岁在此讨饶，也该依他的。"四位王爷不约同心，一齐要救困扶危，你言我语，只弄得孙秀哑口无言，发红满面。深恨五人来此，杀不成狄青，又不好收科，只得气闷闷

---

① 钧(jūn)——旧时的一种敬辞，下级对上级所用。如：钧旨，钧座，钧谕。

地言道："既蒙各位千岁的钧旨，下官也不敢复忤[1]了。但死罪既饶，活罪难免。"汝南王道："据你说便怎么样？"孙秀道："打他四十军棍，以免有碍军规。"郑千岁道："既饶死罪，又何苦定打他四十棍，且责他十棍也罢。"二人争执多时，孙秀皆以军法为言，众位王爷觉得厌烦了，勇平王大言道："若论军兵犯了些小军律，念他初次，可以从宽概免。如责他四十棍，也过于狠毒，也罢，且打他二十棍，好待孙兵部心头略遂，不许复多言了。"孙秀听了大惭，不敢再辞，即离了座位，悄悄吩咐范总兵用药棍，范总兵应允。原来孙秀平日间制造成药棍，倘不喜欢其人，或冒犯于他，便用此药棍。打了二十棍，七八天之内，就要两腿腐烂，毒气攻于五脏，就呜呼哀哉了。打四十棍对日死，打三十棍三日亡，打二十棍不出十天外，打十棍不出一月，也就要死的。

范总兵当日领命将药棍拿到，按下小英雄一连打了二十棍，痛得好厉害。打毕，禀上千岁，已将狄青打完了缴令。王爷命且放他起来。孙秀吩咐："除了他名，撵他出去！"然后发令人马操演。此日金鼓齐鸣，教场中热闹操演，只有狄青被药棍打了二十，苦痛难忍，血水淋漓，真觉可悯，出了教场而去。不知性命如何，且看下回分解。

① 忤（wǔ）——不顺从。

第　十　回

受伤豪杰求医急　济世高僧赠药良

慢言教场中操演军马，却说狄青被药棍打了二十，痛楚难当，虽是英雄猛汉强健之躯，也难忍此疼痛。一程出了教场，连心胸里也隐痛起来，可怜一路慢行迟步，思思想想，暗道：这孙兵部好生奇怪！吾与他并非冤仇，为何将我如此欺凌？若无千岁解救，必然一命呜呼了。想我狄青，年方二八，指望得些功劳，为国家出力，以继先人武烈，岂知时命不济，运多钝蹇①，受此欺凌。但想孙秀，你非为国家求贤之辈，枉食厚禄，职司兵权，倘我狄青日后得有寸进，不报此怨，誓不立于朝堂。当下鲜血淋漓，不住滴流，犹如刀割一般，走了半里之遥，实欲走回周成店中，不想痛得挨走不动，不觉行至一座庙堂，不晓得是何神圣，只得挨踱进庙中，权且在丹墀上卧下歇息。呼喘叫痛之余，约有半个时辰，来了一位本庙司祝老人，定睛一看，动问道："你是何人？睡卧于此。"狄青道："吾乃城守营林老爷手下兵役，因被孙兵部责打二十棍，两腿疼痛，难以行走，故于此处歇止片时。"司祝道："这孙兵部可与你有什么怨仇，抑或误了公干事情？"狄青道："非与他有仇，亦不是误了公干，只一时犯了些小军法，被他责打二十军棍，痛苦难禁。"司祝道："久闻孙爷的军棍，比别官的倍加厉害，军人被打的，后来医治不痊，死过数人。你今着此棍棒，必须赶紧调治才好。"狄青道："不瞒尊者说，吾非本省人氏，初至京城，哪里得知有甚高明国手？"司祝道："医士甚多，只不能调愈得此棒毒，只有相国寺内有位隐修和尚，他有妙药方便，是吾省开封一府，有名神效的跌打损伤诸般肿毒方药。这和尚比众不同，他为人心性最清高，常闭户静养，只有官员偶然来交往。又有一说，他既与官宦相交，心性定然骄傲，却又不然，生来一片慈善之心，倘得医治人痊效，富厚者定然酬谢千金玩器，如遇贫困人，苦切求恳，即方便赠送方药，也常常有的。"狄青听了，说："多蒙指教。"司祝言罢，进内去了。

---

① 钝蹇(jiǎn)——很不顺利。蹇，困难。

狄青思量,既有此去处,不免挨去求和尚调治,但我今身上未有资财,只得去恳求他发个善心。等调理好,张、李兄弟在店中尚有银子,借些来酬谢也使得。想罢起来,踱出庙门,一步挨一步,直向相国寺行来。行不远,到得寺前,只见闭着寺门,只得忍着疼痛,将门叩上几下。里面走出来一位小和尚,言道:“你这人因何叩门,到此何事?”狄青道:“小师父,吾狄青有急难来求搭救,只为我身当兵役,却被棍棒打伤,要求和尚大师父调治。”这小和尚听了,进内禀知。去半刻而回,言道:“大和尚呼唤你进内相见。”狄青忍着痛,随了小和尚进至里厢,一连三进,一座幽静书斋,一位和尚坐在当中交椅上,年纪已有花甲,丰姿健旺,双目澄清,容颜潇洒,开言道:“你这人来求药调疾的么?”狄青见问,即倒身下拜,将情形一一达知。老和尚见他如此痛楚,便唤徒弟扶起,言道:“你既受此重伤,十分痛苦,何须跪倒尘埃,如此更然痛上加痛了。贫僧是出家人,总以救人为心。又念你山西远省,孤零外客,决不计较分毫。我素闻这孙兵部为人嫉贤害能,胸襟狭小,军中有人得罪了他,常被用药棍毒打,每难活命,实是大奸大恶之人。在贫僧看你的痛苦,直透心内,必是被他用药棍打伤的。这奸臣制造成毒药棍,伤害人死的已多。”言罢,引狄青至侧室禅床睡下,将窗门紧闭,又细问狄青一番,便道:“你今受孙贼毒害了。他用药棍打你两腿,不出三天就腐烂,至七天之内,毒传五脏,纵有名医妙药,也难救解。”狄青一闻此言,心内大惊,口称:“大和尚,万望慈悲,搭救我异乡难人,叨感恩德如山。”这隐修听了笑道:“贫僧既入修戒之门,六畜微命,尚且惜生,何况同类之人。你今受此重伤,吾若坐视不救,何用身入修行之域?”当时在架上取下一小葫芦,倒出两颗丹药,一颗调化开,教他先吃下,一颗汗后再服。回身又取出草药三束,一束善能解毒,一束善能活血,一束善能止痛。就命小和尚一齐捣烂,用米醋化开,涂搽于两腿之上。狄青搽药之后,越觉痛得厉害,大叫一声:“痛煞我也。”足一伸一缩,登时昏晕过去,遍身冷汗,滚流不住。小和尚见他昏迷不醒,也吓一惊。大和尚又唤道:“徒弟,快取油纸将他伤处封固,再取被褥一张,与他盖好身躯,这一颗丹丸,待他汗止后,化开而服。”一时天色已晚,小和尚端进斋膳,殷勤服侍,按下慢提。

却说教场孙兵部,见天色已晚,吩咐暂止操演,明日再操。五位王爷一同起驾,孙秀恭送。

再说林千总回到署内,闷闷不乐道:“狄青,你具此英雄伟略,何难上取功名？岂知祸起壁上几行字迹，险些一命难逃。你今虽得汝南王救了，久闻这奸臣造成药棍一条，伤人不少，倘或被他仍用此棍打你，又是难逃一命。但今未知你走在哪方，痛在哪里，使吾一心牵挂不安。也罢，且差人查访他便了。”

不谈林贵差人查访，且言狄青虽遭药棍伤害，幸得隐修的妙药调治，当日内服丹丸，外敷仙药，毒气尽消。一连过了五六天，腐烂处已皮光肉实，行动如常。这隐修和尚实乃济世善良之辈，调愈了狄公子，尚怜他行走未得如常，且冒不得风，既无财帛相谢，反将公子留下，飨膳①之费仍是他的。看来真乃救急扶危为心，不以资财为重之辈，在出家人中如是存心，亦不可多得。

狄青在寺中已有数天，又调服了几次丹药，症已痊愈了。想道：这和尚如此救济，得调理痊愈，我赤手到来，飨膳所供，亦是他的。今日无物作谢，不免将此血结玉鸳鸯，相送与他便了。但思此宝乃我七岁时母亲交付。母亲对我说，此物乃三代流传家宝，外邦进贡一对与朝廷，圣上赐与祖父，乃雌雄一双。一只雌的祖母已交付姑母，一只雄的与我母亲收拾。如今交我佩于身边，一见鸳鸯，如见生身之母，至今已有九载。今日无可奈何，只得将此宝送与和尚吧。主意已定，向腰间解下香囊，取出玉鸳鸯，但见霞光闪闪，不由叹道：“宝物啊，你出产番邦，祖父叨先皇恩赐，伴我多年，今日不想要分离了。但今见此鸳鸯，不觉又想起我的姑母。曾记幼年时，母亲常说，父亲有一同胞妹子，似玉如花之美，被先帝选上朝中。后来得闻凶信，已归黄土，可怜尸柩还在京邦，不得归乡入土，想来也令人心酸。想我姑母虽则身死，未知雌的鸳鸯存于何所？鸳鸯好比夫妇一般，前日成双成对，岂料今朝又归别人，实乃不得完叙。”

狄青正自言自想之际，只见小和尚含笑到来，言道：“官人，你今患症已痊愈了。”狄青道：“多感你师莫大之恩，无可酬报。”小和尚道：“你手中弄的是什么东西？”狄青道：“此乃血结玉鸳鸯，因思量大和尚活命之恩，怎奈我并无财物相谢，故将此宝送他，聊表微忱，有劳引见。”小和尚微笑道：“难得你有此心，来吧。”小和尚当即引着狄青来至静房，拜见隐修，狄青叩谢活命之恩，跪拜在地。大和尚微笑道：“些小搭救之情，何足言谢。”起位扶挽小英雄，狄青递上鸳鸯，隐修一见此宝，连忙问其缘由。狄青将此物来历说

---

①　飨（xiǎng）膳——食物，膳食。

明,言道:“深沾活命洪恩,无以报答,只有随身小物,聊表寸心,伏望勿嫌微薄收领,小子心下略安。”隐修听了,微微含笑道:“吾既入戒门,必以方便救济为怀,哪个要你酬谢?况此物乃是你传家之宝,老僧断不敢领情。”狄青恳切说了一番,隐修只得收受放下。狄青自思,身体已痊愈了,便要拜辞出寺,隐修道:“且慢,你患伤虽愈,还未可多动,且从缓耽搁三两天乃可。”狄青道:“还动不得么?”隐修道:“这孙贼用毒药汁,浸淫棍棒,他一心要绝你性命,非用药快速,不出十天之内,毒气传于六腑,难以挽救。今幸而安痊,到底两腿尚弱,且再静耐数天,服些丹丸,便永无后日之患了。”狄青听罢,应诺依命,隐修又吩咐徒弟引他回到禅床安息去了。

却说隐修平生所爱者,乃古董玩器之物,如今狄公子做人情相送,一时满心欣然,拿起玉鸳鸯看弄一番,笑道:“果然好一件宝物。我想狄青有此奇宝,必非等闲人家之子,老僧要问个明白才得放心。”说罢,把玉鸳鸯装入香囊,霞光闪射于外。

又过了三天,此日乃八月初十,隐修正在禅房闲坐,忽小和尚报说:“静山王爷到来。”原来静山王呼延千岁,与这隐修和尚时常来往,两人交谊甚厚。这一天呼延千岁骑马,带着八名家将,来到相国寺门首。隐修忙出来迎接,遂至静堂参礼毕,递奉过香茗,隐修请过千岁金安。王爷言道:“吾倒忘记了。”隐修道:“千岁忘记了什么?”王爷说:“本藩有丹青一幅,想送与你,不想连次忘怀了,当真记性平常。”隐修道:“千岁爷为国分忧,记大不记小,贫僧改日到府领赐便了。”王爷四边一看,只见禅榻清净,迥绝尘埃,幽雅得很,不觉叹道:“你修行无忧无虑,可比活神仙,我等为官,政务纷繁,实不如你自得逍遥。”隐修道:“承千岁谬赞,念贫僧在此,无非靠着十方田土,供应三尊圣佛,闲来数卷经书消遣,多蒙王爷抬举,贫僧借以有光。”王爷笑道:“你却会言语,今日本藩不往看操,且取棋来与你下几局吧。”隐修向香囊内拿出棋子。王爷偶然看见囊中一只玉鸳鸯,毫光四射,带笑把头一摇,道:“你这和尚果是个趣客,这玉鸳鸯是件至趣妙东西,但非民间所有,哪一位老爷送你的?”隐修微笑道:“原非民间之物,只可惜雌雄不得成双。”王爷道:“是了,倘得雌的配成一对,价值连城,可以上进得朝廷的。不知你多少银子买下来的?”隐修笑道:“不用得银子,只因贫僧医痊一人,他送我作谢。”王爷道:“你这光头倒也得此便宜奇货。”当时王爷放下这玉鸳鸯,隐修已将棋子四围排开,摆下对坐交椅,棋盘棋子全是象牙造成。

不知二人下棋后,狄公子如何拜别老和尚,且看下回分解。

第十一回

爱英雄劝还故里　恨奸佞赐赠金刀

却说静山王正与隐修长老下棋，方完了局，有一小和尚趋进禀道："启上师父，今有狄青在外，要拜辞师父，因见千岁爷在此下棋，故等候于外厢，不敢进来。"隐修道："狄青要去了么？教他且耐半天吧。"小和尚应诺而去。王爷听得狄青之名，接言问道："这狄青是何等之人，是你徒弟还是外来人？"隐修道："千岁，这狄青乃营守林千总部下的步卒。"王爷道："他在此何干？"隐修道："只为此人前数天被孙兵部打了二十药棍，故来见贫僧，求吾医治，今已痊愈了。"王爷道："想这狄青乃一穷兵，恐没钱钞谢你。"隐修道："不瞒千岁，贫僧原不冀他酬谢的，倒亏了他有知恩报恩之心，方才那个玉鸳鸯乃他三代家传之宝，送吾作谢。"静山王听了，看看隐修，冷笑道："你方才不说明白此物来因，莫非你贪财爱宝，有意图谋他的？"隐修道："千岁责备贫僧太重了。我并非有贪图之心，实乃他恳切相送，迫吾收下的。"静山王道："此宝是他世代流传之物，竟然一旦送了你，你是出家之人，不该受领他的才是。"隐修道："贫僧原推却不肯受领，但他十分恳切，只得权且收下，待他辞去时，归还于他。"王爷想道：曾见八月初二操兵，有一步卒名狄青，人才出众，器宇轩昂，必然就是此人。可恨孙秀狠毒，要屈杀此人，亏得汝南王郑兄一力保全了狄小卒性命，不然，身在鬼门内去了。但想这孙秀打他二十大棍，原要陷害他之意，却不知是何仇怨，待本藩问个明白。想罢，便道："和尚，本藩有话问明，快些唤他来见孤家。"隐修道："千岁，他乃一小军，怎好胡乱进见？"王爷道："这也何妨，速速唤来！"当时隐修领命，亲往外厢唤进小英雄，狄青一见王爷，连忙拜伏在地，不敢抬头，口称："王爷在上，小人重罪千斤，望乞饶恕！"王爷道："狄青，你且抬起头来。"狄青领命抬头。当日呼延千岁犹恐不是教场中的狄青，故命他抬头认个明白，细认之下，果然不错，正是教场中题诗步卒，便问："狄青你是何方人氏？"狄青禀道："上启千岁爷，小人家在山西省。"王爷道："你既然远隔山西，今到京中何事？"狄青道："小人落难困苦,原到此方寻亲人不遇,一身漂泊无依,后蒙总爷林贵收用,权且当兵苦挨。”王爷道:“莫非你与孙兵部有什么宿仇!”狄青道:“与他从无瓜葛,即壁上题诗,也无干犯,不知是何缘故,他要借端杀害小人,非众位王爷解厄,难免身首分开。”王爷道:“狄青,本藩前日看你诗中寓意不凡,乃一英雄大器,抑或你素性狂妄,一时胡乱,可明白说与本藩得知。”狄青道:“不瞒千岁,小人六韬三略,兵机战策,均颇精通,膂力①强大,箭法纯熟,前日已在林爷处当面试演,并非狂妄大言。”

静山王想道:看不出这小狄青,身材不甚魁伟,相貌斯文,竟具此英雄技艺。他口夸大言,看来非假,但不知他胆量如何? 待本藩试他一试,便知分晓。便呼道:“狄青,你言孙兵部与你并无仇怨,奈他一心要计害于你,莫非与你祖父有宿仇,也未可知。”狄青道:“小人也如此思量,足见千岁英明。纵然祖父之仇,小人全然不得而知。”王爷道:“你前日多亏郑千岁搭救,方免一刀之苦。乃孙兵部的威权厉害,如虎似狼,又言死罪既免,活罪难饶,打你二十无情棍。此位大和尚,说这奸臣制造药棍,曾经伤害过军民几命,如今原要绝你性命,是以又用此药棍打你。若非这隐修大和尚与你调治,便凭你英雄好汉总是死,铁石将军命也亡。”狄青道:“小人原知老师父大恩。”王爷道:“狄青你虽然两次死中得活,只恍孙秀终难饶你,又生别的计较谋害于你,也未可知。”隐修在旁笑道:“千岁虑得不差。”王爷道:“你既然武艺精通,明日去了结孙秀,免你终身之患,出了怨气,你意下如何?”狄青道:“千岁啊,吾若得手持三尺龙泉剑,不斩奸臣誓不休!”静山王道:“本藩赠你军器,敢放胆往除奸贼么?”狄青道:“千岁爷若有军器赐付,小人立刻便取奸臣孙秀首级,以复千岁尊命。”王爷道:“倘画虎不成,反类了犬,你便怎么的好?”狄青道:“如弄不倒此人,小人殒残②一命,有何相碍,何须畏惧!”王爷听了笑道:“果见高怀,是个英雄胆量,且随本藩回到府中。”狄青应诺,王爷又问:“这玉鸳鸯是你送与和尚的么?”狄青道:“小人沾大和尚活命深恩,故将此物相送。”王爷道:“此鸳鸯是雄的,再还有雌的成双么?”狄青正要开言,忽记忆着前次老人教

---

① 膂(lǚ)力——体力,力气。

② 殒(yǔn)残——殒,死的意思;残,不完整,残缺;殒残,狄青自嘲自己是未死而生命侥幸保留的人。

我，逢人且说三分话之训，即转口道："禀知千岁爷，鸳鸯原有一对，只因雌的日久遗失，如今只有雄的。"王爷道："此物既然是你三代家传之宝，不当轻易送归别人。"狄青道："小人见受了和尚大恩，无可报效，故将此物相送，略表寸心。"王爷听了点头道："和尚，本藩做主，你且将此物还了狄青，如若你少什么玩物，本藩送你几款便了。"隐修道："贫僧本来不领他的，况千岁的钧旨，岂敢不遵！"当日幸得呼延千岁爱惜小英雄之心，隐修即取出玉鸳鸯送还，狄青无奈，只得收回，装入囊中。王爷取出黄金二小锭道："和尚，此微资权全作狄青医药之费，你且收下。"隐修道："贫僧不敢受领千岁厚赐。"狄青道："千岁，如此且待小人有寸进之日，再行报答深恩便了。"王爷道："既如此，金子且留下作香烛之费便了。"

隐修只得领谢过，王爷吩咐狄青出外伺候，他二人仍要下棋，一僧一俗，同比高低，一连着了七盘，王爷赢了三局。小和尚连进香茶，二人随用，言语之间，无非论着狄青气概不凡，必非久于人下的。言谈之际，不觉西落西山，静山王别了隐修，带了狄青及家将，一路随行，回到府中。到次日早起，王爷传唤家人，请过先王金钻定唐刀。家人领命，即时两人扛到，王爷一见，俯伏叩礼毕起来，叫道："狄青，今付你先王金刀一口，着你立斩孙秀首级，你今敢有胆量去么？"狄青一闻此言，接刀答应道："谨遵千岁钧旨！"勇气抖抖，别了王爷，一路跑出王府。王爷又着家丁刘文、李进二人远远随后。

原来这柄金刀，乃是宋太祖遗留下的，只恐日后国家出着奸佞之臣，不肖子孙，败紊①朝纲纪律者，人人可拿出此刀，不论王亲国戚，也能割下首级，并不执罪凶手。此刀现贮在潞花王、汝南王、静山王、东平王、勇平王五位王爷府中，一日一轮，谨敬供奉。若问金刀轻重，上镌刻一百斤。

此日静山王大喜，思量狄青真乃英雄烈汉，倘然此去斩却孙秀，实乃初出场的第一功，除孙贼不啻收除狼虎，还去命他灭却庞洪，真足清除朝野。

却说狄青提起大刀，高高擎起，一路跑来踱去。有官署里人认得此金刀乃先王遗下的，又见此位小英雄拿起跑走，吓得惊慌躲避，认得金刀的人人害怕。当日狄公子初到汴京，哪里得知何处是孙兵部府中，一路逢人

---

① 败紊(wěn)——败坏。

便问,细细思量着孙秀暗害,心中愤怒,一心要找寻他了决冤家。王爷先已打发刘文、李进远远跟随在后,以为照应。狄青一程先走,并不知有人随后。好容易来到孙府,偏偏孙兵部这日不在家,往庞国丈府中去了。狄青问明缘故,只得转回。孙府中众家人甚觉惊骇,想道:这壮士拿了先帝金刀,一胸忿气而来,寻问老爷,幸而老爷往庞府去了,若在府中,只怕性命难保。到底为着何由要杀我家老爷?内中有一家人名孙龙说道:“吾认得此人名唤狄青,在教场中被老爷打了二十棍,结下冤家的。”众家人道:“如此快速去报知老爷才好,不然老爷不知其故,一路回来,逢着此人就不妙了。”当下孙龙上马加鞭,急忙忙而去。

却说庞洪、孙秀翁婿二人正在书斋中吃酒,到巳牌时,忽报:“孙龙要见孙老爷。”当即传进孙龙,翁婿二人动问何故,孙龙道:“禀上太师爷、大老爷,不好了!今有狄青手持先帝金刀,来到府门,要寻找大老爷,有门上回说不在衙中,他又往别处去找寻了。小人只恐大老爷不知情由,回府恐有不测,特来禀知。”庞洪听了骇然,说:“有这等事!”孙秀更觉一惊,唤孙龙且在外厢伺候,庞洪吩咐赏了他酒膳。当下孙秀急忙忙呼道:“岳丈,我想狄青被药棍伤得深重,是个必死之徒,已达知胡兄,欢欣不尽。不知今日哪人与他医调好,叫他弄起此事来,若非孙龙来报知,则小婿几乎遭他毒手。”庞洪道:“贤婿,据吾算将起来,今日乃呼延显值管金刀,这老匹夫与你并非冤仇,如何干起大事来?”孙秀道:“岳丈,如今教我怎生回去?”庞洪道:“你且留宿在此,这小畜生等候得不耐烦,自然去了。”孙秀道:“呼延显,平日间吾不来算计你,你反来欺我么?况且狄青何等样人,擅把先帝金刀胡乱与他。”庞洪道:“贤婿,呼延显这老匹夫,少不得慢慢和他算账。”

却说小英雄气昂昂提刀,到了天汉桥,乃是来往经由的要道。心想:奸贼必经此桥,不免在此等候,一刀结果他的性命,岂不胜于往来跑走。当时坐下桥栏,吓得经由之人尽是惊慌,不知何故。还有胆小者,犹恐退后不及。只有刘文、李进远远立开闲谈,只愿得壮士一刀,了却这孙贼,免得纵容下人,强买民间什物,乘机诈取民财,多端扰害。

不表二人之论,且说狄青坐于桥栏,等了半天,已交午刻,不觉腹中饥饿了。只见桥左旁边,有一间面饼店,他就提刀放开大步,跑进店来,呼道:“店主,快些取面来食。”早已将大刀放在店里,坐上桌位,有众食面客人，不明此壮士的原由，能提持此大刀，更有店主甚觉骇异不明，只得煮了一盆香料三仙焦面，送至桌上。狄青见众客人，慌慌忙忙地算结了钱钞账，一刻间走跑去尽。狄青问道："店主，众人因何如此慌忙？且不用惊慌，吾的金刀不是胡乱杀人的。"店主道："壮士如此英雄，能提百斤金刀，想必事有来因，方才动起先帝金刀，求言其故。"狄青道："此刀不杀别人，只斩孙秀奸贼。"店主道："可就是孙兵部么？"狄青道："不差！"店主道："他是害民贼，正该杀的，时常纵容家丁强买民间之物，借端如狼似虎，人人忿怨，不意这奸恶人也有今日。"这狄青正食得爽快，忽闻桥面一片喊呼，人声嘈杂，顷刻许多人飞跑上桥，又闻有人大呼"要性命的快走呀！"倏忽间排山倒海一般，多上桥中，口称"赶快逃命"而去。

当下狄青看见许多人疾奔，不知何故如此慌乱。欲知详细，且看下回分解。

第十二回

伏猛驹误入牢笼　救故主脱离罗网

却说狄青看见远远一匹骏马，跑上桥来，想来必然是匹癫狂之马。即跑出店，走上桥栏，大声喝道："逆畜，休得猖狂，吾来也！"当下让过众人，迎上前去。店主道："此人真乃装着狐假虎威，来骗食酒面，趁看狂马而去，不拿出钱钞来，且收藏他这大刀便了。"店主正要呼伙伴来扛抬大刀，有刘文、李进跑至店来，喝声："奴才，这是先帝金刀，我们呼延王爷府中拿出来的，你敢动么！"店主道："不敢，王府人来，本当白食的。"刘、李二人，只不管他，且扛回金刀，仍出桥旁。只见狄青立在桥中，迎面跑来一匹骏马，生得高大雄胖，浑身好像朱砂点染，四蹄生来如铁，光身并无鞍辔①，向狄青扑面冲来。

原来此马乃东番进贡朝廷，名曰火骝驹，只因此马凶恶得很，圣上赐与庞国丈，岂知马性顽强，不伏鞍辔拘锁，反伤陷了几名家丁。只为钦赐之物，故制囚笼，将它困禁了。这火骝驹不伏拘禁，力势凶狠，天天吵闹。这日却被它挣脱了笼厩，逃走出府外。家人飞报太师，庞洪听了，忙唤能干家人，上前追赶，谕令众人如有能降伏此马者，不拘军民，也须请到府中领赏，众家人领命，一程来追赶火骝驹，跑近桥边，只见一位少年，揪住火骝驹，还是纵跳不已，嘶怒如雷。众人看见此人生得堂堂仪表，力能挽擒此马，十分惊骇，看不出此人气力有这般大。当下狄公子手挽马鬃，那马挣跳不脱，前蹄掀，后脚踩，恼了狄青，喝声："逆畜，强什么！"狠力一捺，马已按倒尘埃，不能挣跳。

公子性起，连连踹它几脚，痛得极了，滚来滚去，叫跳不出来。又复很狠踹踏几脚，这火骝驹虽则雄壮，怎经得英雄虎力威狠，登时踹破肚腹，肠多已泻出，横倒于桥边。众人观看的愈多，人人赞叹英雄力大，又有庞府家人走上前拉住小英雄，同声称说："壮士，我们这狂马乃庞府跑走出来

---

① 鞍辔（pèi）——骑马的用具或指驾驭牲口用的嚼子和缰绳。

的，伤害于人，无人可制。方才相爷有言，若得有人制伏此马，请到府中领赏。”狄青笑道：“谁要望他的赏，吾不去的。”众人道：“壮士不来，太师爷必要责备我们。况且壮士踢死此马，乃是一位英雄无敌之人，速往见太师爷，还有重用于你。”当时你也扯，我也拉，狄青也觉可笑。真乃生来心性粗莽，也忘记了拿回店内金刀，只随着相府家人一同而走。后面刘文、李进不住呼叫：“狄壮士！不要随他去，快快回转来。”当日观看的闲人，何下千百，一片喧嚷之声不绝，狄青哪里听得到呼唤，随了众人，径向相府而去。那刘、李只得扛了金刀回归王府。

却说庞洪、孙秀在书房吃酒已完，仍谈及狄青之事，只见几个家丁前来说道：“禀上太师爷，火骝驹逃至天汉桥，遇一少年，十分猛勇，揪住马儿，按倒在地。踹踏几脚，此马登时穿腹而死，为此小人等带了小汉子回来，禀知太师爷，可有赏赐否？”太师道：“此人能降伏狂驹，是个英雄之辈，且唤他进来。”家丁领命，出外去唤狄青。庞洪即踱出书斋，在中堂坐下，狄青已倒身下拜。若讲到狄青在汴京未及一月，是以不知孙兵部就是庞太师女婿，也不晓得庞洪是个大奸臣，所以到他府中。当时跪倒尘埃道：“太师爷在上，小人叩头。”庞洪说：“英雄少礼，你尊名高姓？”狄青道：“小人姓狄名青。”太师道：“你是狄青么？”“原籍何方？”狄青道：“世籍山西。”庞洪听了不语，暗思：此人是吾贤婿大仇人，不意他反投入吾府，正如囚进铁网牢笼。待老夫款留在府，断送了这个畜生，方免了贤婿大患。想罢道：“狄壮士，老夫有言在先，如有人能除伏此狂驹，必当重用。难得你如今除却狂驹，是位盖世英雄，天下稀少。目今兵犯边关，杨元帅受困，你如此英雄，岂可埋没。你且在我府中耽搁几天，待老夫奏明圣上，保举你到军前效用，建立功劳，你意下如何？”狄青哪里知他暗算机谋，闻他此言，跪倒连连叩头道：“若得太师爷抬举，小人三生有幸，深沾大恩。只为小人前时有犯孙爷，只忧他不肯容留于我。”国丈道：“不妨，待老夫保举你，岂惧他不收。——家将，且引壮士往后园楼中少歇，备酒款待。”家人领命而去。

这狄青竟忘记奉命杀孙秀之事，随了庞府家人，到后园丹桂亭中饮酒，真乃是个有头无尾的莽少年。独有庞太师大悦，踱回书房，只见孙秀已睡在醉翁床上，太师喜欣欣叫道：“贤婿，且大放宽心吧！狄青已入我彀中①了!”孙秀闻言,忙立起来问其缘故,太师就将他自投到此一一说知。孙秀大悦,喜扬扬说道:“岳丈,这小畜生听了呼延显使唤,仗着金刀,如此猖獗。今日难得上苍怜悯,使他自投罗网,反自遭殃,实乃快事!”太师道:“贤婿,如今放下愁肠,早些回府吧。”孙秀当下谢过太师,回衙中而去。

且说太师是晚差唤四名得力家丁,要将狄青弄得大醉,然后待夜深放起火来,将他焚死,明日另有金银赏劳。内有一名家将,名唤李继英,此人生来心雄胆壮,拳艺精通,上前禀道:“太师爷,这贼狄青如此狠恶,不独太师爷动恼,小人等也气愤于他。但思皇城之内,放火惊扰不安,终为不美。”太师道:“依你便怎生打算来?”继英道:“据小人的主见,一些不难。三位不用多劳,且待今夜小人进往苑中,与狄青假作厚款,弄他大醉,何难一刀了决他性命?神不知,鬼不觉,即夜埋了尸首,泄却兵部大人之气,岂不省烦,强如放火惊扬。”大师听了继英之言,点首笑道:“如此更妙。但你虽有些本事,犹恐独力难成,倘然制他不得,反为不美。”继英道:“太师爷,不是小人夸口,倘若杀不得狄青,愿将小人首级献上抵当;如若杀了狄青,只求太师爷提拔,小人便是感恩。”太师道:“既如此,着你往取他首级,老夫且提拔你做个美地头七品县官。”继英道:“还求太师爷再赏酒筵一桌,待小人将他劝醉如泥,方好下手。”太师准请,命备酒于园中。

是晚国丈排夜宴于书房,独对银灯自酌,言道:“狄青,你先遭了药棍,又得医治不死,不想今日依从呼延显持刀来杀吾婿,你图杀命官,应该重罪。但此刀乃先帝遗留之物,人人杀却,也无偿罪,幸喜有救星,小畜生,今夜遭我毒手。但呼延显这老狗,我的女婿与你并无仇怨,因何怀此毒念,有日教你一命难逃,方见我老夫手段!”

不表国丈之言,却表李继英一路进园,思量当初随着狄广老爷在边关,多亏先老爷长育加恩,不异亲生儿女。自从恩主归仙之后,又遇水灾,西河一县人民,俱遭水难。我在水中,得逃性命,自奔投相府,已将八载,吾时常在此想念着夫人小主遇水之灾,未知生死。今朝得逢公子于此,力降狂驹,反遭罗网,但吾李继英曾受先老爷恩德,今日小主有难,岂可坐视不救!故特领此差,搭救了小主离灾,方见吾李继英知恩报恩之心。思想

---

① 彀(gòu)中——比喻牢笼、圈套。

未了，不觉已进至花园，只见星光灿灿，月白如银。

当下狄青用过晚膳已久，正站立于桂花亭中，只见寒露霏霏，金风拂拂，此时人静心清，不觉满胸烦闷。思起下山之日，仙师有言说知，教吾至汴京，自得亲人会合，到今还未得一会。又曾记遭水难时，与母分离，今已八载，不得重逢，谅来骨肉沉于波浪中了。又不知张忠、李义身在囹圄，何时脱离。只恨孙秀妒嫉，险些将我身首分开，幸亏得众位王爷相救，孙贼用药棍打我二十，几乎丧命，又蒙隐修调理痊愈，恩德如山，使我铭心刻骨。又思到一段念头，不觉顿足，悔恨心粗，拍胸道："不好了！呼延千岁赐吾金刀，往杀孙贼，为降除狂驹，将金刀抛弃在面店中，我之罪大如天了。若不杀孙秀，也不打紧要，失去金刀，千岁爷岂不动怒。此时夜又深，难以出相府，不免挨到天明，早晨取回金刀，杀了孙秀，千岁爷必然提拔吾，强如在此庞府。"正在思量，又见有人送来酒筵一桌，叫道："壮士，太师爷敬你是英雄汉子，方才传言备酒设筵，以待壮士，尽欢赏月，勿要辜负良宵。"狄青道："方才已领太师爷的赐了，如何一而再乎？"家丁道："太师爷赏的酒食，有什么稀罕，还要狠狠地提拔你呢！"狄青道："因何用着两副杯箸？"家丁又道："太师爷只恐壮士寂寞，特命李继英兄来陪你用酒。"狄青道："你们李继英是何等之人？"家丁道："此人乃是太师爷得用家将。"狄青听了，暗自思忖，那李继英之名，十分熟识，但一时想不起来。若问狄青九岁时已遭水难，主仆分离，已经七八载，故不能记忆。正在自言之际，李继英早已到了，扛酒馔家人已转身而去。继英到亭中，呼声："壮士。"狄青问："足下是何人？"继英道："小人姓李名继英，特奉太师爷之命，着我来奉敬数杯。"狄青道："哪里敢当！"二人坐下，用酒一番。

时交二鼓，一轮明月当空，四顾无人，继英细观公子，长叹一声，立起身子，把首一摇。狄青不解其意，便问："李兄好好饮酒，因甚登时发此长叹？"李继英离座，双膝跪下，呼声："小主人，你可知今夜有大难临身否？"狄青道："李兄，因何如此相称？未知劣弟有何大难？且请起再说。"正要伸手挽扶，继英起来将手一招，二人同跑至登云阁，足踏扶梯，步步而上，秋风阵阵，卷透衣襟。继英道："公子你不认识小人了。"狄青道："想继英之名，似甚善熟，奈一时记认不来。"继英道："公子，我昔日跟随先老爷，多蒙恩育，故今不改别名。自从老主人归仙之后，小主人长成九岁，忽遇水灾，小人水里逃得性命，流落至汴京，无奈一贫如洗，只得投于相府羁身,时思主母、公子逢灾,存亡未卜。今幸公子脱难长成,只可惜不晓得狼虎共同群,难脱此祸。”狄青听罢道:“不错,如今记起你来了。但你言语不明,快些说明吧。”继英道:“公子,你与孙兵部不知结下什么大冤仇?”狄青道:“我与他风马牛不相干,不知他为何生心害我?”继英道:“公子你难道不知孙兵部是庞太师的女婿么?”狄青道:“吾实不知他们是翁婿。”继英说:“太师言你要杀他女婿,为此今夜款留于你,公子岂不中了奸谋毒害?犹如蝇投蛛网,鱼入纱缯,焉能飞遁?”狄青听了,双眉逆竖,怒目圆睁道:“如此言来,庞贼也要害我了!”继英道:“他们是翁婿相通,要谋害公子,是以小人特讨此差以搭救公子。”狄青道:“只要你通知消息,我明白了。待我今夜打出庞府去,明日还来报仇。”继英说:“公子,此事不可,你虽则英雄胆壮,但思侯门如海,断断不易逃出。况且他家将人多,狠勇者不少。”狄青道:“纵使他庞府千军万马,我何惧哉!”继英道:“你纵然打出相府去了,太师爷明知小人通风,岂不将小人处治,一命难逃。”狄青道:“倘不打出相府,如何得脱离虎穴?”继英道:“我先已打算好,园门已经封锁,难以私逃,即此一带围墙,如此高耸,也难爬跨。只有对壁盘陀石旁有棵树,高接云霄,公子若爬上树,就可跨得过高墙了。墙外也有大树相接,即是韩琦吏部府第。”狄青道:“韩吏部可是庞贼奸党?”继英说:“非也,韩爷乃赤心保国无私之臣,我太师几次欲除害他,却无办法。公子权且走过韩府,暂避一宵。”狄青道:“继英,今夜若非你通知消息,我定然遭其奸害,受你大恩,理当拜谢。”言罢低头便拜,继英也忙跪下,叩首道:“公子不要折杀小人,且请起,事不宜迟,休得耽搁,快些脱离此地为高。”

二人下了登云阁,即至盘陀石,公子扳着大树,继英又恐有人进园,东西四瞧,只见寂寞无声,才略觉放心。当时狄公子爬上古树,又跨过高墙,双手扳过隔墙大树。过得隔墙大树,望下有三丈余,也觉心寒,只得扳枝立而不下。

未知如何逃脱,且看下回分解。

第 十 三 回

脱圈套英雄避难　逢世谊吏部扶危

话说狄公子跨过隔墙，登大树，只见亭楼画阁，正是韩府后园。却说韩琦官居吏部尚书，年近六旬，为朝廷社稷重臣，忠心耿耿。深疾目前奸佞弄权，朝中五鬼当道。其时相得厚交，不过范仲淹、孔道辅、赵清献、文彦博、包拯、富弼几位忠贤而已。只因西夏兵团三关，韩爷日夕忧心为国，近于月中夜观星象，只见武曲星金光灿灿，该当有名将出现，保邦护国。但不知何方埋没了英雄将士，以至边夷外敌屡见侵凌，皆由外无良将，内有奸臣之患。此夜韩爷用过晚膳，在庭前少坐片时，其夜乃八月十二，将近中秋，天晴气爽，万籁无声，但见：

月射光辉窗透影，庭留芬馥桂生香。

当晚韩爷踱进花园，更觉皎洁无尘，风敲竹韵，月媚花容。韩爷命童子炷上炉香，跪于月下，祷告上苍，悯恤生命，早降安邦定国之彦，以攘外敌侵凌。告祝一番，起来仰观星斗，正应武曲星显现，缘何不见将士名闻于朝？韩爷正在思量，四下观望，却缘何不见狄青在树中？其夜虽然月色光明，但树大枝丛，是以看不见树上有人。但狄青在树上，听得韩爷上告苍天之语，都是为君忧民之心，果乃中流砥柱之臣，下去见他，必无妨碍。想罢，飞身而下，反吓得韩爷一惊。定睛一看，乃一位少年汉子，穿着长袍短袄。韩爷连忙喝道："你是何人？好生大胆！更深夜静，从空而下。"狄青忙即跪下，呼道："大人在上，小人姓狄名青，山西人氏。只因庞太师要将小人谋害，园门已封闭了，小人无奈，只得越垣而过。久闻大人爱民忠君，清廉刚正，望乞宽容，渡延蚁命，世代沾恩！"韩爷听了，暗想："庞洪奸贼，今夜又要陷害人了。今天早晨闻老管门言，有位小英雄名狄青，持了定唐金刀，要杀孙秀，莫非反给他们拿下？"想毕，即呼道："狄青，你与庞、孙有何怨仇，以至他们生心要谋害？"狄青当将七月内至汴京，得林千总收用，入为步兵等情说起，又说至领令持刀刺杀孙兵部，后至降除火骝驹。韩爷听了打死火骝驹，即拦止道："今日降伏狂驹者，即是你么？"狄青道：

“正是小人。”韩爷道:“妙,妙,看你文雅之姿,不像个很有力气之士,不道却能收除狂驹,乃是个英雄无敌之汉了。前月番邦贡来此驹,殿前侍卫四人降他不伏,后得石玉小将方得拿下,拘于马厩。你既降伏狂驹,以后又如何?”狄青道:“小人降伏狂驹,早有许多家丁要小人至相府领赏。小人不允,家丁都说,太师爷还要重用,不由得扯的扯,拖的拖。我闻要重用我,心下亦有思图机会之意,当时见了庞太师,他大赞赏我之英雄技艺,殷勤款留在后园楼中,暗图杀害。”韩爷道:“你难道不知孙秀乃庞太师的女婿?”狄青道:“小人果也不知,幸有他家将李继英通知消息,教我逃到此园。”韩爷道:“此人为何有此好意?”狄青道:“李继英本乃我父旧日家丁,只因身遇水灾,分散以后,投归相府。承他不负先人之德,故来搭救通知。”韩爷听了道:“你父何等之人?”狄青说开了,便忘却逢人且说三分话之意,答道:“先君狄广,在故土身为总兵武职。”韩爷道:“你祖何名?”狄青道:“先祖考狄元,先帝时,官居两粤总制。”韩爷听了,不胜大喜,道:“原来你是一位贵公子,世交谊侄。吾中年时,与令先君在朝,十分相得,曾有八拜之交,不啻同胞谊切。后来山西地方,盗贼猖狂,本处官不能禁制,故先王命狄广哥哥,出镇山西,已将三十载,后也一音不闻,谅是登仙,亦未知他后裔几人。前七八载,山西警报山水灌注,伤坏了数万生民,只道狄门灭尽了。喜得今日叔侄相逢,且生来气宇非凡,更具此英雄武略,今宵一会,令老夫喜得心花大开。但愿你大展谋献,光大先人伟业,老夫之深望也。”狄青听了道:“小人身已落魄,怎敢妄想?”韩爷双手扶起道:“如今不必如此相呼,竟是叔侄相称便了。”

狄青领命,即称:“叔父请上,待侄儿拜见。”韩爷道:“不消了。”即手挽狄青一路回进书房。只见桌上银灯,尚还光亮。狄青立着不敢坐,韩爷再三命坐,二人方对坐交椅中。问及:“贤侄,如今不知令堂还在否?”狄青道:“叔父听禀,自吾父归天,小侄年方七岁,与娘苦挨清贫两载。九岁时身遇水灾,西河一县,万民遭殃,母子被水分离,至今七载,母亲还未知生死。”韩爷道:“你曩者在何方耽搁?”狄青道:“侄儿被水时,幸得王禅老祖救到峨眉山上,收为门徒,传授武艺及将略兵机,在仙山七载,思亲念切,日夕愁怀,奉师命下山之日,又不许我回归故土,言一至汴京,自得亲人相会,不料至今仍未见娘亲一面。”韩爷听了,更觉喜形于色,因道:“怪不得贤侄有此英雄伎俩,原来是王禅老祖门徒。”是晚便又吩咐家丁,备设酒筵，二人把盏畅饮，款叙中韩爷询道："你武艺精通，须要寻个进身之地。待有机会，老夫自然替你荐拔。"狄青道："叔父，小侄虽略有些武技，奈无提拔之人，只得守株待兔而已。"韩爷道："你言差矣！说什么守株待兔？大丈夫立身处世，须要扬名显亲，虽有千难万苦，何须计较？通观出类拔萃之人，多出身微贱，你今正当少年发奋之期，岂可灰心？你无非碍着庞、孙翁婿，但众奸恶贯满盈，何能远遁长存。贤侄可想得来？"狄青道："叔父，小侄非是夸能，我学得满身武艺，亦时思为国效力，奈何机会不就，倘能一日风云相助，小侄亦不让于旁人。"韩爷听了，不觉抚掌欣然，连称："妙，妙！贤侄，你有此大鹏奋翮①之志，何虑云龙风虎之会无期，果然志量高大，非老夫所能限量。"狄青道："此乃小侄妄言枉想，岂敢当叔夫谬赞。"当夜你一言我一语，更觉投机，叔侄情深谊切。

按下韩府长谈，却说庞府内家丁李继英见狄青跨过了高垣，心头放下，转身步进书房，只见庞太师独对银灯，持杯自饮。李继英上前禀道："太师爷，小人已将狄青弄得大醉如泥睡了。请太师爷赏口龙泉与小人，好待下手。"太师笑道："狄青果然弄醉了。如此与你宝剑一口，速速割他首级来回话。但此人能力打狂驹，乃英雄猛汉，你往除他，须要小心！"继英道："太师爷不必费心，狄青已醉得懵懂了，何难一刀结果了他。"当时李继英怒气顿生，恨不得一刀挥去这老奸贼脑袋，还防一身独力难逃，只得忍耐住了。早已将私积百余两白金，束系腰间，再持相府灯笼，挂了宝剑，哄骗出七重府门。

此时已交三鼓，庞府众家人有睡的，有未睡的，府门尚未下锁。李继英只言奉太师爷之命，差往孙兵部府中有话，慌忙走出七重府门去了。列位，为何七重府门可瞒？只为平日庞太师也有夜差家人往兵部府，况李继英平时行为，光明正大，是以人人信服，并无拦阻盘诘②。继英出了府门，犹如鸟出牢笼，鱼脱金钩，骗出城关，如飞而去。

当夜庞太师独持酒杯，不觉沉沉大醉，和衣睡在沉香榻中，内外家丁也各自睡去。庞太师酒醒后，已是五鼓初交，自然先去上朝。朝罢回来，早有管园官禀报，逃走了狄青。庞太师一听此语，大惊失色，即查问李继英。内有家丁几人禀上："昨夜三更将近，李继英出府，称言奉太师差往

---

① 翮（hé）——鸟的翅膀。
② 盘诘（jié）——盘问；查问。

孙大人府中,但昨夜一去未回。”太师道:“他一人出府门,抑或与狄青同去?”家丁道:“他独自一人去的。”太师道:“好大胆奴才!定是将狄青放走了。”当下心中大怒,步进园中,四围一瞧,园中墙垣高有三丈,园门四路封锁,难道腾云飞遁的不成?行过东,又步至西,偶然看至盘陀大石,与旁边大树紧紧相连,说声:“是了!狄青定然逃往隔壁韩吏部府中而去。”看罢,即踱回中堂,吩咐家丁四十名,两人一路分头去追捕李继英。又发令往兵部府中,取兵三千往围韩府前门后户,但要搜查狄青回话。当日孙秀闻报,也怒气冲冲,踏穿靴子,骂声:“狗奴才,好生放肆!”又恨韩吏部窝留逃卒,顷刻点起三千铁甲军,一齐来至韩府,重重围困,呐喊喧天,吓得韩府家丁惊慌无措,不知为着何由,即时禀报道:“大人不好了!今有庞太师点兵数千,将吾府中前后户团团围困,声言要献出狄青,万事甘休,如若大人窝留不放,即打进门来,于大人也有不便之处。”韩爷道:“有此异事,你等何须大惊小怪,老夫自有道理。”狄青在旁,听了大怒,道:“叔父且休惧,数千军马,只赐小侄一口兵器出府,可杀他马倒人亡,才算小侄手段非弱!”韩爷听了摇首道:“贤侄,休得将杀人两字作玩耍,他是命官,你是子民,岂有强民擅杀官兵而无罪律?这老奸好生刁滑,你如杀伤他兵,必来奏劾老夫。吾自有主意,且玩弄得他糊糊涂涂,不敢来查。”

正在言论之际,忽闻一片喧闹之声,韩府家人禀道:“庞太师亲自到府来了。”韩爷道:“这老贼亲自来查正好,贤侄且这里来。”韩爷不慌不忙,引狄青到一所三丈高楼,上书一匾曰“御书楼”,此乃先王钦赐韩爷校阅典籍,上有圣旨牌位,除了皇上,不许别人擅进此地,如有人私进,即以侮君论罪。韩爷引狄青进楼,开了重门,着他在内,仍复封锁。然后出来,吩咐家丁大开府门。当有庞太师登时踱进通名,韩爷不免衣冠迎接,施礼分宾主中堂坐下。韩爷开言道:“请问老太师,本官并未干犯国法,因何私差许多军马,围困吾家?”庞太师道:“韩大人,为人倘若欺瞒,自然败露。你将狄青窝藏在哪里?速速放交出来,即不敢唐突吵扰了。”韩爷道:“本官也不明什么狄青,太师既带兵在此,谅来要搜查了。你且查来,我并不阻挡。”太师听了,点头称是,即唤众兵速速搜来。众兵领命,如狼似虎,内外中堂尽搜,单单剩下御书楼,余外也不见有什么狄青。众兵家人等只得禀上庞太师,太师狐疑不决,不知他已早放去狄青,抑或留藏在御书楼上。韩爷冷笑道:“老太师,这狄青在御书楼上,为什么不搜查下来?真乃枉用多军了!”

不知狄青有没有被搜查捕捉,且看下回分解。

第 十 四 回

感义侠同伴离奸　圆奇梦贤王慰母

却说庞太师听了韩吏部讽刺之言,也觉没趣,又收不得场,无奈何,只得传令众家丁:三千兵丁,不分日夜,在此守候,狄青必藏在御书楼,如今是韩琦的硬话。老夫岂有不知!又道:"狄青啊,你藏也藏得好,少不得连累及老韩了。"说完,吩咐打道回府而去。当有三千兵卒,日夜轮流看守,日给饮食,往庞府领用。狄青在着御书楼内,十分恼恨,但遵着韩爷之言,只得忍耐。韩爷见庞洪去了,拍手冷笑道:"庞奸贼啊,纵使搜不出狄青,也不消用许多守候之人,劳兵费饷,直比愚夫呆子,乃是自作自弄。"

不表韩爷之言,却说静山王回来已晚,不是他有心不问金刀之事,只因是夜饮酒过多醉了。一觉睡到四更时,朝罢回来,方才记起,即唤刘文、李进至前,二人叩首上禀道:"千岁爷,昨夜狄壮士在天汉桥等候孙兵部未遇,却将庞府中的火骝驹踢死,后被庞府中邀去,至今还未见回来。"千岁道:"金刀放在何处?"二人言道:"狄青弃了金刀去收除此驹,为此小人将金刀请转回来。"千岁道:"因何不即禀明?"二人道:"只因千岁爷昨夜赴宴,回来已经沉醉了,故未得禀明,小人该当有罪。望乞姑宽。"千岁听了,道:"你们去吧!"又想:可笑狄青有勇无谋,要除狂马,就将金刀抛弃了,倘或失去此刀,怎生是好?本藩一片真情,有心提拔你,岂知你如此鲁莽心粗,一事误,诸事也误了,还望你掌什么帅印兵符。你今到了庞府中,犹如困入毒蛇窠里一般,如此不中用的东西,我也难以照顾了。

按下静山王不表,再说庞府中一斑狼虎奴才四十名,分为二十队,分路去查捉李继英。追赶出关,加鞭拍马,不敢少懈。二十路人,你走一路,我跑一方,倘一路之人拿了李继英,二十路之人,一众有功同赏。有庞喜、庞兴同伙一路,不从官街大道,只向私路盘查。

话分两头,先表李继英一路逃出皇城,他原虑得庞太师差人追赶,是以不从官街而走,却由小路而奔。其时日已过午,腹中觉得饥了,只跑一程，见有酒肆一所，是个僻静之方。当下继英将身直进坐下，呼酒保拿上好酒馔，鲜鱼鲜肉时菜排开一桌，一人独自举杯，十分悠闲，倒觉开怀。一边饮酒，一边思量，叹道："吾李继英虽出身贫寒，也是轰轰烈烈之汉。自幼身进狄门，先主归天之后，还指望小主长成，早日袭荫为官。岂知主人突遭水难，一家骨肉分散，流落汴京，只得身投相府。难得今日公子脱得水灾，长成了，可恨孙秀、庞洪与他结下深仇，昨晚险些中了他奸谋暗害。我想韩琦老爷是个忠良之官，昨夜必然将他留救，从此我心略为放下。庞洪啊，你是奸刁万恶之人，势焰滔天，算计多人，我也不问，若要害我小主人，是不得不搭救的。纵弄得我奔投无路，也尽我一点报主之心。但今虽脱离虎口，奈无家可走，不如回转山西，另寻机会便了。"

不表李继英正在思想，再说庞兴、庞喜二人，一路逢人便问，查过东来又过西，不论茶坊酒肆，也要看看，即招商旅店、古庙庵堂，也进去瞧瞧。二人寻得心焦起来，便商量道："李继英不知去向，人来人往，知道他打从哪路途走的，吾二人定然空奔波了。"又行至一所三岔路的去处，只见一座高耸耸的酒市，二人也是同行同走，进去查看，只见内厢三进，四围桌椅两边排，却是静悄悄并无一人在此用酒。店主一见，问道："客官要用酒么？"二人道："非也，我们要寻一人。"店主笑道："里面一人也没有的。"庞喜道："没有就罢了。"正要跑出来，忽听得楼上喊道："店主取酒来！"店主答应。庞兴道："楼上还有人吃酒，快些看来！"二人进至楼中，李继英只道是酒家送酒到楼，忽然见了庞喜、庞兴，顿觉呆了。庞兴叫道："继英，做得好事！为什么放走了狄青，自己脱身而去？故违主命，该当何罪！我们特奉太师爷之命，前来拿你，快快回府吧！"李继英说："二位大哥，我是不回去了。"二人道："你为何不回去？"李继英道："弟在相府七八年，多无差处，但狄青是我故旧小主，不忍他死于非命，故特将他放走。二位大哥啊，我想世间万物尽贪生，为人岂有不惜命？如今放走了狄青，我原该有罪，如若回去，太师爷怎肯轻饶于我。今日好比鳌鱼得脱金钩钓，岂有再回之理！"庞喜道："李继英休得多说，快些与我二人回去见太师爷！"李继英道："二位大哥若要我回去，万万不能了。"又叫酒保且添两副杯箸来二位饮酒。店主应诺下楼而去。兴、喜二人大呼："店主不用去拿杯箸，哪个要饮他的酒！"店主下得高楼，兴、喜二人即时变了面目，喝声："李继英！你当真不肯回去？"继英道："我是断然不回去的！"庞喜道："你当真不回去,休怪我们动手了。"他二人一齐跑上,抢过去要拿捉李继英,却被李继英一拳飞去,打倒庞兴,当胸一托,好不厉害,庞兴已仰面跌于楼上。庞兴爬起身来,还不肯甘休。一拳飞到面门,又被李继英左手一接,右掌一拍,已打下楼来。庞喜抢来,又被继英飞脚打去,跌抛数尺,打得二人满身疼痛,只喊:"好打!"当下店主拿上杯箸两双到楼,一见大惊道:"客官不要殴打!"李继英道:"打死这两个奴才,我抵偿他们的性命!"店主道:"不可!倘若当真打死了,岂不累及我开店之人么?三位且吃酒吧。"二人思量:不料李继英有此本事,实难和他相争,我二人何苦与他结冤,回去只说不见就是了。庞兴呼道:"李兄,不必多言了,既然你不肯回去,我们且回去复禀太师爷便了。"李继英听罢,微笑道:"早些如此说,我也不敢得罪,二位且请过来吃酒吧。"庞喜道:"我们没有酒东。"李继英道:"都是我叫的酒肴。"二人道:"如此叨扰了。"李继英道:"哪里话来,同伴弟兄,何烦客套!"店主问道:"客官可是做贼盗的么?不然何以争打一番,又同饮酒?"李继英喝声:"胡说!这二位是我同伴弟兄,我们是庞府中来的。再有上品佳肴美酒,且拿几品来用用。"店主领命,登时取到,三人一同把盏,尽欢畅饮一番。二人问道:"继英兄,我们方才不是了。但今不知你到哪处安身,又缺少盘费,怎生主张?"继英道:"二位哥哥,不必为我担忧;行程川资,我尽足用。"庞喜道:"继英兄方才说转回山西,你却迂了。在庞府太师处,吃的现成茶饭,穿的现成衣冠,仗着太师爷的威权,好不荣耀。那狄青到底与你有甚相关,你将他放走了,抛却富贵荣华的大门风,只落得孤零飘荡,苦受风霜。纵然你回得山西,一事无成,怎生是好!"继英道:"二位哥哥,人各有心,吾当初跟随狄老爷之日,待我不异儿子一般。今日小主人有难,理当搭救,保全了先主人一脉香烟,吾李继英纵有不测,死在九泉,也是心安了。那庞太师行恶,势如烈火,杀害多少无辜,日后终于无好报应的,我断不欲与巨奸作伴。况男子志在四方,六尺身躯男子汉,何愁度日无依?"庞兴听了道:"继英兄果然言之有理。"便对庞喜道:"我家太师爷作恶多端,后来绝无好处,倘有什么祸事临门,想逃遁也迟了。古云:识时务者为俊杰。不如趁此时另寻机会,与李继英兄作伴同行,你意下如何?"庞喜道:"正该如此!但不知继英兄肯允否?"李继英笑道:"二位老哥,既愿同行甚妙。"庞兴又道:"只是我二人盘川未曾拿得,空空两个光身,如何远遁?不若转去盗他些银两,连日同行,岂不更美。"

李继英道："不消如此，二位倘能决志同行，盘费都是我的。"兴、喜道："叨扰你的酒钞，怎好又花你的川资，这实不该当。"李继英道："弟兄同志，何分彼此？"当时三人叙谈，甚为亲密，下楼会了酒钞，一齐出了酒肆门，一路而行，径向山西而去。道经天盖山，有数十强徒，手持利刃，要打劫东西，却被继英抢了钢刀一口，杀死几人，余外的四散奔逃，亦有逃走回山中去的。原来此座山岗，乃是张忠、李义聚集地方，他二人一去两月多不返，这些小喽啰，天天在此打劫，今被李继英占夺此山，三人在此，暂且羁身落草，小喽啰伏其使唤。此话暂停，后文自有交代。

再表汴京潞花王讳赵璧，乃是赵太祖嫡元孙，当时年方十五，生来相貌堂堂，与当今嘉祐皇手足之称。不幸父王早已归天十余载，他父排行第八，即八大王赵德昭，上文选狄妃已有叙明。如今他子袭父职，封为潞花王，先帝已敕赐南清宫居住，仍授着打王金鞭。宫中建造一座嵌宝龙亭，供奉着太祖龙牌。

有一天，潞花王在宫中，夫妻朝参母后毕，坐于两旁，宫娥送上参汤用罢。潞花王一看，说道："臣儿上启母后，为什么愁眉双锁，带着忧容，未知有何不悦？伏望母后说与儿媳们知之。"狄后闻儿动问，便道："儿媳啊，只因昨夜三更得了一梦，未知主何吉凶，想起来，甚觉烦闷不悦。"小王爷道："不知母后有何梦兆，怎生梦来？"狄后说："儿媳，为娘的梦见饮宴之间，取一肉馅，方入口中，咬个两开，内中有肉骨一块。不料那骨将牙齿撞得疼痛，滤出血来：将骨肉染遍了，其馅即圆合了。想来牙损见血，滤于骨肉，其梦兆谅必凶多吉少，是以纳闷不安。"小王爷听了，便道："母后休得心烦，待臣儿去召请详梦官到来详解，便知其兆凶吉了。"当时潞花王辞过母后出堂，想来包拯、韩琦乃是博学之臣，即差内监往召二臣。

包拯先来，韩琦后到，上银銮殿，参见千岁。王爷道："二位卿家，休得拘礼。"即命赐座。内侍献茶毕，潞花王即将母后之梦说明，早有包爷道："微臣粗知浅见，只知判断民情，圆梦幻事，从来不懂。"王爷道："包卿不明详解么？"包爷道："臣详解不来。"王爷又道："如此，韩卿可详解否？"韩爷道："臣略能详解此兆。"王爷道："其意如何？"韩爷道："其梦肉开见骨，齿血滤于骨肉之间，太后娘娘必主骨肉重逢，乃是吉兆。"王爷道："应在何时？"韩爷道："臣思馅缺复圆，该应于十五月圆之日。"包公暗喜道：

韩年兄为人学问广博,比老包高明得多了。包公正在自思,潞花王微笑道:"果然如此,实是奇了!"韩爷道:"臣据理而详,该得此兆,但未知验否?"潞花王道:"包卿你职事冗繁①,且请先回府,韩卿少留,待孤家禀复母后,再行定夺。"当时包爷别去,韩爷待潞花王进内禀知母后。

不知狄太后如何主见,且看下回分解。

① 冗(rǒng)繁——繁忙。

第十五回

团圆梦力荐英雄　奉懿旨勇擒龙马

当日潞花王回进宫内，将韩吏部圆梦之言，一一禀知。狄太后想来，不觉倍加愁闷，追思昔日离别家乡，已将二十年，别却母亲哥嫂，以后音信无闻。后来只因水淹山西太原，狄氏宗支，无人已久，还有什么骨肉重逢之望！既然韩吏部如此言来，亦真假未分，且待来日月圆之后，准验如何。当命留下韩吏部，倘此事无差，必然厚赏于他，倘详梦不验，然后叫他回衙。当有潞花王领旨，是日款留下韩爷不表。

且说狄太后自思，吾儿虽云玉叶金枝，王家之贵，只可惜至亲骨肉，分散如烟，还有什么亲谊之人相会？可怪韩吏部无凭无据，反惹着吾的心酸。想念未了，不觉泪下不止。

却说韩爷是日被潞花王款留在书斋中，不觉心中气闷起来，反恨方才圆详此梦，或要激恼了狄娘娘。但据梦而圆，依理而详，也该有骨肉相逢之兆，但不知真验否。如若准了便好，倘或不验，太后娘娘怪着，就不妙了。早知如此，方才悔恨把梦来详，不如照着包年兄只推不懂也就是了。

这且慢表，再说宫中出了一事，当初有一龙马，名九点斑豹御骝鬃，乃是一条火龙变化，帮助赵匡胤骑乘，统一江山，后来此马仍归天上为龙，受玉旨恩封。不想数十年间，凡心未了，走下落在山西省，将西河县翻沉了，残害却十数万生民性命，玉帝大恼，要剐此孽龙。后得众星君保奏，目今西夏叛宋，武曲星下凡，平西保国，莫若仍贬它下去作龙马，帮助征战，将功折罪，以彰我主好生之德。玉帝准奏，故今降下此龙，在于南清宫王府后花园荷花池内，作浪兴波，好生猖獗。当日吓得管国官魂不附体，认是妖魔作怪，即来银銮殿上禀知。潞花王听了，也觉心惊。当时王府众人，多已害怕，狄太后闻之，心中烦恼，不知哪方妖怪作孽，这样猖狂，便命将园门下锁闭固，众家丁内监，人人惊恐，三言两语，早已惊动书斋韩吏部。他想：狄青乃王禅老祖之徒，向在峨眉山学艺七年，况勇力能除狂马，不免待我保荐他去收服了妖魔。如若狄青收除此妖，千岁自然将他重用，便得进身了，又可免了庞、孙之害，有何不美？主意已定，即日对潞花王说道："今有壮士狄青，本领很强，他是王禅老祖之徒，仙传武艺，非人可及，曾在天汉桥力除狂马，不如召得此人，拿了妖魔，以净宫闱。不知千岁意下如何？"潞花王道："韩卿，未知人在何处？"韩爷道："现在微臣之家。"潞花王道："既在卿府，即速将他召来。"韩爷道："这狄青踹死了庞家狂马，被他哄到府中，欲图谋害，幸亏得他故旧家人放走，逃入臣家。询起世家，原非微贱，乃臣世交谊侄，年纪青春，气宇轩昂。不想目今庞洪得知在臣处，即差兵围守于臣家，犹如抄没家产一般。"王爷听了道："可恼此老贼如此无礼！"韩爷道："臣该当有罪，不得已把狄青藏在御书楼里面。"王爷道："后来庞贼便怎的？"韩爷道："当时庞洪就回去了。"王爷道："怕他不肯回去么？"韩爷道："庞洪虽则回去，尚有数千军兵，不分日夜看守，将臣衙署前门后户也都把守了。"王爷怒道："有这等事么？老奸真真可恼！"即传差官捧了龙牌，立刻将那庞府军兵驱逐。当日差官领旨，一到韩府，将铁甲军尽皆赶散。这些军兵实在守得厌烦了，一闻此旨，一哄而散。

且说庞府打发四十名家丁，前往追赶李继英，先有三十八名回来，禀知李继英杳无踪迹。庞太师闻言，正在着恼，忽闻潞花王降旨，驱散了三千兵丁，更加火上添油，愤怒异常，心想：狄青小奴才，定到南清宫里去，教老夫也无可奈何了。即差人往报知孙兵部，按下休提。

却说狄青出了御书楼，身乘银鬃马，离了韩府。一路思量，不知此去，是凶是吉。当时进至藩王府中，千岁降旨召进，狄青双膝跪下，连头也不敢抬，三呼："臣山野子民狄青，朝参千岁爷。"潞花王道："平身！孤家召你到来，只为宫中后花园新出一妖魔，十分厉害，其形似龙，峥嵘两角，遍身血结，在那荷花池内作波兴浪，合府忙乱，今已关闭数重园门。今有韩吏部保荐你有降龙伏虎之能，从仙师学技，法力高强，倘能除了妖怪，使母后心安，当今圣上自然封爵奖赏功劳。"狄青想道：叔父真乃可笑，我虽是老祖之徒，武艺般般都晓，唯有擒拿妖法不曾学得，如何将我保举起来，这是何解？但叔父已经引荐于我，倘若推辞了，千岁爷岂不见怪？也罢，我想既为男子汉大丈夫，须要做出掀天揭地奇能，方见本领。倘若伤在妖怪之手，连叔父也没趣了。若我命不该亡，得除妖魔，千岁爷自然收用，就是那庞洪算账也不相碍了。想罢便道："野民果有降魔妙手，千岁爷不须担忧。"潞花王听了大喜，传旨备酒相待。

酒膳已毕，又是红日归西。是晚八月十四之夜，一轮明月东升，秋夜天晴气爽。银銮殿上灯高挂，南清宫内烛辉煌。夜宴方完，又闻殿内喧扰之声。宫人内监个个惊慌，都说妖怪凶狠。当晚狄青对众人说："你们只须助我皮鼓铜锣声响，便立擒妖怪了。"众人都说："全仗英雄大力，不知要用盔甲否？"狄青道："不消盔甲，只要钢刀一口。"当时内侍急忙忙扛来钢刀。好个心雄胆壮的英雄，挂起宝剑，手提大钢刀，呼人引路。众人不敢先走，内中有胆大些的内侍，引着小英雄敲锣击鼓，好比庆贺元宵佳节，方才开了数重园门，放狄青一人进去，连忙闭锁回转，在门外鸣锣擂鼓，一片响声，无非助兴。当时狄青雄赳赳提起大刀，跑来走去。花园宽大，走过东，跑过南，又走至望月堂，大喝道："妖魔怪畜，快来纳命！"狄青一路呼喝，看看走至荷花池前，未到池边，先已水高数丈，跳出一怪，遍体朱红，看来原是一条火赤龙，张牙舞爪，真有翻江倒海之势。大吼一声，好比雷鸣。当下狄青大喝道："逆畜，来试试钢刀。"说完，擎起刃尖，指定火龙，龙立于岸，池中水势定了，波浪不兴，但闻耳边狂风大作，呼呼响亮，园内落叶纷飞。此龙咆哮之声不绝，张开大口，摇尾昂头，月光之下，红鳞闪耀，钢刀鲜明。狄青与火龙相斗，已有半个时辰，两下武艺，轩轾①不分。狄青手中一松，大刀坠地，急忙回身退后，跑走如飞。却被火龙赶上，张开血盆大口。狄青反吓了一惊，原神现出，火龙方知他是武曲星。只见红光一道，透上青霄，大吼一声，在地滚滚碌碌，红光过后，只闻嘶鸣之声，化成一匹火龙驹，约有五尺高，遍身红绒毛，闪闪生光，双眼与月映射如灯，两耳血红，头上当中一角色青，生来异样无双。当时狄青立定看着，不觉称奇，笑道："方才交斗时，明是一条火龙，倏忽之间，变化为马，莫非上天赐赠此奇马与我？"便又呼道："龙驹，你若肯随我狄青，可将头点上三点，如若不肯归我，就摇上三摇。"说话未了，马头顷刻连点三点。

当时狄青大喜，即慌忙下拜，望空拜谢上苍，即扳上马角坐上，徐徐走回，连叩园门，却不见开，只为外面敲锣击鼓，喧闹之声不绝，左右园门皆叩不开，一时心中喜悦，在园中往来驰骋。其时约有二更时候，园外众人且住了锣鼓，一同忖度②道："狄青进园，约已有三四个时辰，他与妖龙相

---

① 轩轾（xuānzhì）——比喻高低优劣。

② 忖度——推测，思量。

斗，料然胜负已分。狄青收除了妖怪固好，倘怪物吞了狄青，开园门就不好了。”你一言我一语，只得静听了一回，即开了园门，一同涌进，不见有人，又不闻妖物吼叫之声。东西四望，不但不闻妖怪兴波作浪之声，即狄青也不见了。岂知此座花园宽大，周围有四五十里，当下只见远远有一人一骑而来，快如闪电，即时跑至。只见狄青高与檐齐。又见他在马上呵呵大笑，得意洋洋，往来驰骋，见了众人，连忙下马，呼道：“众位侍官，我已将妖怪收降了！”众人道：“妖怪在哪里？”狄青道：“此龙驹便是了。”众人看来，此马果然生得超群出众，便一同往见千岁爷。当下潞花王闻知，心中大喜，登时传命召来。狄青一手牵着龙驹，一见千岁爷，即下跪禀道：“小民已收服火龙，不料化为此马。”潞花王一见龙驹，连称奇事。又看此马生来过于高大，遍体红毛，中央生了一只独角，果然异于凡马。狄青道：“启千岁爷，此马乃火龙变化，世所罕有之物。今千岁爷府上出此宝驹，料是祥瑞之兆，必须装成一副鞍辔乃可。”潞花王道：“你言有理。”即传旨将孤家追风驹鞍辔卸下来，装配此驹之上，当时内侍领旨而去。王爷又传命备排筵宴。当夜王府中人七言八语，都称奇异。早有宫娥一众奏知狄太后去了。

且说韩琦在书斋闻知，连忙跑至内殿，见了此驹，欣然喜悦，便道：“人间罕有罕闻！”看罢，又呼道：“贤侄，算你盖世奇能，所称王禅老祖之徒，庶不愧也。”狄青道：“叔父，此乃千岁爷的洪福齐天，小侄何能之有？”说未完，鞍辔到了，装配起来，更见毫毛光彩。当日潞花王见装配起来，此驹更加出色，即吩咐两旁侍官，扶他上马。哪知龙驹发起狠性，将头一摆，前蹄一曲，后腿一伸，险些儿将潞花王跌将下来。早有侍官把他扶下，便道：“此驹不服孤家，韩卿你且试试，看龙驹服否。”韩爷笑道：“千岁爷，老臣福分浅薄，如何乘坐得此宝驹？”潞花王道：“休得过谦，且试试如何。”韩爷无奈，只得来乘。只为马高人矮，仍要侍官扶上。果然韩爷上得龙驹，又是依然不驯，马背一曲，头一颠一摆，几乎将韩爷跌将下来。侍官连忙把他扶下驹去。王爷又呼唤狄青道：“此龙驹是你降服它的，它必然伏畏于你，且乘骑上去看。”当下狄青曲背打躬道：“此驹生来性烈，既然不服千岁爷与韩叔父，焉能畏服小人？”潞花王喜道：“此驹是你降服的，岂不畏惧于你？”韩爷道：“千岁有旨，你且试乘何妨？”狄青听了道：“如此小人告罪了。”即扳上当中马角，轻轻一跳，早已跨上金鞍。哪知此驹全然不动。韩爷一见大喜称奇，潞花王也喜形于色，跑上前呼道："马啊，你真乃欺善畏恶了，偏会使刁作难的，将本藩欺着！"当时狄青心中暗暗大喜，一刻走下鞍来，上前叩谢过千岁爷，即开言道："此驹既不伏千岁爷乘坐，且待小人道它几句，待千岁爷再乘上去，看是如何。"潞花王道："不必了，孤家的宝驹异马甚多，如今连鞍辔一并赏与你吧。"狄青大悦道："多谢千岁爷！"

狄青受赐龙驹之后，不知如何去见狄太后娘娘，且看下回分解。

第十六回

感知遇少年诉身世　证鸳鸯太后认亲人

话说狄青听得潞花王将龙驹赏赐与他，心中大喜，拜讲道："启上千岁爷，既蒙惠赐，还要求赏一个驹名，未知可否？"潞花王道："此马乃在月色光圆之下所得，即取名现月龙驹便了。"狄青听罢，欣然下阶，与众侍臣站立。当时天色亮了，王爷吩咐，带龙驹入后槽喂料。内侍领旨，牵驹而去。是日，潞花王复诘询小英雄道："狄青，看你青年俊美，不意有此奇能，家中父母还存否？作何生理度日？几时得到仙山，拜着老祖为师？今朝降服了龙驹，免了园中忙乱，皆你之功力，明天奏知圣上，定有奖赏。"狄青见问，即道："启禀千岁爷，小人祖上，原不是无名之辈，世籍山西太原府西河县小杨村。祖父狄元，曾为两广都堂。父亲狄广，官居总镇。不幸相继而亡。小人九岁便遭水难，母子分离，幸得仙师救至峨眉山学艺，前后七载。上月七夕间，奉师命下山，一到汴京，自得亲人相遇，岂知亲人不见，反被奸臣谋害。"

当时潞花王还要再盘问他几句，忽闻说太后娘娘请千岁爷进见。他一路走回宫内，喜欣欣地朝见母后娘娘。太后开言道："王儿，方才宫监报明，已经有一位英雄汉收服了妖魔。"潞花王道："臣儿禀知母后，此人年轻，武艺无双，名唤狄青，山西人氏。他家原非下等之人，世代为官，乃一位贵公子。又得仙师带至峨眉山学艺。这英雄果然收服龙驹，此皆韩吏部所荐。"狄太后听了道："此人名唤狄青，山西人氏么？"潞花王道："山西省太原府西河县小杨村人。"太后听了，沉吟自语道："我想小杨村地名，乃是我的家乡，一村中没有别姓，单有狄姓一家。且数年之前，只闻水涨山西，西河一县全然淹没，料者我狄姓之人，尽遭水难，也未可知。莫非此少年英雄从水中逃脱了不成？他又名狄青，有些蹊跷。"便道："孩儿，你可问他祖上父亲名讳否？"潞花王想了一会，道："儿也曾问过他，他说祖上名狄元，曾为两广都堂。父名狄广，官居山西总兵。"当时狄太后一听此言，连说："不错，不错！"言未毕，纷纷下泪，愁锁双眉，呼道："王儿，速传旨,令狄青进见。”潞花王不明其意,忙问:“母后传他进见何事?”狄太后说道:“王儿呀,据他所言家世,乃是为娘的嫡亲侄儿了。故要询他一个明白。”潞花王听了,反觉惊骇,说道:“既然如此,即宣呼他来,问个明白便了。”即传旨召进狄青。太后娘娘坐于珠帘里面,潞花王坐于外边,狄青膝行而进,跪倒宫前,不敢抬头仰面。便有太监一名,传言道:“狄青,太后娘娘问你,你是山西省人,哪一府?哪一县?哪一乡?哪一庄?祖宗三代名讳,官居何职?母亲何姓?如今在否?一一奏明上来。若有藏头露尾,不免自取罪戾①。”

当下狄青不语,暗想:这太后娘娘,盘问得奇怪,因何盘问起我的家世来?但其中意思吾难猜测,且说出真情来,若论是吉是凶,只得听命由天了。于是将祖父母姓氏官职一一奏明。又说并无叔伯弟兄,止有长姐金鸾,早已出阁,次姐银鸾,早已夭亡。太后娘娘听到此处,便问道:“你既无叔伯弟兄,可有姑母否?”狄青答道:“姑母是有的,只幼时闻母亲说,进入皇宫,早已归天了。”太后娘娘闻言,暗暗惨然,泪珠滚滚,嗟叹一声。又暗思道:既说进入皇宫,为何又说早已归天了?于是又问道:“你既知姑母故世,死于何时?得何病症而死?”狄青道:“只为先皇点选秀女,进朝时,小人年幼,不知详细。至稍长时,只闻母亲说,姑母进京之后,即已归天。”

原来此段情由,上书已经叙明,当时被选进宫时,圣上将狄氏赐配八大王,孙秀暗中拨弄,狄广中其奸计,认真以为妹子已死,故狄公子长成八九岁,孟氏夫人也告知他姑母身死于进宫之后。如今狄青见问,即如是而对。狄太后听了,一时也猜摸不出,但其余说话,一一吻合。不觉肝肠欲断,带泪呼道:“狄青,你既是狄广之儿,有何凭据?”狄青一想,便道:“禀上太后娘娘,小人有家传血结玉鸳鸯一只,幼年时,母亲与我佩系于身。曾记鸳鸯原有一对,雄的留下,雌的送与姑母进朝,但不知姑母故后,雌的落于何处。”太后带泪,将身上所佩那只雌的鸳鸯摘下,命狄青将雄的献上来,仔细一看,真是一双无异,一色无分。

太后娘娘看过此宝,传旨命将珠串卷起。狄太后珠泪盈腮,抽身出外,连呼道:“侄儿啊!”狄青见如此光景,登时发呆惶恐,伏倒尘埃,开言

① 罪戾(lì)——罪过之意。

不得。早有潞花王见母后唤他侄儿,自然不错的,即起立说道:“请起!”狄青道:“千岁,小人乃一介贫民,还祈不要错认了。”太后娘娘听了,带泪双手扶起狄青,呼道:“侄儿啊,老身即是你的嫡亲姑母,你方才说的家世一一相符,且有这玉鸳鸯为证,不错的了。何用疑惑,速速起来相见。”当下潞花王微微含笑对狄青道:“真是骨肉重逢,不期而会,皆由天赐,何必多疑?”即呼内侍备下香汤,侍狄爷沐浴,又命宫娥取套衣冠。宫人启禀:“千岁爷,不知用什么服饰与狄爷更换?”潞花王道:“即取孤的服饰,与狄爷更换便了。”内监宫娥领旨去了。这时太后娘娘手挽狄青,呼道:“我那侄儿,作姑母的今日与你相见,如见你爹娘一般。喜得你长成,得延一脉,生得仪表堂堂,威风凛凛,若非韩琦圆梦,逆龙作祟,今日怎能姑侄相逢?”狄青呼道:“千岁爷,太后娘娘啊,吾实无姑母的,只恐错认了。”狄太后言道:“你方才说有姑母的,怎么又说没有,是何道理?”狄青道:“姑母原是有的。”太后道:“如今在何处?”狄青原要说出已经身故,便思她如此相认,又不好如此说,只得转口道:“只是进宫之后,一直信息全无,不知详细了。”太后呼道:“侄儿啊,我是你嫡嫡亲亲姑母,两无错讹的了。我生身故土小杨村,与你父身同一脉,我父官居两粤都堂,有家传玉鸳鸯一对。况我进宫之后,并无差池,山西那时进宫秀女,并无第二个姓狄的,我想来决无舛错,你还疑惑不认么?此时尚有巧合成对玉鸳鸯足以为据,一些不差,雌的我所收拾,雄的你母谨藏,若非这玉鸳鸯,几难相信了。”狄青暗忖,师父之言验了,果有亲人相见。于是连连叩首,呼道:“姑母大人在上,侄儿不孝,罪大如天。只为侄儿九岁时,母子分离,六亲无靠。后得王禅老祖救脱水难,在峨眉山学艺七年,今朝不期而会,与姑母相逢,何异旱苗得雨、枯木逢春,实在不胜欣喜。”当时潞花王更喜形于色,上前拍拍狄青肩上道:“太后与你初见,弟不知是表兄,多有委曲,以后只以弟兄称呼便了。”狄青道:“岂敢如此僭越①,贵贱悬殊,决无此理。”潞花王道:“既是至亲,何分贵贱!”狄太后道:“侄儿且起来,沐浴更衣,再行相见。”狄青领命,辞过太后母子,侍官领他沐浴慢表。

当下狄太后呼道:“王儿,你且看此鸳鸯好否?分别多年,今日始得成双。”千岁爷将鸳鸯接来细看,连声称妙,只见血彩闪烁,口吐霞光,即

---

① 僭(jiàn)越——超越本分,冒用在上的名义或物品。

说道:“请问母后,此对鸳鸯既是一件宝贝,不知此物产在何方?”狄太后道:“孩儿,此对鸳鸯,原出于北番外邦,进贡朝廷,先皇钦赐与你外公,为娘得了雌的,雄的留与你母舅。为娘时时想念雌雄两宝,以为没有会期,岂料鸳鸯今日重逢,追思昔日,倍觉惨然。”潞花王道:“这却为何?”狄太后道:“王儿有所不知,此对鸳鸯,狄门已经传了三世,真是镇家之宝。今日为娘见鞍思马,你外祖母与舅舅得病而亡,倒也罢了,只是你舅母遭殃被水而亡,骨肉沉流波底,不得共享安闲,哪得不伤心啊!”潞花王禀道:“母后且免愁烦,今喜得表兄长成,气宇不凡,外祖、舅父母留得英雄好后裔,此乃天不负善良之报。况表兄生得如此品貌昂昂,何难光前裕后。待明日进朝奏知圣上,封他一员大将,还有哪个敢欺侮他?”狄太后道:“王儿,说什么武将,明朝传我之命,要当今封他一个王位。如若不封,说为娘的必定要动气了。”潞花王应允,狄太后又道:“韩吏部洞明算理,圆梦准验,如今且请他回府去。若赠他金帛财宝,谅他也不领受,须奏知当今升调,以奖其劳。”

正言语间,狄青沐浴更衣,穿着潞花王服饰,看来愈觉威仪赫赫,即上前拜见姑母。太后娘娘见了,心花怒放,当时表兄弟一同叙过礼,宫人内监,俱来叩见狄王亲。太后娘娘又呼:“侄儿,且往前殿会宴后,再来叙谈。”狄青领命告辞,退往前殿去了。

当时日已正中,潞花王带着笑脸,把情形传知韩吏部,着他先归衙署,候日加封,即差内官送他回府。此时韩爷喜悦万分,不觉暗暗称奇说:“哪知狄太后即狄广哥哥之妹,陈琳奉选回朝,已将二十年,老夫亦未深知,谁料我详梦,却如此神准。”

不表韩爷欣悦,却说潞花王陪伴狄青筵宴,弟兄开怀畅饮,自未刻言谈交酢,不觉斟酒数巡,已是时交二鼓。用过夜膳,潞花王传令内监宫人,不必多人在此伺候,只留下四名侍官,伺候狄王亲。

潞花王辞别回宫安寝慢表。却说狄青已经饮酒过多,虽酒量不低,他的酒性却不甚好。大凡酒量与酒性,却有两般之别,吃酒多而不醉者为之好酒量;吃酒多,醉而不狂暴者,谓之好酒性。狄青的酒量虽高,而酒性却也平常,前者在花楼上打死胡公子,也因酒性平常之故,如今又要因酒后弄出事来了。当夜宴毕,已有三更时候,他仍未安寝,却于灯下想起了两个奸臣,因道:“孙兵部、庞太师啊,我与你一无瓜葛,又并无觅仇,为什么二次三番,要害我性命!”越想越怒,大呼:“可恼!可恼!你这两个恶毒之贼,真难涵容,今夜必要斩了这狠毒奸臣,以免后患。”当时怒气冲冲,即要抽身,便呼侍官两人,快提灯笼,便要出府。侍官禀道:“狄爷,时交三鼓了,要往哪里去?”狄青到底醒中已醉,醉中又醒,暗想倘若言明要往杀孙兵部,他们必不肯与我去的,不若哄骗他们,便说道:“往韩吏部府中去便了。”

欲知狄青如何杀孙兵部,且看下回分解。

第十七回

狄公子乘醉寻奸　包大人夜巡衡事

当下王府侍官禀道:“狄爷,夜已深了,请明早去吧。”狄青喝道:“吾必要去的,你敢阻挡么!”内侍不敢违逆,只得点起灯笼。这狄青穿的是潞花王服饰,腰下又悬了一口宝剑,两名侍官持了一对南清宫大灯笼,一重重地由府门而出。一连出了九重,方到王府头门,跑出官街大道。正好一天月色,万里无云,街衢中家家户户肃静无声,只闻鸡声唱叫不休,犬吠流连不绝。两侍官不觉向南往韩府而来,狄青指着南方道:“此道往哪里去?”侍官道:“此地是往韩吏部府中去的。”狄青道:“如今不往韩大人府中去。”侍官道:“狄王亲,不往吏部府,要往哪里去?”侍官道:“吾与孙兵部有深仇,如今要往他府中,仗着三尺龙泉宝剑,今夜必取这奸臣脑袋!”侍官听罢,吓了一惊道:“狄王亲,这是行凶之事,万万不可!”狄青喝道:“谁言杀他不得,只须我一剑,便把他挥成两段了。”侍官不敢多言,只得引着往孙兵部府而去。

过了天汉桥,不觉已至孙府衙门,照壁高昂,府门前有大灯笼照耀,又有千总官把总官四围巡查。一见了南清宫的灯笼到来,吓得惊惶无措,躲避不及,心下慌忙,不暇细看,竟认作潞花王驾到。俯伏尘埃,声称:“王爷。”狄青听了,呼呼冷笑道:“你们夜深在此,却是何因?吾不是妄乱杀人的,只手中宝剑,要砍奸臣的头颅。”众员禀道:“启千岁爷,小人等乃孙兵部衙中巡查的。”狄青道:“既如此,快快唤孙秀出来见我!”众员禀道:“孙大人不在府中。”狄青道:“他不在府中,哪里去了?”众员禀道:“孙大人往九门提督王大将军衙中赴宴去了。”狄青道:“可是真么?”众员道:“小臣们怎敢哄骗!”狄青听了,又吩咐向王提督衙中去。侍官应诺,提灯引道,急步往九门提督衙中而去。

列位须知,由孙兵部府往提督衙中去,必定要过天汉桥,故今狄青仍要回转天汉桥。持了宝剑,随着侍官,三人将上桥栏,狄青不觉酒涌上来,两足酸麻,醉醺醺地东一步,西一摆,侍官二人,左右扶定,叫道:“狄爷仔细些才好!”狄青道:“我要杀孙秀奸贼!”侍官道:“狄爷沉醉了。明日杀他,也未为迟。”狄青喝道:“胡说! 吾今夜不取孙秀脑袋,枉称英雄!”口中说话,四肢已酥麻了,此刻一步也难移,侍官只得扶定在桥栏立着。狄青此时甚是糊涂,便大呼:“孙秀! 你这狗奴才! 躲过了么?”侍官叫道:“狄爷,孙秀是怕惧了,果然躲过了。”狄青道:“奸贼呵,躲得好,弄我找寻得好! 但今夜不除了你这害民奸贼,非为大丈夫!”当时狄青身体困软,凭你英雄好汉,也用不出本事来了。算来非狄青酒量不高,易于沉醉,只为王府中的美酒,比不得等闲之家,这酒性好,比药力还烈,是以狄青醉得沉沉不醒,手插剑尖于地上,侧身合眼,已入睡乡了。侍官二人,心焦意闷,只得一手持灯笼,一手扶住,伺候立定。

不多时,只见远远有灯笼火把来了。一匹白马,一座大桥,原来正是孙秀、庞洪二人。只为提督大将军王天化的母亲庆祝寿辰,这王天化乃庞洪的得意门生,故此夜翁婿二人,在提督衙门中设宴庆寿,梨园演唱,还有许多文员武吏,在府堂畅叙。翁婿饮酒到三鼓终方回。两乘轿马正要过桥,早有家将跑转回禀道:“肩上太师爷,桥边上有潞花王爷坐在桥栏之上,像有些酒醉一般。”二人齐道:“有这等事,快些下轿马便了。”一翁一婿,慌忙急急步上桥栏一看,俯伏跟前,呼声千岁。只为狄青手插宝剑于地,头已低下,是以庞洪、孙秀看不出脸面来,只见南清宫的灯笼,又是一般服饰,自然是潞花王了。二人俯伏在地,呼道:“千岁,臣庞洪、孙秀见驾,愿王爷千岁千千岁!”两个侍官,平素也怪着二人,是时并不作声,听他跪在此地。两个奸臣的膝儿跪得已疼痛了,实在不耐烦,又朗言道:“臣等护送千岁爷回府吧。”狄青醉中闻言,头略抬一抬,二人一见,顿觉骇然,抽身而起。庞洪即呼:“贤婿,贤婿,你看此人容貌,并非潞花王。”孙秀道:“果不是潞花王,吾认得此人是狄青。”登时吩咐家丁,把火一照,喝令众军上前捉拿,早有侍官二人,阻挡喝道:“此人捉拿不得的,太后娘娘闻知,你们之罪还了得么?”庞洪喝道:“他乃有罪之人,还敢穿此服饰,冒充王爷,这是万死不赦的罪,为什么捉拿不得?”侍官听了,心中着急,大喝道:“此人乃是太后娘娘嫡亲内侄,你们还敢动手么?”庞洪大喝道:“休得胡说!”孙秀呼家丁,将三人一并拿下。两名内监看来不好,跑走如飞,一直回归王府内宫报知。

却说狄青虽有英雄奇能,此时醉得麻软如泥,糊糊涂涂,不知所以,故被他们紧紧缚定，还不知觉。于是数十个家丁，见他昏迷不醒，只得打抬回衙。狄青一柄宝剑，也被庞府家丁拿去。方才跑得两箭之路，只见远远一对红灯笼，一乘小轿，坐着一位官员。庞洪是妄自尊大之人，全无忌惮，在轿内命家丁喝问："哪个瞎眼官儿，还不回避么！"原来此位官员来得凑巧，乃是正直无私的包龙图，夜来巡察地方，在此不期相遇。他本非奉着圣上旨意巡查，皆因他勤于国政，不辞劳苦，自要查察，如有强恶顽民，乘夜抢夺，酗酒行凶等事，即要捉拿处治。当有张龙、赵虎禀道："启大人，这前面庞太师、孙兵部来了。不知为什么拿了一位王爷服饰的人，请大老爷定裁。"包爷听罢，言道："这两人又在此作祟了！"吩咐与他相见，可将此位王爷放了绑。张龙、赵虎领命，上前叫道："包大人在此，请庞太师、孙大人且住。"一见赫赫有名的包闸刀，庞、孙两府的众家丁也自心惊，即抛了狄青远远地走开。一旁董超、薛霸已将狄青松绑扶定，孙秀、庞洪一见大怒，齐呼："包大人哪里来？"包爷道："下官巡夜，稽察到此，二位哪里来？"庞洪道："去提督府赴宴回来。"包爷道："老太师，为何将这位王爷拿着？"庞太师道："是什么王爷，乃是一名逃兵狄青，冒穿王爷服饰，假冒王爷，如今将他拿下定罪。"包爷听了狄青之名，暗思：前日将他开豁了罪名，后来又在教场题诗，几乎死在孙秀钢刀之下。前两天闻家丁传知，他力降狂马，被庞府人邀去，不知今夜怎的穿了潞花王服饰，又被他们拿下。原来狄青逃往韩府，又往南清宫降龙驹，姑侄相会事情，包公尚还未知，当下心内猜疑，便开言道："本官来稽察巡夜，那狄青是个犯夜小民，待我带回衙中查究便了。"孙兵部呼包大人道："这是逃兵小卒，应该下官带回去的。"包公道："你说哪里话来，狄青兵粮已经大人革退了，还是什么逃兵？只好算犯夜百姓，应下官带去。"孙秀道："这人却与你不相干，是我营下的革兵，休得多管！"包公道："胡说！这是下官犯夜之民，干你什么？"庞洪道："包大人太觉多招多揽了！这狄青非你捉捕，何必要你带去？"包公道："老太师不必多言争论，一同去见驾，是兵是民，悉听圣上主裁。"庞洪听了便道："此话倒也说得不差。"三人都不回衙，径往朝房来伺候圣上，按下慢提。

却说王府的两名内侍，跑回南清宫，进内报知。是时潞花王已安睡了，狄后娘娘尚未安睡，正与媳妇欣喜谈论，一闻此话，心中惊怒，忙传内监宣召潞花王。王爷闻言，心中带怒道："狄表兄为人真是狂莽，你现今是王家内戚，不应夜出持刀杀这奸臣，如今偏偏又遇着这两个冤家，被他拿去，孤不去解救，谁人替他出力？”太后道：“吾儿，你今不必往寻庞洪、孙秀，且亲自上朝，往见当今，将此段情由剖奏明白。若要将我侄儿为难，为娘是断不肯甘休的。”潞花王道：“谨遵懿旨！”太后又道：“须对圣上说知，必要体谅我的面情，推恩封赠他一个王爵。”潞花王应诺。

当时已是四更将近，潞花王梳洗已毕，穿上朝服，用过参汤，嵌宝金冠头上戴，蓝田玉带半腰围，上了一匹雪白小龙驹，三十六对内监跟随，灯火辉煌引道。

慢表年轻千岁来朝。其时五鼓初交，狄青已经酒醒了，说道：“宝剑哪里去了？”董超道：“没有什么宝剑。”狄青道：“孙秀脑袋在哪里？”薛霸道：“休得如此，你方才已被孙兵部拿下，难道不知么？”狄青道：“奇了！果有此事么！”即把眼睛一抹，圆睁虎目，立起来骂道：“孙秀，你这好恶奴才！”口中骂，又要迈步动身。旁边四名旗牌军扯住道：“休走！不要痴呆，孙兵部乃圣上的命官，你敢杀他？倘杀了他，你还了得！”狄青道：“我若杀此奸臣，情愿偿他一命罢了。”四人道：“此地乃官员叙会之所，休得啰唣！”狄青道：“我缘何在于此地，你等是何人？”四人道：“我们是包大人手下旗牌军，方才你已被拿，全亏我家大人查夜而来，始得放脱，免了此灾。如今包大人、庞太师、孙兵部带你前来面圣，且不要作声。”狄青听罢道：“不意有此等事，真乃妙妙！罢了，且静悄悄在此伺候便了。”

当日上朝大小官员先后而来，叙集于朝房中候驾。时交五鼓，只听得钟鸣鼓响，文武百官朝参，叙爵分列两行。圣上降旨：“哪官有奏，即可启奏，以待圣批。”早有庞太师出班奏道：“臣庞洪，昨夜与孙兵部拿得逃兵狄青一名，身着潞花王的服饰，张着南清宫的灯笼，假冒王爷的刁棍。如今拿下，该得奏闻，以候圣裁。”天子正要开言，有包爷出班奏道：“臣启陛下，昨夜臣巡查街坊，稽察奸匪，时交四鼓，不想一名犯夜之民，被孙兵部捉获。但思臣是文官，定例管理百姓，他是武职，定例管理军兵。狄青兵粮已经革去，例应归文官究办。伏唯陛下降旨与臣，将此犯夜之民，并冒穿王爷服饰的情由，询察明白复旨，未知圣意如何？”当时圣上有旨：“狄青不论是兵是民，总以假冒王爷为重，即着包卿询明复旨定夺。”包爷称言领旨。翁婿二人，面光扫尽，只得归班不语。

不多时潞花王驾到，直上金銮殿，朝参已毕，即将狄青在王府降伏龙驹,母后问起,因有玉鸳鸯为凭,方知是姑侄等事,一一奏明。天子闻奏,心中也觉骇然,想来母后原是狄青姑母,是朕表兄弟了。又传言呼道:“庞卿,你也太觉荒谬,不该混拿御戚,倘母后得知,罪干非小。”庞太师听了,吓得伏倒丹墀,抽身不得,孙兵部在旁亦是一般。只有包公大喜,暗道:不意这狄青竟是显贵王亲,却弄得两个奸臣着急,倒也爽快。当时又有胡坤在右班中,听见圣上斥责庞太师,并知狄青是圣上内戚,暗暗怒气冲天,自思不能相报孩儿之仇了。

当下狄青如何处分,且看下回分解。

第十八回

狄皇亲索马比武　庞国丈妒贤生心

却说是日嘉祐君王，喜色冲冲，传旨宣御戚上殿。值殿官领旨，出午朝门外，引见官乃包龙图。狄青闻召，即向包公叩头道："小人乃一介小民，穿了这等服饰，如何见得皇上？"包公道："圣上不问则已，倘若问你，即说太后娘娘赐你穿的，便无碍了。"包公领了小英雄至金銮殿，三呼拜舞已毕，圣上钦赐平身，细观狄青气宇轩昂，好一位英雄好汉，便道："御戚可将你世系细细从头奏来。"狄青听了，将祖上世谱官职一一奏明。圣上闻奏，喜色洋洋，又遵着母后懿旨，即封赠为王。狄青一闻上言，伏倒丹墀不起，奏道："虽蒙陛下天恩浩大，感荷无疆，但无功而受此重爵，恐于理有碍，免不得满朝文武批论不公。"天子道："卿既为御戚，理宜推恩赐封，况又有太后之懿旨，谁可批论？御弟休得过辞。"狄青道："臣启陛下，念小臣并无寸功于国，格外恩封，众文武大臣纵不敢议，即小臣亦无颜立于朝廷之上，故断然不敢遵旨受封。"当日潞花王巴不得狄青受职，岂知他偏偏不受，心中甚为不悦，便道："表兄，这是母后娘娘懿旨，断不可违的。"狄青道："千岁啊，微臣蒙太后娘娘与万岁隆恩，原不敢违逆，但无功于国，而虚受此恩，问心殊觉有愧。臣有一言，启奏陛下。"天子道："你且奏来！"狄青道："伏乞万岁降旨，令英雄武将与小臣比武。臣若强于一品者，愿受一品职，胜于二品者，受二品职，过于三品者，受三品职。如此，上不负太后陛下之恩，下不干满朝文武之议，臣列于班寮之中，庶不致抱惭尸位，如此量材受职，方见大公至正之理。"嘉祐君王听了，微笑道："御弟之言有理，朕准依，即传旨文武诸卿，明日清晨伺候朕亲临御教场，看众臣比武。"各员领旨。又道："御弟二人自回王府，明天早往御教场中。"潞花王、狄青称言领旨。时已辰刻，候驾退回宫，群臣各散。

潞花王表弟兄回归王府，进至内宫，挽手同参太后娘娘。狄太后呼道："侄儿，不是姑母埋怨你，原不该夜深人静，出外行凶，杀这奸臣。若非内监回来报知，又是牢笼之鸟了。"狄青道："这并非是小侄妄生事端，只因想起孙秀奸贼，顷刻难忘，时刻想杀这奸臣。不料到了天汉桥，酒醉得糊涂了，呆呆不醒，反被二奸贼所获。多蒙包大人稽查救脱，奏明圣上。”狄太后道：“既得包大人开脱，但不知圣上封赠你什么官爵？”潞花王道：“圣上遵着母后懿旨封他王位，岂知表兄偏说，无功不愿受此重职，反讨教场比武，然后封官。故今圣上已经降旨，明日清晨亲临御教场比武。”太后娘娘听了，登时不悦，呼道：“侄儿，你为人真不知进退了。不费吹毛之力，即加恩封你为王，正是平步登天，如何还要恃勇逞强，教场比武，这也太欠主张了。”狄青道：“姑母大人，不是侄儿不知进退，吾自幼自命为顶天立地奇男子，必要光明正大的行为，不受别人背后议论，方觉无愧，况且情面上为官，有甚稀罕！若武艺高强升用，乃是至正之理。此是侄儿一生立志如此，难以勉强屈节。”狄太后道：“侄儿，你言虽有理，但满朝武将不少，内中岂无本领强于你的。常言道，强中还有强中手，切勿过于自负，倘比不过他人，即要当场出丑了。别人耻笑还可，若被一群奸党笑论，连我为姑母的也没光彩了。”狄青道：“姑母娘娘不须过虑，虽然满朝强似我者有之，而弱于我者亦不少，侄儿自有主见，姑母切莫挂念。”

狄青虽然如此说，但太后娘娘心中不乐，唤声：“王儿，虑只虑庞洪、孙秀与他结下冤仇，党羽之中，岂无武艺高强的，定然被奸臣托嘱，暗中算计。况且刀枪乃无情之物，万一失手，便伤身体，如何是好？”潞花王摇头道：“儿也想到这点，无奈表兄不听劝言，倘有差池，岂不是遂了众权奸之愿么？”狄太后想了一会，呼道：“我儿，为娘的有个道理在此。若要保全侄儿无害，且暂借太祖的金刀盔甲，与他穿戴，还有何人敢在他身上动一动么？”潞花王道：“母后之言，甚属有理。”狄太后即时领了宫娥太监，来至中殿太祖龙亭位前，焚香俯伏，禀知太祖公公，要求借用盔甲，以保全嫡侄之故。告祝罢，有司管龙亭太监就将八宝金盔金甲，一齐请出。两名内监，一人捧甲，一人捧盔，太后娘娘接过，谢恩而回。还有一柄金钻刀，是日乃东平王值管，潞花王亲身往取，请回府中，以备明朝之用不表。

且说两奸雄是日退朝，孙秀与胡坤随着庞洪回至相府。庞太师心中大悦，呼二位道：“不想那小畜生是个呆子，现成的一个王爵不要做，反要比武艺，我不知他什么想头？”孙兵部道：“岳父啊，如今冤家愈结愈深了，总要将这小畜生收拾了才好。”庞太师说：“这也何消说得。”胡坤道：“不知老太师可有什么摆布之法？”庞太师道：“一些也不难，待我传请几位厚文武将王天化、任福、徐銮、高艾到来，教他比武之时，将狄青决了性命，何用费力！”孙、胡二人听了大喜，说道：“果然高见不差。”当下庞太师即差家人，分头相请，只说请至相府芳园，赏桂玩菊。又吩咐备列酒筵。不一刻先后而来，吃茶已毕，邀至待月亭，七人就位畅叙。少时八音齐奏，雅韵铿锵，酒过数巡，徐銮问道：“老太师，不想狄青就是狄太后嫡侄。孙兄，你三位欲收拾此人，如今反把狄青弄得这个势头了。”高艾道：“若是狄青受此重职，朝廷上好比山林出了大虫一般，靠着太后娘娘势力，必然横冲直撞，我们岂不倒了威风！”孙秀听了点头道：“二位想的不差。”胡坤道：“原为此事，故请诸位仁兄到此酌量。但凭小卒如此猖狂，这还了得！”殿前太尉任福笑道：“列位老年兄，这狄青乃太后娘娘的内侄，与圣上御表相称，看来难以作对，这个冤家只可解不可结的了。”庞太师听了，双目圆睁，怒道：“任兄之言，未免欠通，你难道不闻恨小非君子，无毒不丈夫？这狄青乃吾翁婿所深嫉，胡兄的大仇人，如何容得他过？”王天化问道：“不知老师意欲如何？”庞洪道：“老夫特因此事，请各位贤兄到来商议，明日比武之时，将这小奴才一刀一枪，决他性命。”王天化道：“老师，若要决他性命，不是难事，只恐太后娘娘加罪，圣上诘责，这便如何是好？”庞洪道：“此事不妨。从来比武争雄，律无抵偿之例。如若太后有甚话说，自有老夫与你分辩，万岁诘责，有老夫可以力保，包得无事。”王天化道：“如若老太师保得无事，即在吾王天化身上，立取狄青脑袋便了。”庞洪道：“这事老夫包保得，定无妨的。”孙秀、胡坤齐呼：“王将军，你既以英雄自称，一言已出，驷马难追，不可更改，才算你英雄胆力。”王天化道：“孙、胡二兄，说哪里话来，俺明日若不取狄青首级，愿将自己首级献上。”孙、胡二人大悦，道：“休得言重。”计议已定，复又畅叙，交酬劝酢，时交三鼓，四人方才告别归衙，孙、胡也各回府不表。

再说次日，皇上亲临教场看比武，非同寻常。御教场中打扫干净，彩山殿上，铺排整齐。龙亭座位，铺着虎皮毡褥，殿旁围绕玉石栏杆，说不尽奇灯异彩，兰菊芬芳，金炉浓霭。东西两旁，又设立位次，好待公侯将相，按序排班。

五更初漏，文臣武职，纷纷入朝见驾，众王侯大臣俯伏金阶，三呼万岁毕，奏请皇上往御教场看比武，未知何时起驾，候旨定夺。圣上旨下，于辰刻起驾，令一品文武大臣随驾，二品三品俱往教场伺候。当时一交辰刻，皇上用早膳毕，排齐金銮起驾，侍卫数百名，太监数十对，一路笙歌嘹亮，香烟满街,到了教场外,早有二三品文武官数十员,俯伏两旁,恭迎圣驾。天子下了八宝沉香彩辇,太监们、侍卫等随到彩山宝殿,升登龙位,文武臣再行参见已毕,分班站立。潞花王奏道:"狄青已带来教场中候旨。"天子降旨,召狄青进见。狄青闻召,即顶盔贯甲,俯伏阶下。天子一见狄青用赵大祖盔甲,顿觉慌忙,立起来迎接。

原来赵太祖驾崩之后,遗下一顶八宝金盔,一副八宝黄金甲,一柄九环金钻定唐刀。遗旨将此盔铝藏在南清宫,另用八宝龙亭,敬谨供奉。四名内监逐日司管。这柄金钻刀,发与五位王爷府上,轮流值管。若请得此刀,可先斩后奏,请得盔甲出,满朝王亲御戚、王公、大臣也要俯伏恭迎。即当今天子见了此盔甲,亦如见了赵太祖一般。今狄太后欲使侄儿不受他人之害,特请了金刀盔甲与狄青用,故天子开言,忙问潞花王道:"御弟,这副盔甲是哪个主意与他用的?"潞花王奏道:"是母后借与他用的。"嘉祐王道:"如若表弟能用此盔甲,即宋室江山,也可让与他了。御弟即速回宫,请问母后,如何臣下可用王家之物,尊卑无序,君臣难以辨别了。"当下庞洪等暗喜,潞花王听了,一想主上之言,原是不错,即时辞驾回宫,禀明母后。狄太后闻言想道:"这原是我失于检点,免不得满朝文武私论,但今已借与侄儿,决不能再收还的。你只得对圣上言明,只不计较是先王之物,只作狄青自用之物便了,我但有一言,倘狄青有甚差池,总要当今留心。"潞花王应诺拜辞,上马加鞭,回至彩山殿上,将母后的话一一奏明。嘉祐皇上一闻此言,不觉微微含笑道:"母后真自多心,原来借此盔锡金刀与狄青用,无非是恐防别人欺侮。但他是一王亲御戚,众臣自然看朕情面,谁敢欺他。"

当下狄青三呼万岁,天子降旨平身,又传旨意道:"三品武员先与狄青较武。"三品武员称言领旨,天子又言:"御表弟须要小心。"狄青领旨,下了彩山殿,手执百斤九环大刀,豪气昂昂。有庞家翁婿,胡坤、冯拯与丁谓、陈彭年、陈尧叟等一班奸党,巴不得将狄青一刀两段。只有包拯、呼延显、韩琦、富弼、文彦博、赵清献等一班忠臣都望狄青取胜,以扫奸臣之兴。只见三品武员中,闪出一位总兵官,姓徐名銮,年未满三十,生来一张紫膛脸,海下短短微髭①,身高七尺,顶盔贯甲,来至彩山殿俯伏见驾。

不知比武胜负如何,且看下回分解。

---

① 髭(zī)——嘴上边的胡子。

第十九回

御教场俊杰扬威　彩山殿奸徒就戮

且说总兵徐銮俯伏奏道："臣徐銮，愿与狄王亲比较。唯手持先帝金刀，将人压制，还有哪个敢与交手？伏唯陛下降旨，着令狄王亲换用器械，方好交锋。"有旨意下来："太后有旨，金刀盔甲，不作先王之物，不须转换，只作狄青自用之物，卿家不烦过虑。"徐总兵领旨下殿，骑上花骔驹，雄赳赳手持丈八蛇矛，两旁战鼓震天，四围肃静。狄青金盔金甲，手执金刀，威风凛凛。有徐总兵在马上拱手道："狄王亲，小将徐銮奉旨与狄王亲比较武艺，望恕粗率。"狄青也横刀打拱道："请总戎大人指教一二。"言毕，放开架势，狄青飞动金刀，徐銮纵马挺枪，急架相迎。徐总兵虽然武艺不弱，怎当得狄青刀重力强，徐銮枪上一连三挡四架，枪如秤钩，手疼臂麻，兜转马道："难对敌也！"狄青一见，也不追赶，喜洋洋道："如此东西，也来胡混！"又大呼道："哪位出马？"当日三品班中，几员武将都在徐銮之下，见他交手，只挡招得三四架，自忖不用献丑，是以三品班中，无人出马。

庞洪等暗暗心慌，不道他一个小卒，有此高强武艺。这时只见二品班中，闪出一位带刀指挥，姓高名艾。年方四十上下，身长八尺余，脸如淡烟，丰眉环目，身穿黑甲，头戴乌盔，手提大斧。二人拱逊已毕，双双迎战。若论高艾本领，比徐銮高两倍，他由武进士出身，官升到指挥，二品之中，算他头等英雄，斯时恶狠狠飞动大斧，当头砍劈，狄青金刀急迎，二马相交，已有十余合。高艾气喘吁吁，招架不住，连忙退后，连呼："狄王亲果然厉害，小将无能了。"高指挥退归班内，不独潞花王与一众贤臣心悦，即嘉祐君也是蔼蔼龙颜，喜得此英雄小将，真乃寡人之幸。只有庞、冯、孙、胡众奸羞愧成怒，满面通红。又有长沙小将石玉，官居御史，欣羡狄青武艺高强，思量欲与他交手，见个高低，但思他一者是太后内亲，二者乃忠良之后，倘或胜了他，日后也不好相见，不如退步为高。

不表石玉思筹，当有二品班中，见高艾已败，武将人人不敢出班。忽一品班中，跑出一员猛将，声如巨雷，此人乃九门提督王天化，生来青蓝面，头大腰宽，獠牙露齿，身长九尺，宛像唐时单雄信转生。这王天化乃庞洪心腹门生，已先奉着太师之托，今日要取狄青首级。他穿戴上金盔金甲，手执青铜大刀，坐下浑红点子马，飞奔而出，大呼道："狄王亲，小将今日奉旨比武，倘有妄动得罪之处，休多见怪！"狄青回称："言重，不敢当！小子武艺庸常，还望将军大人疏容一二，足领厚情。"王天化听了，冷笑道："休得谦言！"

当日王天化原自恃英雄无敌，故不将狄青放在目中，岂知被他金刀一撇，王天化在马上一连退后两步。想来他乃一少年庸劣之躯，没有什么狠勇，岂期如此厉害。当下使尽平生技力赛战，将青铜刀紧紧挥去，左右飞腾。那狄青见他第一刀架开，即一连两晃，知是个无用之辈。但想来他乃官高职显，且相让一二。只是持刀一架一挑，并不回刀。当有潞花王见此，心中暗急：想来九门提督王天化，有名无敌大将，倘或狄青败于他手，母后定然不乐了。

当日不独年少藩王心头着急，众位老贤臣也人人惊惧，恨不能两边住手。石玉暗暗思量：狄青与王天化杀个平手，倘吾石玉出马，何难杀败这王提督。但比武场中，不可协助。斯时只有庞、冯、孙、胡四奸暗喜道：想来名不虚传，蓝面王你何不早早一刀砍下，取他脑袋，还要挨什么时候！此时，嘉祐王细细观看二人比武：想来狄青谅难取胜，倘有措手不及，就不妙了，母后怎肯甘休？想罢，即忙降旨鸣金，两位英雄方才住马歇手。两旁军校扛抬过大刀，二人相拱揖逊下马，二驹小军牵过一边。二人同到彩山殿上，两边俯伏，君王开言道："卿家的武艺均平，略无伯仲之分，今天比较一场，谁高谁下，不必认真。"即下旨命狄青受一品之职。狄青道："臣启奏陛下，今天亲临御教场，各献武艺，岂可不分高下？既不分高下，微臣焉敢受职？这事断然不可。"天子道："依卿主见如何？"狄青道："微臣之见，自然分个高低才是。"王大化暗想道：吾看狄太后娘娘面上，故不伤害你，岂料你不知进退，定要见个高低，这回只恐你性命难保了。嘉祐君王闻奏，也无主意，庞太师自言道：这小畜生焉能斗得过王天化，吾也明透了王天化之意，到底碍着狄太后怪责，故不敢将狄青伤害。如若不能断送狄青，任你王天化平日称雄逞勇，也罢，待老夫唆动他来断送这小畜生，才得遂愿。即忙出班俯伏奏道："臣启陛下，从来比较武艺，定然见个高低。谅来王天化碍着太后娘娘面上，是以带着三分情，让过狄王亲。如今立下生死状，彼此有伤，皆不计及，方可再比。伏唯吾主准奏。”嘉祐君王一闻此奏，冷笑言道：“金殿比武，不是阵中厮杀，岂可弄假成真？况二人武艺，一般骁勇，方才已见，如今何用再比，还立什么生死状？你存心将狄青欺弄，倘或狄青有甚差池，太后娘娘已有言在先，要在寡人身上赔交狄青，你可抵挡否？”狄青也暗言道：老奸贼，想岔了念头，吾无非逊让三分，他即疑我难胜王天化，故特来访旨立文书。若将王天化了决了性命，有何难哉！岂不是你这个老奸贼害了王提督么？当时即出奏道：“臣愿立生死文书。”天子未及开言，潞花王道：“表兄，你知立了生死文书，万一有伤，母后定然与万岁吵闹，你因何如此痴呆不悟？”狄青听了，微笑道：“千岁勿虑，我狄青虽死钢刀之下，全然与万岁毫无干碍，太后娘娘何得追究？且请陛下降旨，立了生死文书，以待微臣决个雌雄。”嘉祐君王道：“贤御表弟休得狂躁，既然立了生死文书，倘被伤了，决无抵偿性命，寡人劝你受职为高。”狄青说得有些厌了，便高呼道：“陛下，臣今日断不敢受职，如要受职，除非取下王大将军首级。”狄青此言，激得王天化怒气顿生，大言道：“如若立了生死状，不断送你一命，誓不称雄！”登时蓝面涨成紫色，呼道：“陛下降旨，立了生死文书，待臣再见个高下。”

当今只得准奏，内侍传取文房四宝即于殿下，各立生死文书，大意是：御教场中比试，即遇伤身，并无抵偿的原由。各立一纸，各觅一位大臣见证画押。王天化见证是庞太师，只有狄青见证没有一人书押填名。众王侯大臣想来，狄青本领怯于王天化，若做个见证，倘他被伤，太后娘娘追责，祸必连及了。别的事情，倒也何妨，只此等重大事，哪里有此呆人担当？众位大臣不约同心，故他见证无人。只有潞花王心急，带着怒容，圆睁双目，看看狄青，暗暗言道：世间有此执性呆人，圣上也如此思谕，不须再比，以受官爵，岂不现成的一品朝臣之贵。因何执性不依，实乃自寻死路。倘失手与王天化，只干连着圣上与孤家与母后淘气了。

慢言赵千岁心中烦恼，且说石玉想透机关，自语道：“据我看来，狄青之技艺，远在王天化之上，方才见他所用刀法，乃是虚招浮架，并不发刀。察其情，又肯立生死状，定然很有本领，可胜王天化的。可惜众臣无此胆量，做个证人，待本官与他做个见证也何妨。虽然狄王亲死于王天化之手，即太后娘娘执责，将我处决，无非将一命结交了此位英雄。”想罢，即出班见君王道：“陛下，臣石玉愿为狄王亲作证人，伏乞准旨书名。”嘉祐君王准奏,石御史即填名书押,乃复归班。这时有勇平王高千岁顿然不悦,双目注看石玉暗道:可哂①贤婿为人,知识全无,倘然狄青被他伤了,连你也一命难保。当时意欲阻挡,无奈圣上已准旨,又书上姓名。

不表年老王爷烦恼,且说狄青得了证人,二纸文书,呈于龙案上,嘉祐君王对王天化道:“卿家须要谅情些,狄青乃朕内戚。”王天化道:“臣领旨。”王天化自语道:生死状已经立了,还有什么谅情的?

且说二人离了彩山殿,各自上马提刀,战鼓复响,九环大刀一起,青铜刀架迎,火光迸出,闪烁交加。二马飞腾,已有三十合,还未见高低。

若论王天化,也有千斤臂力,当日只因立了生死文书,取这狄青首级,故今舞动大刀,左右上下砍发,尽着生平技艺,相为比较。狄青想道:方才且让你三分,如今玩真了,让你不得,定要取你脑袋。即将九环金刀紧紧挥迎,杀得王天化只有抵挡之力,并无还刀之功,越觉两臂酸麻,双手振痛。正思量败走,却被狄青顺转刀口,向着王天化太阳斜半面劈下,叫喊得一声:“王天化!”只见王天化身分两段,跌于马下。狄青笑道:“王将军,小子狄青得罪了,伏祈勿责!”将刀一摆,下了雕鞍,庞太师等见了大惊,呆着双目。包公、石御史等众贤臣大喜,人人欣羡英雄武艺。

再表狄青身躯只得七尺余,王天化身有一丈之高,怎能从他上体劈下?只因现月龙驹,比王天化的浑红马高了三尺,故而两英雄原是一般高低。

当日劈死了王天化,各位武员将士人人吐舌摇头,哪里还有一人再敢出马。若云王提督身死,虽是庞洪挑唆,但他趋炎附势,混交奸臣党羽,身居重职,不思报国忠君,未尝无罪。而今一死,真所谓咎由自取了。

当下君王降旨,着狄青去了盔甲,更换一品朝服。狄青即称“领旨”。庞太师出班奏道:“臣启奏。”天子道:“庞卿有事,且奏上来。”庞太师道:“狄青虽云王家内戚,但未受正封,乃一子民,擅敢无礼,当驾前杀了大臣,应得有罪,未便赐其一品之职,望我王裁夺。”

不知嘉祐君如何处分,将狄青拟罪否,且看下回分解。

---

① 哂(shěn)——引申为微笑;打趣;互相揶揄嘲弄。

第二十回

将英雄实至名归　会侠烈情投意合

当下嘉祐君王听了庞太师之奏，未及回答，即有潞花王道："臣思比武者，各逞技艺，况有御前众臣，人人共见，立下生死文书，是乃铁案，断无异言。即王天化伤了狄青，亦不能加罪，老国丈不知是何居心，既唆言①立生死状，何以出尔反尔？欲拟狄青之罪，则唆使立状者，其谁之咎？"天子闻言，点头开言道："御弟之言，明而更公，庞卿勿得多辩！"即宣狄青更换一品朝衣。当日天子英明，将庞太师面光扫尽，此老奸贼羞惭满面，呆呆不敢声辩。孙、冯、胡三人也恼得脸涨通红。狄青卸下金盔金铠，着人送回南清宫收管。九环金刀，送还王府收藏。狄青更换朝衣一品蟒袍，气象轩昂，俯伏君前。君王降旨道："钦赐御表弟平身，你有武艺奇能，即受王天化之职，勿得固辞。"狄青谢恩起来，排驾回銮，众文武随驾相送。君王又降旨道："恩赠用侯礼收殓王提督，世禄其子。"王天化夫人闻报，哀哀痛哭，满门老少，恼恨庞太师害了王提督。

不表收殓事情，却说潞花藩王手挽狄青同归王府，进宫朝见，太后娘娘好生喜悦道："难得贤侄儿年少英雄，今日已足抑尽众奸，可与先人争光，并为你姑母壮气。"

闲文少表，即日潞花王传旨，着令王提督家属人口限三天以内迁出衙署，以待狄王亲接印。新任提督先往呼延府拜见静山王，谢了前日赠刀除奸之情，复去谢韩琦叔父，然后拜望各位王侯大臣，并谢石御史于教场内作证。皆是款留酒宴，有的领，有的辞，不能尽述。

次日，狄青朝罢回来，又往拜包爷，谈论一番，不觉已交辰刻。包爷款留，狄爷不好推辞，叙间说起庞、孙翁婿二权奸，狄青道："未知缘何与晚生结此深仇？好教吾难以揣测。"包爷听了，微笑道："狄王亲，你还不明，据下官看来，不因别故，只为胡伦之父胡坤，他乃庞洪党羽，拜他门下，孙

① 唆（suō）言——挑动别人去说。

秀是以相助。如今朝中奸党成群，犹如蛆附蝇聚，焉有美虫。你前者伤了胡伦，下官看你是个有用英雄，又除民害，特此开释免究，故此贼怀恨在心。上日借着演武厅题诗为由，将你执责要斩也是为此。”狄青听至此间，方觉醒悟道：“包大人明见，猜测不差。”包爷道：“王亲大人，下官想来也要怪你。是你原有差处，当日也不该恃勇将胡伦打死。他虽犯法，害民不少，死有余辜，论理唯官吏可杀。若非下官知你是有用英雄，将你天豁，一经别官办理，定然依律偿命了。”狄青道：“这原是大人恩德。”包爷又道：“前日既奉命执金钻刀杀这孙秀，事已不成，缘何又力除狂马，使庞府家丁诱去，是你躁养不知机之过。并且前夜大醉如泥，又要持刀往杀孙兵部，亦你之差。况子民杀官，事关重大，杀不成，又醉中被他拿下，这原是你少年心性轻妄，不谙事体。今既拘于官箴①，以后须要切戒，方不误大事。”狄青听了道：“大人金石之言，多方教谕，晚生敢不佩服。种种提拔之恩，没世不忘！”包爷道：“休得言重，下官不过度理而言。即今你虽高官御戚，但庞老贼是圣上所爱之臣，宠妃之父，从不畏惧别人。官高势重，暗害明谋，人人怯惧，你宜时刻当心。”狄青点头应诺，又道：“敢问大人，这张忠、李义未知怎样处分。”包爷道：“下官原知二人亦是少年英雄，不愿他归入重典，只拟个误伤人命，断个缓决之罪。”狄爷道：“足见大人保赤之诚。”包爷又道：“比武之事，下官想来，可发一笑。”狄爷道：“敢问大人为何可笑？”包爷道：“笑这庞、孙、胡三奸，千般打算，厚交党羽，又唆使立下生死文书，欺你再无本事可胜王天化。这王天化乃武状元出身，故有千斤臂力，今奸党庞洪将你计算，反把王天化一命断送了。可笑这般奸党，空费心思，今王天化已死，反害他妻少无夫，子幼无父，也觉可怜。”狄青道：“包大人，不是我晚生夸能，倘有日捉得奸徒破绽，定然斩草除根。”包爷听了，只是点首称是，暗道：你虽是英雄，原是个鲁直之人。朝中多少能臣，也扳他不倒，初任的少年，虽有些志气，焉能即可办得来？当日谈论多时，重酌交酬已毕，狄青作谢而别，却归王府，别无多叙。

再说王提督夫人米氏，遵着潞花王钧旨，三天之限，衙署已迁清楚。择了吉时，狄青进衙内，有相得大臣多来作贺，衙役伶人数百恭迎，别有一番庆闹。

---

① 官箴（zhēn）——旧时官吏们对皇上所进的劝告或劝戒。

又表狄太后喜得狄青，惜爱他如亲儿一般。缘他是个将门之子，要将太祖金盔铠甲，赐赠侄儿，狄青推辞道：“先王之物，为臣下者不敢动用。”太后又传旨照式造成盔铠一副，九环金刀一柄，又将血结鸳鸯一对，镶嵌在金盔左右。此宝能除诸邪妖物，刀枪箭石不入。狄青谢恩拜受。

却说石御史这日闲坐衙中，想道：我与庞洪有不共戴天之仇，父亲一命，被他暗害。又想上年与母初至汴京，屈指光阴又已一载，早经送母还乡，托了姐丈夫妻二人代本官承欢膝下，略觉无虑。但思去秋与母亲分别，到了汴京，寻觅父亲，中途困乏，后来得授御史之职。可恨庞老贼伤吾父亲，未知何日得雪深冤！不觉为官一载，毫无成就。又想这奸贼又与狄青作对，不知为甚因由？前数天狄青比武，这些武将都不是他对手，又伤了王提督，当日老奸臣满面愁容，定然二人合谋暗算狄青，故请旨立生死状，亦是此意。吾自幼习武，多言本官狠勇，岂期又出一狄青英雄，不在吾下。但我二人都是庞洪眼中钉，况狄青乃狄太后一脉之亲。上日他来拜望在先，前日因他在王府中，不便答拜，如今已归署所，不免前往答谢他。

当日石郡马端正衣冠，高乘银骔白马，十六对家丁拥护相随，一时来至提督府门，急令人通报进内。若照官规，自有尊卑之叙，狄青因他是勇平王之婿，又曾与自己作证人，是个义侠之辈。况御史与提督，文武不相统属，吩咐大开中堂门，恭身迎接进后堂。分宾主坐下，叙说寒温一番。复提及庞太师，石爷道：“那贼是个弄权不法的大奸臣，不知何以与王亲大人作对？乞道其详。”狄爷将包公忖度胡伦之事，一一说明，御史听了，微笑道：“这老贼好没分晓，为着他人事情，将这个冤家担在自己身上。但思王亲虽是英雄之汉，怎奈庞贼阴谋狠毒，甚于蛇虎，倘被他暗起波澜计算，难出奸臣圈套，这便如何是好？”狄爷听了冷笑道：“石大人，庞洪奸谋，吾也早为防备，且削除奸佞，此志不忘。”石爷听了，点头道：“倘然如愿，本官也感大人之恩。”狄爷道：“郡马何出此言？”石爷道：“一言难尽！”即将庞洪陷害父命，此仇未报，细细说明。狄爷听罢，说道：“原来郡马也是有心人了。”石爷道：“狄王亲欲削除奸佞，只消请了太后娘娘懿旨，何难削除庞贼众奸佞乎？”狄爷道：“哪里话来！若靠了太后娘娘势力，将人压制，则尽可杀人不偿命了。此言说来恐被人哂笑。难道庞贼就没权势倾消的日子吗？”石爷听罢，自觉失言没趣，即道：“足见狄王亲丈夫气概，下官失言了。”登时告别。狄爷道：“下官出言狂妄，莫非郡马大人见怪？”

石爷道:“非也,莫逆之交,岂因言语芥蒂?”狄爷道:“如不见怪,再请坐片刻,奉敬数杯薄酒,略表敬心,然后回府如何?”石爷道:“不敢叨扰,后日再领情,告辞了。”狄爷殷勤款留不住,只得送别了。

石御史回到府中,心想狄青原是气度清高之英雄,只因吾思报亲仇,心急口快,不觉失言了。

不表石爷赞美狄青志量宏高,心中敬爱,且表狄青闲中无事,思量身仕王家显贵,想出几条心事:一者撇不下生身之母,未知死活存亡;二来抛不下张忠、李义两英雄,自万花楼一别,吾今日已身荣安享,他们还在牢中受苦,不知何日得出?吾一心还期安邦定国,扫除佞贼,灭尽内奸,方遂吾志。

不表英雄思念,却言狄氏娘娘,这天心中大悦,只因想起:姑侄重逢,狄门香烟有靠,追思往事,如同梦境。自离故土,已经二十年,南清宫内身作王妃,生了王儿赵璧,未及半载,陈琳救得太子进宫,八王爷收育为己子,抚育一十六年。自太子一经救出,即晚碧云宫即遭焚毁,可怜李后遭难,只落得刘氏太后安享逍遥,当今王儿哪里得知真情,认仇人为嫡母。数载之后,八王爷殡天,又经数载,先帝真宗得胜还朝,不一载亦驾崩,立太子登基嗣位,至今二载。老身今已安享大福,但心牵故土,难得今日姑侄重逢。喜得侄儿虽然年少,生来烈烈英雄,心性清高,不肯无功受禄,自要教场比武,立下生死状,令人惊心。岂料他自有本领,伤却王提督,目今已受一品高官,但未成配,须要寻觅贤淑娇娥匹配,重整先人庙宇坟茔,振作家声,方不负侄儿显贵,也完了我的心愿。但连日不会侄儿,心殊怅怅,不免宣来,谈谈此事便了。顷刻即传懿旨。狄青闻召,端正衣冠,来至王府内拜见。太后娘娘心头恰悦,一旁赐座。内监递过龙井茶一盏。狄太后开言道:“侄儿,你父弃世,母子相依,又逢水难,你得仙师搭救,但母亲未知生死,你今思念否?”狄青道:“提及吾母,使吾心更为悲切,一自耽搁仙山七载,日日思念母亲。但想当初身入波涛之内,怎得复有人相救,想定然不在世了。”狄太后听了,不禁心酸下泪,不语半晌,叹道:“贤侄儿,你今已身荣一品,无如故居府第,先祖庙宇坟茔,被水坍塌,已成白土,今须重整门墙为是,未知侄儿意下如何?”狄青离位道:“姑母大人训谕,敢不如命!”太后道:“虽然如此,但你乃一武员,哪能抽俸办理,待吾发出黄金四千两,差两名得力官员,前往料理可也。”狄青谢道:“姑母大人费心。”狄太后又呼道：“贤侄儿，为姑母还有要事说与你知，你今年少，官居一品，无如内助尚缺，待吾与你细选贤淑作配，以主中馈便了。”狄青道：“姑母此说，且慢酌量，待侄儿觅得母亲着落，如若她果不在世，便终身不娶了。”太后听了摇首道：“如此是痴儿了！枉你是一英雄汉子，理上欠通，你不闻不孝有三，无后为大。人子岂能斩绝宗支！即你母亲不在阳世，亦要继后传流，愿你今日听信吾言，倘得你香烟有赖，吾做姑母的复有何忧？”狄青道：“谨依训谕金言。”

谈言未毕，潞花王已至内宫，表兄弟相见，欣然喜色。叙礼复坐，谈论一刻，设筵对酌，欢叙间已是红日西沉。狄爷吃酒至半酣，用过晚膳。狄太后恐防侄儿酒醉糊涂，又往外厢生事，故只打发随从人等回衙，将狄青留宿王府。次日饭后，狄青方拜别太后娘娘，又辞过潞花王，回至署中。后来狄太后择了吉期，发出黄金四千两，文武官两员，径往山西西河修建坟茔第宇而去。不关正传，不须详言。

不知后文如何交代，且看下回分解。

第二十一回

荐解征衣施毒计　喜承王命出牢笼

话说左都御史胡坤，前者儿子胡伦死在狄青之手，反被包公将他对释，几次杀他不成，如今又是狄太后内侄，当今御戚，官封一品，哪敢动他。一天孙兵部与胡御史，并车排道，来见庞太师，计议一番。庞太师定下一计，道："胡贤兄与贤婿，不必心烦。老夫想来，杨宗保一连数本催讨征衣，已经赶制完成，定本月十五日起运。且待老夫保奏狄青做名正解官，那石玉小畜生，也是容他不得，保荐他为副解官，好将两条狗命，一刻倾消。"孙秀道："岳父大人，解送证衣，如何害得他二人性命？"庞洪道："贤婿未知其详。前仁安县王登有书到来，说他金亭驿舍中有魔作怪伤人，王县丞乃老夫的门下，待吾修书一封，托他照书而行，这二畜生还不中计么？"孙秀未及回言，胡坤道："石玉曾斩过白蟒怪蛇，狄青曾降伏龙马，这两名奴才何曾畏惧什么妖邪？倘然此计不成，也是枉然。"庞太师冷笑道："我此计不成，还有奇谋打算，修书一封，寄交潼关马总兵。此人名应龙，是吾心腹家丁保升的，一见了老夫的信，岂敢迟误。教他如此如此，他不在仁安县死，也必在潼关身亡，你等思此计妙否？"孙秀、胡坤听了大悦道："此计大妙！"登时二人告别。

到了次日，庞太师奏知圣上道："三十万军衣，已经制备完成，唯缺能员押解。臣遍观满殿文武，皆不可领此重任，唯狄王亲、石郡马智勇双全，此去可保万全。乞吾主准奏。"天子旨下："依卿所奏！"即旨召二英雄至金阶，朝谒已毕，旨命钦赐平身，道："二位卿家，只因边关杨元帅催取军衣，以应急用，三十万军衣已经赶齐，唯缺英勇解官。兹有庞卿保荐二卿解送征衣，狄表弟为正解官，石郡马作副解官，不知二卿可往否？"狄青一闻此旨，想道：又是庞洪用的奸谋，吾今若不领旨，被他笑我无能，没此胆量。解送军衣，也非难事，即差吾往边关破敌也何妨。想罢，即奏道："臣无尺寸功劳，身受陛下之恩，不啻天高地厚，敢不遵旨而往。"天子又道："石卿之意如何？"石玉想：狄青已领旨，本官岂得推辞？即奏道："国家有事，臣下自当代劳，臣何敢忤旨？"天子又遭："狄卿，解送一事，律有限期，限一月解至。如违一天，打军根二十，如误两天，耳环插箭，若三日不至者，随到随斩。这是军法无情，将在外，君命有所不受，杨元帅执法，即寡人也不便讨饶。卿家二人也须立定意见，可行则行，不欲前往者，待寡人另派差官解送。"数句言词，乃圣上暗点狄青勿往之意。岂期狄青会意差了，想道：圣上也用反激，但我有现月龙驹，不消半月可至，有何惧哉！即奏道："臣愿遵定限期，如若违误，甘当军法！"天子道："倘卿果误了限期，杨元帅执法无情，必然处治，母后定然着恼，即朕也不安。"狄青道："臣既不误限期，难道杨元帅还要执法吗？"天子听了，舒颜点首道："传旨与兵部，挑选三千锐兵，备下文书旨意。且待调回招讨使曹伟，为后队进发。"当时狄青又想：李义、张忠二人尚留于囹圄之中，不如趁此机会，奏明圣上，将他二人释放出狱，庶不负当初结义之情，又得同伴前往，有何不妙？即奏道："臣启陛下，臣未遇之时，与张、李二人在酒肆中饮酒招灾，误伤了胡公子，曾经包待制判询明白，发于狱中。但误伤人者，原无抵偿之律，二上虽系小民，但武艺超群，不在臣下，当初结义金兰之日，许以患难相扶。伏乞陛下开恩，旨赦二人，与臣共往边关，以防路途险阻，或可将功抵罪。"圣上准奏，即命包拯询明定夺。是日退朝不表。

单提狄爷回衙，坐下未久，有内役禀知石郡马拜访，狄爷闻言，即开中门迎接进内，分宾主坐下。只因二人乃年少英雄，情投意合，今者又共往边关，故石爷特来拜望。当时二人见礼已毕，石爷道："狄哥哥，吾料庞洪荐吾二人解送军衣，谅非好意，须要提防小心。"原来石玉年长狄青三岁，只因狄爷是王家内戚，故有少兄长弟之称。狄爷微笑道："虽然庞贼群奸，设了奸谋，难困吾英雄之汉。贤弟，你若介怀畏怯，吾自抵挡。"石爷道："哥哥，说哪里话来？小弟岂是怯弱卑劣之夫，如惧彼奸谋百出，吾亦不愿在朝为官了，一心还要报复不共戴天之仇呢！"狄爷听了，点头道："足见英雄胆量，如今须早打点动身。"石爷道："这也自然，还要请问，方才启奏，这张忠、李义的缘故，请诉与弟知。"狄爷即将与二人结义，在万花楼上打死胡公子之事，一一说知。石爷听了，微笑道："哥哥既然结交两位生死兄弟，理当救出牢笼，及早关照包大人，好教他复奏圣上。"狄爷大悦道："贤弟高见不差。"时交中午，狄爷款留，双双持盏欢叙闲谈，一言难尽。

酒膳已毕，石爷谢别，随从多人回府，内有彩霞郡主动问丈夫："未知圣上相宣何事？还祈达知。"石爷道："郡主未知其详，只因庞太师这奸贼,在圣上驾前,荐举本官与狄家哥哥,解送征衣往边关应用,故有旨宣召。"郡主听了,登时不悦道:"君家,你今领旨否?"石爷笑道:"君王有命,为臣岂得推辞?"郡主道:"君家,你可知庞贼奸谋狠毒,当时已把老公公谋害了。如今又妒忌你为官近帝,犹恐君家要报复父仇,是以平地立起风波。今荐你往边关,定然差心腹人,在前途等候暗算,要斩草除根,如何去得?"石爷道:"郡主休得多虑,本官与狄兄乃是英雄烈汉,岂兴庞贼诡谋?今既领旨,岂容推却?即赴汤蹈火亦所不辞。郡主何用挂牵!但愿平安回朝,夫妻再叙。"当时郡主花容惨淡,眉锁不开,咬牙切齿,大骂奸贼,只得将此情由上达双亲。高王爷闻得此言,心头大怒,郡太夫人气愤不过,骂道:"庞贼,万恶奸刁,千刀万剐,不足尽其辜。贤婿在朝,吾得相依,今又使什么奸谋,荐他前往边关。吾年老夫妇,只有一女,贤婿此去,吉凶未卜。倘被奸臣害了,倚靠谁人?"勇平王也是一般愁闷。

慢表高爷不乐,再言狄太后娘娘,心中烦恼,即日宣至狄青,开言唤道:"侄儿,缘何全无主见,只听奸臣调弄?况今隆冬在即,朔风凛冽,大雪纷飞,倘然风雪将侄儿阻挡,违误限期,杨宗保军法如山,岂认得你是王亲国戚,定然受亏了。教吾不胜挂念,不免待吾打发王儿伴汝同往。"狄青道:"姑母,休得挂牵,侄儿有此龙驹,一月光阴,也能转回。"太后想起侄儿乃是鲁直之人,即道:"你一人自然仗了龙驹,一月可以回来,只今三千兵丁,难道都有好坐骑么?侄儿还是不往为妙。"狄青道:"吾乃烈烈男子大丈夫,些些小事,看得甚为平常,管教此去,即月回朝,毫无阻碍。"狄太后想道:"侄儿乃是执性的硬汉,须由他去,只命王儿伴他同往。"原来太后爱惜狄青,一来惧庞洪暗算,二来恐他耽误了限期,杨宗保执法无情,故要潞花王同往,可保无碍。此是妇人情爱之见,岂期狄青看得不甚介意,再三推辞。潞花王道:"倘果然误了限期,杨元帅岂肯谅情,况且又是庞洪所荐,不知他又玩用什么阴谋?莫若待弟伴你前往,方可无虑。"狄青听得厌烦了,即言道:"姑母娘娘,侄儿性命只付于天,或死或生,自有定数。若仗姑母千岁势头,压制别人,反被群奸哂笑,非为丈夫。"说罢,辞别娘娘回衙去了。

当时太后娘娘想下一个主意,即传懿旨,往天波无佞府,宣召佘氏老太君。旨下,佘太君不敢停延,即离天波府驾銮车径至王府,恭朝太后,三呼行礼。狄太后命宫娥扶起,赐座于旁,佘太君开言道:"不知太后娘娘宣召,有何懿旨?"太后道:"劳太君到来,只因侄儿狄青,小小年纪,初仕朝廷，不知厉害，领了当今之令，解送军衣前往边关。但此去只愁关山险阻，雨雪连绵，违却限期，只恐令孙执法森严，有干未便。”佘太君听了道：“原来娘娘为此挂怀。何不先传懿旨到边关，吾孙儿怎敢违却？”太后道：“吾的旨意，不如太君的手书更有效力，故而请你到来商议，由太君作书一封，由吾侄亲投与令孙，即便途中耽搁几天，也无妨了。”太君道：“折枝小事，有何难处，待臣妾就此修书。”太后大喜，即唤宫娥取到文房四宝，佘太君举笔，大意只言：“狄钦差领旨解送军衣，因他是太后娘娘嫡侄，狄门继后一人，倘然违了日期，须要看太后娘娘金面，从宽不究，凡事周全。”书罢，送与狄太后，太后看毕，欣然喜悦。当日佘太君不曾带得图印，立即差人到天波府取了珍藏印鉴，打上封面。太后娘娘收藏过，即排宴相待，佘太君领谢了，少停回归天波府而去。

话分两头，再说狄青是日打道亲自去见包公，只为张、李弟兄，商请包公明察，从宽复奏之意。包公道：“下官原知二人可为武职，今得狄王亲奏明圣上，下官可以从宽复旨。但王亲此去，押解征衣，是庞贼荐的谅有奸谋，路途须要提防。倘然途险阻隔，误了批期，杨元帅执法无情，不认你是王亲国戚，定然正法不饶。如今下官预修书一封，你且带在身旁，倘违了限期，关中有礼部文员，此人姓范名仲淹，可将此书投送，自有照应。”狄青领书称谢，登时告别回衙。

次日，包公上朝，奏明圣上道：“张忠、李义二人，果无抵偿之罪，实乃误伤人命。二人现仍禁狱中，等候圣旨，再行释放。”圣上道：“胡伦既是跌扑而死，焉能牵连张、李二人抵罪，今准狄青之奏，恩赦二人，护从押解征衣，将功抵罪，回朝赏劳升职。”包公领旨。当时气得庞、孙、胡三奸咬牙切齿，深恨包公开释二凶，料想狄青先奏明二人护解征衣，再奏圣上思准。当日退朝，有包公回衙，释出张忠、李义，二人拜谢包大人，包公言道：“狄青是太后内戚，今已官居九门提督，你二人是他保奏出狱，可到衙门拜谢。”二人听了，喜从天降，拜别包大人，一路飞奔提督衙门而来。狄爷忙吩咐两旗牌官，引进二人，沐浴更衣，然后进了中堂。三人晤会，彼此欣然。狄爷道：“二位贤弟请坐。”张忠道：“如今哥哥是王亲大人了，我们何等之人，焉敢望坐？”狄爷道：“此言差矣！想当初结义之时，各愿苦乐相均，患难相济，岂料祸生不测，致二位贤弟身禁囹圄之中，为兄非但不能同患难，亦不能早为解纷，今始脱罪，伏望贤弟大度海涵，不怪愚兄。”

不知张、李二人听了如何回答，且看下回分解。

第二十二回

离牢狱三杰谈情　解征衣二雄立志

当下张忠、李义闻言打拱道："哥哥，你说这样话，使弟羞赧①无托足之地了。"狄爷道："二位贤弟，既不见罪，且请坐下。"二人欣然落座两旁，内役献茶毕，二人一齐动问道："难得哥哥一朝平步青云，古今罕及。自从包公堂上别离，只道今生难期再会，但不晓哥哥如何一朝荣贵，还祈告知。"狄青道："言来也觉话长。"便将投在林千总处当步兵，后被孙秀迫害，幸来五位王爷救脱。最后又说了呼延千岁赠刀杀奸之事。二人道："哥哥，当日千岁赐你金刀，未知你有此胆量否？"狄青道："我自愿往，只恨杀贼不成。"张忠道："不杀这奸臣，既非英雄汉，又徒然负却静山王之心！"狄爷道："二位贤弟，有所未知。"便将力除狂马，得李继英通线逃难于韩府后园，韩琦引入王府，收服龙驹，得认太后娘娘，至比武得官之事说了。张、李道："哥哥，你既是太后娘娘内侄，如今岂惧庞、孙众奸再使刁滑？"狄青道："众奸臣须奈何我不得，但他狠毒之心未已，不知他又生什么诡计，在君前保奏我二人去解送征衣。"张忠道："这奸臣定必又生恶毒计谋了，未知你今领旨否？"狄青道："二位贤弟还未知么？今日虽是庞洪恶计多端，押解军衣，乃圣上所命，如辞旨不往，一者逆件君上，二者被庞洪哂笑，说我无此志量。若畏惧他奸谋算计辞旨不往，非为丈夫也。"张忠道："哥哥此话，言来有理，你还要何人同往？"狄青道："愚兄为正解官，有御史石郡马为副佐。"张忠道："如此，我们也要随从哥哥一同前往了。"狄青笑道："贤弟，只因你二人坐禁牢中，愚兄无日不思，故借此为由，保奏你二人出狱，随同押护征衣，将功消罪。同到边关，见机而作，立些武功，有何不妙？"二人听了道："哥哥高见不差。"狄爷道："我还有句衷肠之话，在别人跟前不说出。"李义道："哥哥有何要话？"狄爷道："目今西夏兵犯边关，曾闻兵雄将勇，杨元帅前日有本回朝，求讨救兵，目今难返敌。不

---

①　羞赧（nǎn）——因害羞而脸红的样子。

是愚兄夸张,不独杀退边关围困之兵,即领旨往征西夏,亦不是难事。”张忠道:“哥哥,如此说来,你却愚!”狄爷道:“何愚之有?”二人道:“你何不即于驾前,请了旨意,前往征西,显些本事与庞洪众奸看看,有何不妙?”狄爷道:“我若在驾前请了旨意,也不稀奇,待我押解征衣到得边关,即在元帅帐中,也不说明。且到那时见景生情,率领兵马大破西夏,方使庞洪众奸畏服、奏凯还朝,乘机将奸党除灭,朝中方得安静。”张忠听了奸臣二字,不胜气愤道:“哥哥,你前时被奸臣陷害,险些遭害。死中得活,哪里还待得及奏凯班师?小弟也甚容他不得,倘哥哥许假三尺龙泉宝剑与小弟,若不将庞、孙、胡三奸首级拿来,即将自己首级献上。”旁侧李义冷笑道:“张哥哥,你且忍耐些,休思动凶。方得身脱牢灾,又思闯祸,倘若再犯时,脑袋不保了。”张忠道:“三弟,虽然如此,但这些奸党令人一刻也难忍性子的。倘若杀得三人,万死不辞,并无反悔。”狄爷道:“张贤弟可知今异于昔,也须耐着三分性儿。前日身为百姓,一口一身,虽然死活,有何干碍?你今刺杀了奸臣,不独自身有罪,追究起来,愚兄亦有干碍,何能到边关去?不若权且忍耐,奸臣终有败露之日,到时削除,岂不得当?”李义连声称是,张忠默默不语。当日狄爷吩咐排开酒宴,三人持盏,言谈之际,李义想起周成店主银子未曾交付,乃言道:“周成店主之事,如何料理?”张忠道:“不暇计及此事了。”

闲文不表,到了九月初八日,准备了三十万征衣,车辆满载。正副解官领了批文,张忠、李义押管三千兵丁车辆粮草悉备,随从二位钦差,拜别忠良,不辞奸佞。有韩爷将书一封,付交狄钦差,此书投送与打虎将军杨青,因和他有同乡之谊,见了来书,自有照应之处。狄爷作谢,将书收藏,复进王府,拜别潞花王母子。狄太后闷闷不乐,付交佘太君家书,又嘱咐道:“侄儿,你虽乃少年英雄,只是程途遥远,苦冒风霜,进退小心,休得莽撞。渡水登山,非比在朝安逸,务要倍加提防。庞奸贼众党阴谋设陷,定有此事,也须时刻当心。交卸了征衣,更须早日回朝。”狄爷跪受姑母娘娘训谕。当日潞花王吩咐安排酒宴饯别,弟兄对酌闲谈,无非话别一番,不用烦言。宴毕,拜别太后母子,来至教场,三千兵丁顶盔贯甲,早已伺候。

且说石御史拜别岳父母和彩霞郡主,也是一番饯别叮嘱之辞,不表。即时高昂骏马,已至教场。狄爷有众人书信照应,这石玉并无一书,只因狄青是正解官，石玉是副解官，正解无事，副佐亦无碍了，故石玉无人付书。

当日狄钦差带上金盔，内藏宝玉鸳鸯一对，闪闪发光，手提金刀，左插狼牙之袋，右悬锋利龙泉剑，骑上现月龙驹，真乃威风凛凛。石御史头戴银盔，坐下白龙驹，霜雪铁鞭，分插左右，手捧长枪，也是浩气昂昂。即那张忠、李义，虽无官职，也是顶盔披甲，高坐骅骝①，押了车辆。炮响三声，旗幡飞动，离却王城，所至地方，官员都来迎接。非止一天行程，且按下不表。

且说庞洪一心图害两位栋梁小将军，早数天，差家人送书一封与仁安县，一书送与潼关马应龙总兵。

不表庞洪暗害，再说河南陈州，一连数载遇饥，地方遭劫。至第四载，更倍加饥馑凄凉，粒米无收，百姓被饿死者，填盈衙道，贫困者十不存三四，县官详文上司，是日本折进朝，君王览表，方知陈州饥馑，问治于群臣。有枢密使太师富弼奏上君王道："老臣当日曾任职陈州，当地土豪奸恶甚多，诡谋百出，每有积聚不粜者。那地方官只图贪酷，焉为国安民者？致强恶日增，用财可以买法，即丰稔之年，粮米也不轻粜②。此事必须包待制往陈州，赈济饥民，并收土恶，有粟之家，自然出粜，虽年不丰熟，而良民自得食了。"君王闻奏大悦道："老卿家荐得其人，可谓为朕分忧。"即降旨包公往陈州开仓，赈济穷民，御赐龙凤剑一口，不问文武官员，如有不法，任凭施行处斩，然后奏闻。包公领旨，拜辞同僚文武官员，限日登程，也且不表。

再说仁安王县丞，接得庞太师来书，观毕，即赠来人白金二十两，以作程途费用。这仁安县金亭官驿中，前年传说出一妖魔，众民沸扬，远近惧怯，即汴京也有知者。只日午中有胆识英雄方敢进内，至晚间，连驿外近地，也没人行走。当日王登依了庞太师吩咐，一心要害狄、石二位钦差，心想，二人即被妖怪吞了，也非我之立心，纵然上司追究，庞太师来书说，自有他一力担承无碍，还要升我官职。即差唤人役数名，将金亭驿扫得洁净无尘，铺毡结彩，四壁熏香，以待安顿钦差大人。当时衙中人役多有一番

---

① 骅骝（huáliú）——赤色的骏马。

② 粜（tiào）——卖出（粮食）之意。

议论，内有胆小者进内洒扫，吓得胆战心寒，但迫于上人之命，不得不然。众役人道："王老爷好生大胆，此驿妖怪厉害，屡说伤人，倘或钦差大人也被伤了，这还了得。况二位钦差势头甚大，天子内戚，追究起来，焉能保得性命。倘有干连，我们也有不便之处。"当时议论纷纷，果有胆小的几人也逃走了。这且按下不表。

那仁安县王登，天天等候钦差大人，在驿外平阳大地，安排营帐，安顿兵丁，另设空场马厂。众武员束备戎装，弓箭马匹齐备。是日，忽报二位大人到了，文武官员齐迎跪接。王登跪请二位大人下马归驿，然后安顿兵丁。当日二位钦差同进了驿，齐揖见礼坐下。狄爷下令驻兵驿外，张忠、李义押管兵丁，小心巡逻征衣，在此留宿一宵。仁安县与众文武回衙，不必在此伺候。号令一下，炮响连天，安了营帐，二位钦差卸下盔甲，穿了便服，十六名壮勇铁甲军，乃随身亲役。

当时日落西山，驿内灯烛辉煌，文武官员早备酒筵，款过二钦差毕。狄爷道："石贤弟，吾观此驿，一望荒寒野地，吾二人且不安睡，明早提早赶路。"二人同志，你言安邦，我言定国。时交一鼓，更锣响敲。石爷道："哥哥，不觉说话之间，已是一更时分了。"狄爷道："贤弟，吾与你离别汴京，到此已有八九天了。吾恨不能早到边关，交卸了征衣，方得心头放下。"石爷道："小弟也是这个主意，但未知此三关有多少路程。倘然违误了限期，杨元帅定然着恼了。"狄爷道："贤弟，这也不妨，即误了数天限期，尚可谅情，杨元帅未必见罪，自然无碍了。"石爷又遭："哥哥，你看月好光辉也！"狄爷道："贤弟，今夜月明如昼，地上如霜，曾记得八月中旬夜事，南清宫内后花园，称言有怪，岂知乃龙驹出现。愚兄得会太后娘娘，亲人团叙，犹如天上月缺而复圆，真乃光阴迅速催期快，而今又是阳春天了。"石爷道："因你之言，小弟却也想起，去年也是中秋月圆之夜，有白蟒精变化人形，在勇平王府内摄去彩霞郡主，当时已将郡主拖入幡云洞中，高千岁着急。是日小弟初至汴京，寻觅父亲，贫困如燃眉之急，故弟领旨，探其穴，进其巢，与怪物争持，刀斩蛇妖，把郡主救回府中。勇平王大喜，将郡主匹配了小弟，又奏闻圣上加封官爵，瞬息间已是一秋多，真乃光阴似箭，日月如梭。"狄爷闻言，长叹一声，也想起困乏遇张、李弟兄时苦处，因道："世间凡事原难料，富贵穷通只在天。"

二人言谈之际，不觉二鼓初敲，登时一阵狂风吹来，呼呼耳边响亮。

弟兄二人立起,四围一看,十六个亲随壮军也觉害怕。石爷道:"哥哥,此阵狂风,非正风也。"狄爷道:"贤弟,你看此风又起了。"果然一阵狂风,已将灯烛吹灭。二人默想其故,此风打从东北上吹来,明知是怪风,是时各拔出佩剑,向东北方定睛一看,里厢并无一物。只是月光皎洁,耳边仍是呼呼响亮,吓得十六名铁甲壮军呆呆发抖。狄青大喝道:"本官二人在此,妖魔敢来作祟!"正在呼喝之际,但见远远射出白光一道,跳出一雪亮人身,高约丈余,皱口攒眉,上身短小,下身尖长,飞奔而出,向石玉跟前跳蹿。石爷呼道:"哥哥,此物莫非又是白蟒精么?"言未了,见此怪扑来。石爷大喝一声,挥剑砍去。只见一道白光。

不知此物是何妖怪,且看下回分解。

第二十三回

现金躯玄武赐宝　临凡界王禅收徒

当时石爷大喝一声道："逆畜休得猖狂！"即挥动龙泉剑，光射寒霜。此刻人妖争敌，兵刃交加。狄青意欲上前帮助，思量且试他武艺如何，如若怯于怪物，然后相助未迟。当时石玉飞剑斩去，只见白人且斗且走，诱他至庭心。石玉一步步追出庭前，又闻狂风大作，只见两扇后门大开。前面妖人飞奔出外，外厢一带空荒，周围全是荒野。忽妖人口出人言，喝道："石玉，你既逞强，好胆子，敢出外见个高低么？"石玉大喊道："吾来也！"即飞奔走出内厢。狄爷笑道："真乃有胆量英雄也！"高声接道："贤弟，休得放走了妖魔，吾来助你。"即大步飞跑，手持宝剑，出至庭心，登时一派白光射目，两眼昏迷。即听得有人说道："狄大人不可出外。"狄青举目一看，只见一人乘着祥云，身高丈余，披发仗剑，半离地上，约与檐高，阻住去路。狄青喝道："你莫非是妖怪？"此人言道："非也，我乃北极玄武圣帝，今夜贵人在此，特来一会。"狄爷听了，惊疑不安，细看一番，开言道："或者你是妖魔，敢冒圣帝，也难分辨。"那人道："狄大人何必多疑？我乃北极玄武圣帝，只因部下神将思凡。目前俱已流入西夏，侵扰炎宋二十余载，全赖范、韩、杨、狄四人，韬略宏深，振抚西夏，保邦安民。兹有两件法宝付你，此宝名'人面金牌'，如遇西夏交兵，急难之时，将此宝盖于脸上，口内念声'无量寿佛'，自然使敌人七窍流血。这小小葫芦，内藏七星箭三支，如逢劲敌，危急之时，发出一箭，其捷如风，敌人立即死亡。今赠你二宝，今后你一生建立功劳，安民保国，赖此二物，须谨细收藏，勿得轻亵。倘成功后，二宝仍要收还。"当下狄青听了，满心大悦，双手殷勤接过，细看人面金牌，倒像孩子们玩耍之物，只是金光闪闪。

葫芦内三支七星箭，细细看来，约有三寸余长，两头尖小，锐利非常，霞光炎炎冲起，方知宝贝之妙。看毕，将二宝收藏皮囊中，跪伏尘埃，叩谢。圣帝吩咐道："不须多礼，但叮嘱之言，还须谨记。此去多灾转福，遇难成祥，不烦多虑。"狄青道："谨遵圣帝法旨，但小子还有义弟石玉，追拿怪物出外，未知吉凶如何，再求指示。”圣帝道：“此非怪，乃变形化物，石御史追赶，终无碍的。唯去而不返，难以相见了。”狄爷道：“石弟去而不返，怎生复旨?”圣帝道：“日后自然重逢，不必介怀。”当时圣帝使起神通，袍袖一展，高起祥云，香生馥馥，霭射飘飘，光华冉冉而去。狄爷下拜，殷殷礼毕起来，当有十六名壮军跑至，启禀道：“狄爷，方才石大人追捉怪物，还未见回来，请大人定夺。”狄青一想道：圣帝虽然如此吩咐，吾若不往追寻相助，非是弟兄手足。想罢，即跑进内厢，岂知四壁围墙，无路可通。狄青四下一看道：“奇了，方才见有门户一重，今如四围全是墙壁，故圣帝预定天机，言石弟日后自有相逢。也罢，如难以追寻石弟，亦是无可奈何。”只得坐下呆呆思想。

且说白人在前，诱石玉且战且走。石玉不肯轻饶，高举宝剑，大喝：“怪物哪里走，还不早现形迹!”趁着月光如昼，紧紧追去，不知有多少程途了。妖人复兜转步来，喝道：“休赶!”持棍当头打去。石玉哪里畏怯，持剑砍去。白怪急忙闪开，石玉飞进数步，剑如雨下，怪物架挡不及，将身一低，在地一滚，团团而转。石玉细细看来，不觉自笑道：“奇了，只言此物是怪，却原来两栖三尖枪!”即拾起来舞动。只见霞光闪闪，与月争辉，心中喜悦，连称：“妙妙！今夜幸运，皇天赠赐宝枪，不免叩谢上苍，然后回见狄哥哥。”石玉正思下跪，又闻香浓拂拂，云绕当空，一位仙翁乘云而下，五绺长髯，微笑道：“石贵人，你今虽得此神枪，只缘枪法未精，还不见你之英雄，怎能保国安民?不如拜贫道为师，再要授你兵机武艺，练习精通，才能建立奇功。你如不信，待我试演双枪之法，与你看看。”石玉道：“仙师肯教习，乃深幸也，且请试双枪一观。”言毕，遂将双枪与仙师。只见他大袖一展，枪起时左旋右转，宛似蛟龙取水，又如燕子穿梭。石爷呆呆看着，果见枪法精通，迥异凡常。试毕，呼道：“石贵人，观枪法如何?”石玉一想：也觉怪异，不通姓名，居然认识我之姓名，料是位有道仙翁。又见他枪法神奇，即道：“愿拜仙长为师，但今有王命在身，不能违误，待到了边关交卸征衣，然后拜从习艺。”道人道：“我非凡人，乃王禅也。如你到边关，决无此机会的。即夜可随吾去。”石爷道：“今夜断难从命，我奉旨解征衣，杨元帅有限定之期，倘违定期就不妙了。”道人笑道：“小小事情，不必过于介怀。”语毕，口念咒词，将枪尖挑起顽石二段，忽化作一对斑斓猛虎，爪舞牙张，向石玉奔扑。石玉大喝道：“逆畜慢来!”即拳打足踢，道人喝道："休得舞弄！"猛虎不敢再动，道人即跨上虎背，又对石玉道："你若骑上虎背，可胜坐马，倘若出敌，百战百胜。"石玉道："如此甚妙。"即跨上虎背。道人一见大喜，喝声："起。"风一响，二虎即跑上云端。石玉惊骇呼道："倘跌仆下去，一命休矣。"王禅道："如此胆小，焉能出得沙场，杀得上将！"言谈之间，跑得渐高，直上云霄，径往峨眉山去。按下不提。

却说狄青独坐思量，心烦不乐，暗道：方才圣帝吩咐如此，料然石弟难以相见，还不知他收除得怪物如何，也不知走到哪方，教吾实难猜测。方才果见后厢围壁中，门户遥遥，石弟追赶出外，因何霎时并无门户，想必乃神仙妙术，变化无穷。唯正副解官共事，今缺了石弟，如何复旨？不免照此直言便了。

这时天色已明，传令宣扬，众兵方知驿中有怪作祟，昨夜摄去石郡马。狄爷道："仁安县这狗官，定有机谋。"即传王登进内问供。护从三千，闻得此事，人人骇惧。张忠、李义二人私下称奇。当时王县丞进驿参见，狄爷喝道："刁狗官！好生胆子！驿中既有怪物，因何将本部留顿于此？昨夜已将郡马爷摄去，定然凶多吉少。你这狗官，是受人嘱托，抑或自起主谋，从实招供，以免动刑。"王登听了，惊慌无措，跪倒叩头不止，言道："上告大人，此驿从无怪物，不知怪祟从何方而至，卑职怎敢主谋暗害二位大人？"狄爷喝道："胡说！这不是你自主谋，定然受奸臣密托。若不明言，刀斧手斩讫。"庭下一声答应，上前扭起王县丞，解去袍服，除去乌纱帽，吓得他魂魄飞天，高声呼道："大人饶命！此乃庞太师有书来到，押着卑职行此机谋的。他要害二位钦差大人，卑职怎敢生此恶念，立此歪心！"狄爷听了点头，骂道："恶毒奸臣，怎知你又行此阴谋毒害！但庞贼要你行此恶谋，你既是正大之人，即挂印辞官不做，亦不行此不义之事，你今罪亦难免。"王登道："如今卑职悔恨已晚了，虽有死无辞，只求大人姑宽，开恩一线，当衔环以报。"说罢，叩头不已。狄爷还是仁慈，且留他为证复旨，便喝道："本官王命在身，不能耽搁，王登交府官禁在狱中，即着本地文武官员，访寻石御史下落，待本官公务完毕回朝，在圣上驾前，与庞贼算账。"

当时王县丞谢了大人不斩之恩，众文武官员都言"领令"。时交辰刻，文武官员备酒筵相款，犒劳三军。也无烦叙。

是日发令登程，炮响一声，旗幡飞动，文武齐来相送。张、李二将，仍押管军马征衣，只空坐骑一匹。狄爷仍令马夫牵行，好生喂料。

且说王县丞带上府衙而去，短叹长吁，恨着庞太师。暗想："方才若不说明，险些性命活不成了。"只求府尊申详上宪，闻达朝廷。庞、洪、胡闻此，更加纳闷道："狄青、石玉皆与吾作对，今石玉已经中了毒计，定遭妖魔伤害了。只有狄青仍在，只望他在潼关中计，不知可成否?"是日君王一看表文，龙心大怒，着将仁安县丞王登，定议处决。当日庞洪力与分辩保免，私下传旨命复职不表。

再说勇平王得知大恼，郡主母女，苦切万分，深恨庞贼施设奸谋，害了年少英雄。郡主呼道："母亲，去年白蟒摄去了女儿，多亏丈夫救脱，收除怪物。不意今被庞贼所害，妖魔摄去无踪，还有何人救拔，定然凶多吉少了。"王爷夫人终日安慰女儿，也且不表。

却说潼关总兵官名马应龙，前日接得庞太师来书，想来立心要害狄王亲、石郡马，本总定然依命的。但关外地方，乃本总所属，如行刺他，也须百里之外，方可下手。但此事唯飞山虎刘参将前往方妥。马总兵打算定当，传齐大小将官，明日起程候接钦差大人。

是日，狄爷来至潼关，马总兵与大小官员迎进关中坐下，众员参谒过大人，上请金安毕，竟日盛筵设款，也不多叙。当下马总兵问副使石御史，因何不见到来。狄爷将在仁安县驿中被妖魔摄去说明。马应龙听了道："有此奇事？但今潼关外面，也是地广人稀，空荒之所，王亲大人须要小心。"狄爷道："这也何妨？如今天色尚早，即速启关，待本官赶路。"总兵领命放关，车辆纷纷出关而去。马应龙送出关外而回，即日邀传参将刘庆计议。

这刘庆年方二十四岁，身高九尺，面玄黄而光彩非常，从幼得异人传授席云奇技，来去如飞，故他混号飞山虎。以前当兵出身，勤勇协力，性情刚强，先已拔为千户，今又升为参将，随同马总兵保守潼关。年少父亡母存，一妻二子仗着席云本领，常想征西，却不知西夏兵雄将勇，只靠席云之技，怎能抵当？是日遵召进见，打拱道："不知总爷传召，有何吩咐?"总兵即将庞太师与狄青作对，今他来书，要结果他一命，一一说知。参将道："总爷，既云庞太师要取狄青一命，何不方才设宴时，将他弄醉，一刀砍下头颅，有何难处?"马总兵冷笑道："你乃粗笨之徒，哪里得知？若在关中弄死,也要执罪本官。况他有三千兵丁,十分凶勇,岂肯甘休?故特让他出关,在百里之外,你前去行刺了他,才不致归咎我们。倘谋事成了,庞太师喜悦,你我官爵定有加升了。”刘庆听了笑道:“这也不难,且末将至落雁坡,等待他来,结果他一命便了。”马总兵闻言大悦,道:“须要小心!”刘庆允诺,藏了利刃,驾云而去。

不知刺杀得如何,且看下回分解。

第二十四回

出潼关刘庆追踪　入酒肆狄青遇母

话说刘参将奉了马总兵之命，驾上席云，离了潼关，向前途落雁坡而来。一程追上，将已七十里，在空中缓缓随着狄青。不料他金盔上一对宝玉鸳鸯，有霞光冲起，刀斧不能砍下，故难伤狄青之命。

当日日已沉西，天色昏暗。狄青与张忠、李义三人并马而行，催军前进，意欲找了好地头安扎。张忠偶然抬头观看，连忙抽勒丝缰，叫道："大哥，你看空中这朵乌云，倏①上倏下，正对着你头顶上，这是何缘故？"李义道："果然奇怪，莫不是妖云？"狄青道："不必论它妖云妖物，且赏它一箭吧。"即向皮囊中取一箭，搭上弓弦，照定乌云，嗖的一声放去。只见这朵乌云像流星飞去。原来这一箭已射中飞山虎的左腿，好生疼痛。兄弟三人因天色乌暗，到底不知此物是什么东西，又见天晚难行，只得在平阳大地安扎，屯了军马。是夜，军士埋锅造饭，马匹喂料。张忠、李义巡管征衣，点起灯烛，四野光辉。狄爷一人步行四野，离得平阳地，远远见有灯火光辉，再跑数十步，乃丁字长街。对面左侧有酒肆一间，店主正在将上好美酒小缸倾转大缸，香浓浓地顺风吹送来。

大凡爱酒之人，见了酒总要下顾。狄青想：此刻夜静更深，还不闩门，夜来还做买卖，不免进内吃酒数杯，然后回营，也未为迟。想罢，徐徐举步而进。店主一见，吓得慌忙跪下。但见此位将官，头戴金盔，身穿金甲，想来不是等闲之人，故店主跪地叩头，呼声："将军老爷！小人叩头，不知驾临何事？"狄青道："店主不必叩头，你店中可是卖酒的么？"酒保道："将军爷，此处乃卖酒馔之所。"狄青道："如此，有上好酒馔取来，本官要用。"酒家喏喏连声道："将军爷且请至这厢上座，即刻送来。"狄青进内一看，见座中并无一客，当中一盏玻璃明灯，四壁四盏壁灯，两旁交椅，数张花梨桌，十分幽静，狄青看罢，倒觉心开，拣了一桌，面朝里厢，背向街外。坐定

---

① 倏（shū）——极快的意思。

半刻,酒保已将美馔佳酿送上,狄爷独自一人斟酌。吃过数杯,偶然瞧着里厢西半边之内,坐着一个妇人,年纪有二十三四,面庞俊俏,淡淡梳妆,目不转睛地观看。狄青见了,心中不悦道:这妇人真乃不识羞惭,因何只呆呆将本官瞧着?父母家若养了这等女儿,大大不幸!娶她为妻子,必然家运颠倒。原来狄青乃是一个正大光明、不贪女色的英雄,故见女子目睁睁看他,恼她不是正性妇人。

当下妇人呼唤酒保进去,便问此位英雄姓名住居,多少年纪。酒保道:"奶奶他是无意到店中吃酒,过路的官长,你盘问他何事?"妇人道:"你不要多管,快些问个明白。"酒保应诺,暗言:小奶奶真奇,吾在她店中两载,一向谨细无偏,今教我问此位将军姓名住居年纪,定然看中了少年郎了。不觉行至桌边,口称将军爷:"请问尊姓大名,住居何处?乞道其详。"狄爷见问,遂答道:"本官乃世籍山西,姓狄叫青。"酒保道:"多少年纪?"狄爷听了,问道:"你因何问起年纪?"酒保道:"我这里奶奶请问。"狄爷心想:奇了。即言:"吾年方十六岁,你好不明礼仪。"酒保道:"将军休得见怪,吾回报奶奶去了。"酒保进内言知,那妇人听了,喜形于色,还要再诘。酒保道:"奶奶还再问什么?"妇人道:"问他世籍山西哪府,哪县,哪乡,哪保?速问他来!"酒保强着应允,一路摇头道:"我们奶奶好蹊跷,但想青春女子,谁不欢乐风流,怪不得见了少年郎君,春心发动。我看此位将军,生来性硬无私,他决不来就你。"又到了桌边,呼道:"将爷,休得动气,小人还要请问,贵省既是山西,请问哪府,哪县,哪村庄?"狄爷想道:为什么盘问我的根底?即说明与你知,且看你这妇人怎奈我何!即道:"我乃山西太原西河小杨村人,快去通知!"酒保欣然去了,将情达知。妇人听了,急忙转身进内,叫道:"母亲,外厢有一位年少将军,乃是我弟狄青,女儿不敢造次轻出,母亲快出去看来。"孟氏听了,又惊又喜:"想起前七载水淹太原,骨肉分离,多人波涛之内。只道你弟死于水中,为娘时时感伤,暗暗忧思,今日万千之幸,孩儿还在世间!"狄金鸾道:"母亲休得多言,快些出外厢,认明是否。"孟氏急步行走道:"女儿且随娘出外!"

孟氏来至店前,金鸾在后,轻指将军道:"母亲,此地不便观看,你可近前认来。"孟氏近前细看少年,点首大呼:"孩儿,你可知娘在此否?"狄小姐忙呼:"兄弟,母亲来了。"狄青停杯一看,立起来,抢上前,双膝下跪,呼道："母亲，姐姐！可是梦中相会么？"孟氏夫人手按儿背，开口不出，泪珠滚流。狄青呼道："母亲休得伤怀，只因不孝孩儿，自那日大水分离，已经七八载，儿得仙师援救，无时无刻不挂念生身之母。今宵偶会，好比花残复发，月缺重圆。"老太大道："孩儿，你多年耽搁在何方？且起来说与娘知。"狄青道："不孝孩儿，多年远离膝下，至累老亲愁苦，罪重非轻，待儿叩禀，哪里敢起来！"孟氏道："这是天降奇灾，说来话长，且起来再谈吧。"小姐悲喜交集道："兄弟，休言自罪，且起来相见。"狄青道："方才我认不得姐姐了。"金鸾道："兄弟同胞一脉，焉有不记认的？"狄青道："只为多年离别，不期相会，一时记认不来。今日实乃天遣母子姊弟重逢。"小姐听了含笑道："也怪不得兄弟，只因水灾分离之日，你才九岁。"转身又对老太太道："且到里厢，然后言谈心事吧。"又吩咐酒保，收拾残馔闭门。

当时母子三人进内坐了，老太太道："你一向身在哪里，怎生取得重爵高官？"

狄青道："母亲听禀。"就将被水灾之日，得仙师王禅老祖搭救，习艺七年，思亲之念难止。太太听到此处，说道："为娘遭此水难，几乎性命难存，幸得你姐丈张文驾舟救了，奉养在家。你姐丈前去潼关得功，故藏身在此，不料你姐丈去年被马总兵革了职，因在此开个酒肆。"狄青道："如今姐丈哪里去了？"老太太道："他往顾客家收账去了。"狄青道："母亲，姐丈曾经作过武官，何妨乐守清贫，因何作此微贱生意？"老太大道："此乃素其分位而行，不得不然呵。"狄青道："姐姐乃女流之辈，又是官宦之女，如何管理店内生理，岂不被人议论？"狄青乃直性英雄，是以有言在口，便按捺不住，信口而出。金鸾小姐却想：因何兄弟初会，就怨言着奴？便对狄青道："此乃妇人从夫而贵，从夫而贱，事到其间，也无可奈何了。"说完，抽身往厨中再备酒馔。狄青见姐姐去了，心甚不安，反悔失言，招姐姐见怪。老夫人呼道："孩儿，你性直心粗，埋怨着姐姐。但今久别初逢，不该如此。"狄青道："母亲，这原是孩儿失言了。姐姐见怪，怎生是好？"孟氏道："不妨，待娘与你消解便了。但你方才将分离始末，才说得半途，再将怎生得官受职，明白述来。"狄青将别师下山时起，一长一短，直说到目今领旨解送征衣。孟氏闻言，心花怒放，喜道："前闻姑娘已归泉下，岂知今日仍存，身作皇家母后之尊相认孩儿，乃情深义重，何幸玉鸳鸯，也有会合之日。但儿呀,你奉旨解送征衣,身当重任,不可耽搁了程途。倘然违误了,罪责非轻。”狄青道:“母亲这事不妨,姑母娘娘恐孩儿耽搁程途,过了限期,特宣到佘太君授书一封与杨元帅。还有韩叔父、包大人密书相保,倘孩儿过此限期,杨元帅也要谅情,决不加罪于我。”孟氏听了,深感姑娘用情,并各位忠良厚爱。母子谈谈说说,不觉已交二更,狄金鸾烹庖好佳肴美酒,排开桌上,请母上坐,姐弟对面,细酌慢斟,按下不表。

再说飞山虎幸而本领很好,身躯强壮,左腿带箭,忍着疼痛,缓缓落下云头,在无人之所,拔出箭头,挤出淤血。再驾云一探,知狄青落在张文酒肆中,便又缓缓落下,坐在一块顽石之上,想道:张文是我同僚好友,待我与他商量好了,去了结这狄青吧。刘庆正在思量,只见火光之下,有人一路跑来,原是张游击。刘庆欣然招手道:“张老爷哪里来?”张文住步一看,笑道:“原来是刘老爷,缘何一人深夜至此?”刘庆道:“有话与你相商,但你从哪里回来?”张文道:“收些账目,被友人款留,是以这时才回。但有何商量? 快些说知。”刘庆道:“非为别故,只为朝廷差狄王亲解送征衣到三关,现今已出潼关。但此人与庞太师作对,故太师有书来与马总兵,要害钦差一命,教我刺死,即加升官爵。方才驾上云头,正欲下手,不知他盔甲顶上两道毫光冲起,大刀不能下,反被他一箭射在我左腿上,十分疼痛。如今打听他进了你店中吃酒,你回去若用计劝酒灌醉他,待我前去解决此人性命,将你之功,上达太师,管教起复你的前程。”张文听了道:“刘老爷,你能包定我的前程,即助你一臂之力便了。”刘庆道:“都在我身上。”张文道:“如此,你在此候着,一更鼓时,方好来复。”刘庆允诺暗喜,在此等候张文回音。

这张文急匆匆来至家中,将门上叩几声,酒保早已睡熟,被他梦中惊醒,起来开了店门,道:“原来是老爷回来了?”这酒保为何称张文是老爷?只因张文前年作过游击,人人皆以张老爷呼之,即近处的百姓或朋友,也是称惯张老爷的。当下酒保揉开眼睛,道:“老爷今早有亲眷来探访你了。”张文道:“是什么亲眷?”酒保道:“老爷你不知缘故,待小人说知。此人威风凛凛,气宇轩昂,穿戴金盔金甲,好一位武官。太太说是她儿子,今进内与太太、奶奶三人一同吃酒谈心,老爷还该进去陪他吃数杯。”张文道:“此人姓甚名谁?”酒保道:“姓狄名青,老爷认得他否?”张文道:“如此，果然是我舅子了。”方才刘庆在张文面前，只说狄王亲，并不说狄青，是以张文全然不知。如若他说出狄青之名，张文自然晓得是郎舅，也不担承刘庆之计了。

不知张文会到狄青，如何处置刘庆，且看下回分解。

第二十五回

设机谋智拿虎将　盗云帕巧伏英雄

当晚张文一路进内，万分喜悦，到了中堂，果见一位金甲将军，坐于妻子左侧，丫环侍立两旁，当中老太太一同举杯。又闻妻子道：“兄弟再饮数杯酒，包你姐丈会回来的。”言未了，张文进来，言道：“待我来陪伴一杯可否？”金鸾登时站起，呼道：“相公，我家兄弟在此。”狄青见姐姐起位，也站起来，抬头一观，呼声：“姐丈。”太太也道：“贤婿，我儿到此。”张文喜道：“岳母呵，你今眉锁得遇钥匙了，真乃可喜。”郎舅二人，殷勤见礼，对面坐下，丫环又添上杯筷，重新吃酒。饮了数杯，张文又问起狄青别后之事，狄青将前后事情一一告诉。张文听罢，大喜道：“不料兄弟少年英雄，早取高官，人所难及。”又问狄青道：“你在前途，可曾遇有刺客否？”狄爷道：“我前途并未逢什么刺客，姐丈何出此言？”张文道：“如此，还算你造化，险些儿一命送于乌有了。”

当时老太太母女闻言大惊，狄青道：“是什么人行刺，你何以得知？”张文听了冷笑道：“都是庞贼起了风波，致书马总兵，要将你的性命结果，故差飞山虎在前途等候。”狄青道：“我在途十多天，并未遇见什么刺客，如今姐丈既知刺客，在哪方埋伏？”张文道：“你出关后，可曾发一箭么？”狄青道：“途中果见乌云当头，或上或下，不知何物，故发箭一支。这团乌云，犹如鹰鸟飞去，到底不知什么东西，正在狐疑。”张文冷笑道：“你有所不知，此段乌云乃是马总兵手下的参将，姓刘名庆，诨号飞山虎，曾遇异人传授席云之技，来去如飞，算得绝技。方才刘庆对吾说知，身驾乌云，要来行刺，不知何故，你头盔上两道红光冲起，大刀不能砍下。又说反被你一箭伤了左腿，如今打听得你进我家中，叫我灌醉你，待他来取首级。事成之后，许复我前程。当时他说狄王亲，我不知何等之人，岂料竟是舅弟！”狄青听罢，大怒，母女亦深恨奸臣恶毒。老太太道：“这玉鸳鸯原是一件宝贝，若非姑娘好意，将此物配于盔上，早已身赴黄泉了。”狄青道：“姐丈，这奸臣如此恶毒，数番计害。待飞山虎来，小弟有宝剑先结果此人，后回关斩马总兵,他也是一班奸臣党羽。”张文道:“贤弟且慢,休得动恼,这飞山虎虽有行刺之心,乃是希图官高爵显之故。此人秉性坚刚,最有胆智,虽人非出众超群,也算得一员英雄上将,只可用计将他降伏,不可伤其性命。”狄青道:“倘或不肯服我,便当如何?”张文道:“不妨,他平日与我相交,不啻同胞之谊,吾说话无有不从。须用如此如此计较诱引他落在圈中,还忧他不降服么?”狄青听了喜道:“姐丈真乃妙算!”孟氏母女,也觉欣然。

当时母子四人,酒已不用,金鸾命丫环收拾去了。张文将狄青藏在前楼阁中安睡。若论张文曾作过武官,所以正室宽大,就是厅堂书斋楼阁,内外都是幽雅洁净,不染尘俗之气。不比庸俗酒肆,灶旁是床帐,堂中是堆柴之所。当下张文秉烛,命丫环将方才余馔搬出堂中,两双杯筷,一壶冷酒。这是张文的设施,只因要收服这刘庆,故设此圈套,只言与狄青二人一同对饮,酒未完而狄青已先醉了。又唤醒酒保,吩咐道:“少停刘老爷来时,不可说出狄老爷是我郎舅至亲,不要先去睡,犹恐要你相帮之处。”酒保应诺。

张文即开了门,提了火把,来至街中。一见这飞山虎,只言狄钦差已沉沉睡去,如今睡于后楼中了。刘庆闻言,心头大悦,呼道:“张老爷,既然狄钦差被你灌醉,待我前往赏他一刀,你的前程即可起复了。”张文道:“刘老爷,且慢慢的,倘或被他得知了,你我不是他的对手,如何是好?”刘庆冷笑道:“张老爷,不是我夸口,只一刀,管送他性命,若再复刀,不为好汉了。”张文道:“既如此,与你同往便了。”

二人进了店中,将门闭上,引刘庆至方才摆列酒馔之所,呼酒保收拾杯筷残羹,吩咐再取几品好馔,上品美酒,说:“吃个爽快,再下手不迟。”飞山虎等至三更,腹中饥乏了,况是好酒之徒,心中大悦道:“张老爷之言有理,果是肺腑兄弟,说得吃酒二字,是我意中所喜。但一到你家,便吃酒叨扰,小弟有些过意不去。”张文道:“刘老爷,你若说此言,便不是知交了。”刘庆喜道:“足见厚情,但方才收拾的余馔,可是狄钦差食残余的么?”张文说是。当有酒保排开几品佳肴,一大壶双烧美酒,备办的如此速捷,皆因店中尚有余多,二人对坐,你一杯,我一盏,张文是有心算他,酒多虚饮。飞山虎一见酒,便大饮大喝,顷刻一连饮了三大瓶。张文加倍殷勤,不一刻时间,飞山虎吃得醺醺大醉,心内糊涂,喃喃胡说,睡于长板凳上,呼呼鼻息如雷。张文连呼不觉,即唤酒保取到麻绳,将他紧紧捆牢了。

张文自言自语道:“刘参将的本领,我却不怕,只防他一个席云帕厉害,不免搜出来便了。”言下即解脱衣襟,内有软布囊一个,裹着席云帕子,即忙取了,腰间一把尖刀,也拿下来,一一收拾停当,然后加了一道麻绳绑着,犹恐他力挣得脱,便拿了尖刀帕子,回到后楼中,对狄青说知。狄青接过尖刀,怒气冲冲,说:“可恼这伙奸臣,必要害我一命,我却不怪刘庆,他不过奉命而来。只有庞洪、孙秀这两虎狼,行此毒计,今生不报复此仇,枉称英雄了!”将尖刀撩于地下,又将席云帕拿起一看,道:“姐丈,此物取他何用?”张文道:“吾弟有所不知,飞山虎的一生本领,全仗此帕来去如飞,今夜盗了他的,就不是飞山虎了,且待他醒来降服他,然后送还。”狄青笑道:“果然算无遗策,非我所及。”郎舅二人,言谈不能尽述。

时交四鼓,四唱鸡声,飞山虎悠悠酒醒了,呵欠一声,一伸缩,动弹不得,叫道:“哪个狗囊,将我捆绑了!”用力一挣,身躯一扭,挣扎不脱,便高声:“哪个狗奴才,将我捆绑,还不松脱我么?”旁边酒保笑道:“刘老爷哪个教你贪杯,吃得昏迷不醒的。那狄王亲是我们老爷的亲舅子,我们老爷是他亲姐丈,你今落在他圈套中,只怕今夜要一命呜呼了。”刘庆听了,怒目圆睁,大骂张文。郎舅二人同跑至外厢,张文抚掌笑道:“刘老爷为何如此?”刘庆骂不绝口:“我与你平素厚交,不异同胞,何以哄骗我来,将我捆绑了,莫非欲陷害我性命么?”张文道:“非也,刘老爷,休得心烦,这狄钦差原与小弟郎舅之亲,他是当今太后嫡侄,贵比玉叶金枝。况他奉旨解送征衣,身担王命,职任非轻,你今害了他性命,一则狄门香烟断送了,二来征衣重任何人担当?即你害了他,圣上追究起来,太后娘娘怎肯甘休,即庞太师也难逃脱。你与马总兵难道脱得干系么?”刘庆道:“张文,既有此言,何不明说?将我弄醉,捆绑身子,是何理说?”张文道:“我不下此手,谅你不依,活活一位狄王亲,岂不死在你尖刀之下么?”狄爷又唤道:“刘参将,你既食君之禄,须做忠君之事,不应该听信马应龙的恶意要伤害于我。况我与你平素非冤非仇,并无瓜葛,你今夜依着奸臣,害我一命,天网恢恢,奸党有恶贯满盈之日,臭名扬播,千秋难洗。即庞洪作奸为恶,我也深知,他日还朝,定不姑饶,必要削除奸党,肃正朝纲,即马总兵也难脱斧钺①。你莫怨别人,要怨那大奸大恶之徒。”张文又呼道:“刘老爷,你

---

① 斧钺(yuè)——古代酷刑中的一种,意思是用斧钺劈开头颅,使人致死。

与我相交已久,何殊兄弟。但你立心不正,妄思图害钦差,即杀你不为过。惟念昔日交情,不忍加诛,劝狄王亲收录麾下,随往边关,倘得立功,何难封爵。你原乃一位烈烈英雄,何必依奸附势,受奸人牵制?不见古今来作奸犯科,难得善果,若听愚言,便是你知机之处。”飞山虎听了,想道:已入圈套,况他郎舅串通,将我捆绑,不依他也不能。狄青是太后嫡侄,官高势重,年少英雄,虽太师身为国丈,焉能及得此人?况太师为奸作恶,立心不善,张文之言,果也不差,后来必无善报,莫若听他之言,随钦差到三关,倘若得立战功,岂不强于在此为副佐武员?想罢,便道:“张老爷有此美意,何不同我商量?”张文笑道:“刘老爷,若不如此,你未必肯丢此参将。”狄爷又笑道:“可惜你乃堂堂七尺之躯,不与国家效力,反附和奸臣,欺天害理,真乃愚人了。”飞山虎呼道:“王亲大人,原是小将差了。”张文又呼道:“刘老爷,如今果愿随从我家舅子否?”刘庆道:“固欲与狄王亲执鞭左右,只忧马总兵忿恨,要害我的家属。且待我回去,搬取家眷便了。”张文听了言道:“所见不差,接来我家中同住,未知尊意何如?”刘庆道:“张老爷若肯相容更妙,但今狄王亲有王命在身,料难耽搁,请先自登程,待小将安顿了家眷,随后而来便了。”狄爷道:“你言是也。”

当时张文跑过来,将绳索轻轻解脱了。飞山虎上前见礼毕,又将怀中一摸,不觉呆了,即呼道:“张老爷,吾这席云帕子被你收藏了,快些交还我,回关去回复马总兵。”张文冷笑道:“若将席云帕交还,你回去只恐不来了。”飞山虎道:“君子一言,驷马难追,哪有食言爽约之理?况乃兄弟之间,何用多疑?刘某乃愚鲁之夫,岂是奸诈之徒?”张文道:“这也不相干,你且回去,携了家眷来,方能还你。”飞山虎无奈,只得别了狄王亲,辞过张文,向潼关而去。

话分两头,单表刘庆徒步而走,一日回至潼关,不觉天色已明。当日早晨,马总兵起来升帐,坐于大堂,自言道:昨日飞山虎一去,狄青性命定已完了。正在思量,忽见小军报道:“启禀大老爷,今有参将刘老爷进见。”马总兵传命,请他进来相见。小军领命来到关前,请进飞山虎。

不知飞山虎怎生回复总兵,如何脱身逃走,且看下回分解。

第二十六回

军营内传通消息　路途中痛惩强徒

当下刘庆传进，参见过总兵大人。马应龙一见开言道："刘参将，承办之事成功否？"飞山虎道："马大人不要说起，昨夜白跑一趟。小将一驾上席云帕，追赶至三四十里外，已赶上狄青，方欲下手，不想他头盔上有什么宝贝，一程追去，刺杀不成，反被他一箭射中左腿，只得不追而回。"马应龙道："果有此奇事么？但庞太师久有除谋狄钦差之意，若害他不成，被他看得我们是个无能之辈了。"飞山虎道："大人不须烦恼，待小将另设机谋，必要取他性命，才算小将不是夸口。"

当日马应龙点头喜悦。刘庆辞别，回至家中，将言告知母妻。刘妻道："妾无有不依，但我乃女流之辈，出关之事最难，况怎能瞒得马总兵共出潼关？"刘母也道："媳妇之言不差，须要打算而行，不可造次。"飞山虎笑道："母亲、贤妻，不必过虑，如今不用出关，明日只须如此如此。"母妻二人应允。

按下刘庆家属商量不表，且说张忠、李义，只因那夜狄哥哥一人信步去了，候至天色微明，还不见他回营，只得分途找寻。先说狄青是夜原恐二人找寻，辞别母亲。孟氏太君唤道："孩儿，我母子分离八九载，死中得活，难得今日天赐重逢，实乃万千之幸。你身承王命，为娘不便牵留，但今夜人马安顿了，不用趱程①，谈谈离别后事，到了天明，送你登程便了。"狄青不敢违背母命，是夜母子姊弟，说说谈谈，不觉天已发晓。狄青一心牵挂着征衣，又恐防张、李二弟找寻不着，故差张文姐丈，前往军营，通知信息。说明一红脸的名唤张忠，一黑脸的名唤李义，他二人是吾结义兄弟，有烦姐丈前往言明，以免他们找寻。张文领诺，登时抽身出门，行走不及三箭之途，将近军营，只见一位红脸大汉，踩步而来。张文迎上前欠身问道："将军可是姓张么？"张忠住步说："是也，你这人一面不相识，问我何

---

①　趱(zǎn)程——赶路。

干?”张文道:“将军可是张忠否?”张忠喝道:“你是何等之人,敢问我姓讳么?”上前一把抓住。张文道:“将军不必动恼,我奉狄王亲之命,前来寻你。”张忠听了道:“狄王亲今在哪方?”张文将情由一一说知。张忠听了,即忙放手不及,笑道:“多有得罪,望祈原宥①! 狄钦差一命,又多亏张兄保存,实见恩德如天,待吾叩谢便了。”正要下礼,张文慌忙扶定道:“张将军,小弟哪里敢当,且请到前边弟舍相见如何?”张忠道:“前边一带高檐之所,是尊府么? 如此,兄且先回,待弟找寻李义兄弟一同到府便了。”张文道:“李兄哪里去了?”张忠道:“亦因不见了狄哥哥,故我二人分途寻访,不知他找寻到哪方去了,待我去寻他回来。”张文道:“如此,小弟回去等候二位便了。”

慢表张文回归告知狄青,却说张忠寻觅李义,东西往返,已是日出东方。只见前途远远有人叫喊哭泣,驻足远观,但见前面有三十余人,都是青衣短袄。又见后边马上坐着一人,横放着一个妇女,犹如强盗打劫光景,拥向前来,那女子连呼救命。张忠一见,怒气顿生,抢上几步站定,大喊一声:“狗强盗,休得放肆! 目无王法,抢夺妇女,断难容饶的!”一众闻言,犹如雷声响发,反吓了一跳。只见他一人,哪里放在心上,便蜂拥上前,动手打他,却被张忠一拳一脚,打得众人躲的躲去,奔的奔逃。张忠将马上人拉下,扶定妇女站立一边,一连几拳,打得那人疼痛不过。又喝道:“狗强盗,怎敢青天白日之下,擅抢人家妇女,难道朝廷王法,管你不得么? 打死你这贼奴才也不为过。”那人喊道:“大王爷,勿要打我,望乞宽饶。”张忠喝道:“你是什么样奴才? 说得明白,饶你狗命。”那人叫道:“大王爷,且容我说明:吾本姓孙,世居前面太平村,哥哥孙秀,在朝职为兵部。我名孙云,号景文。”张忠喝道:“你这奴才,就是孙兵部弟兄么?”孙云道:“是也,且看我哥哥面上,饶了我吧。”张忠喝道:“看你哥哥面上,正要打死你这个畜生!”孙云道:“大王,恳乞饶命! 不要打我,以后再不敢胡为了。”张忠冷笑道:“你没眼珠的奴才! 我不是强盗,为何呼我大王爷。我且问你,这女子是哪里抢来的? 说得明白时,便饶你性命,若是含糊,登时活活打死。”孙云未及开言,旁边妇人哭告道:“奴家在前面村庄居住,离此不过三里。丈夫姓赵,排行第二,耕种度日。这孙云倚着哥哥势头欺

---

① 原宥(yòu)——宽恕,原谅。

人，几番前来调戏，强要奴家作妾，丈夫不允，前数天请使几人，将我丈夫捉拿了去，如今还不知丈夫生死，今晨天色未明，打进妾家，强抢了我，喊叫四邻，无人援救。今得仗义英雄，援救奴家，世代沾恩！”张忠听了，怒气倍加，道：“竟有此事，真乃无法无天了，可恼，可恼！奴才，你拿她丈夫怎样摆布了？”孙云道：“英雄爷，不知何人捉她丈夫，休得枉屈我。”张忠听了，喝声：“你不知么？”一拳打在他肩膊上，孙云叫痛，抵挨不过，只得直言道：“收禁在府中。”张忠道：“既在你府中，放他出来，方才饶你。”孙云哀恳道：“望英雄放吾回去了，就将赵二放回。”张忠道：“不稳当，放他出来，方才饶你。”孙云只得大呼躲在林中之人，急急回府，放出赵二。众虎狼辈，多已跑散，单剩得家丁孙茂、孙高远远躲开，吓得魂不附体，又不敢上前救解，探头探脑地听瞧。一闻主言，连忙跑回府中。

这边张忠拔出宝剑，喝道：“孙云这畜生，你哥哥是个行为不法的大奸臣，与我等忠良之辈，结尽冤家，你这狗囊，应当行为好些，以盖哥子之愆①，缘何倚势凌人，藐视国法，强抢有夫妇女，该当斩罪！”孙云苦苦恳求，声声饶命。正在哀恳之间，孙高、孙茂拥了赵二郎前来，哭叫道：“将军老爷，吾即赵二郎，请将军饶了孙二爷吧！”张忠冷笑道：“你是赵二郎么？”那人说：“小人正是赵二。”妇人也在旁边说道：“官人，吾夫妇亏得此位仗义军爷救援，才得脱离虎口，理当拜谢。”赵二道：“娘子之言有理。”登时下跪，连连叩首。张忠道：“不消了，你被他拿到家中，可曾受他欺侮否？”赵二道：“将军爷不要说起，小人被他捉去，不胜苦楚，将我禁锁后园中，绝粮三日，饥饿难熬，逼勒我将妻子献出。小人是宁死不从，被他们日夜拷打，苦不可言。今日若非恩人将军救拔，小人一命看来难保了。”张忠听罢，言道：“你既脱离虎口，且携妻子回去吧。”赵二道：“将军爷，今宵我夫妇虽蒙搭救，得免此祸，只虑孙云未必肯甘休，我夫妻仍是难保无事的。”张忠说：“既是如此，你且勿忧，待我将这狗畜类一刀分为两段，为你除了后患。”

张忠将孙云大骂，方欲动手，只听得后面一声喝道：“你得猖狂，我来也！”张忠回头一看，只见一大汉，一铁棍打来。张忠急用剑架开，左手一松，却被孙云挣脱了，孙云即呼孙高、孙茂道：“二人在此打听，这个红脸

---

① 愆(qiān)——罪过，过失。

野贼，是何名字，哪里来的，速回报知。"二人领命。当时孙云满身疼痛，一步步跑回家中。

且说张忠一剑架开铁棍，大怒喝道："你这奴才，有何本领，敢与我斗么？"那人大喝道："红脸贼，你老子行不更名，坐不改姓，我名活豹，诨名飞天狼。你这奴才，本事低微，擅敢将吾孙云表弟欺弄么？你且来试试俺的铁棍滋味，立刻送你去见阎王老子去。"言未了，铁棍打来，张忠急将宝剑相迎，各比高低。赵二夫妻在旁，巴不得张忠取胜，方能保得夫妻无事而回，倘或红面汉有失，就难保无虞了。夫妇一边私言暗祝。若说张忠本领，原非弱与飞天狼，但这护身宝剑太小，不堪应用，飞天狼的铁棍沉重，势将抵敌不住，即大喝道："飞天狼，我的儿，果然厉害。赵二郎，我也顾不得你了，快些走吧！"他便踩开大步，望前而奔。潘豹哪里肯放松，大喝道："红脸贼，我定要结果你的狗命！"说着一程追去。这张忠飞奔而逃，喝道："潘豹，我的儿，休得赶来。"

不说张忠被他追赶，且表当下赵二夫妻，心惊胆战，妇人说："官人，你虽无力，也该相助，跑去看看恩人，吉凶如何。若有差池，我夫妻该避脱虎穴，方免后患。"赵二道："娘子之言不差，你且躲于树林中，我即转回。"言罢，飞步赶去。

先说赵娘子躲在树林之内，遍身发软，早有孙茂、孙高看见，孙茂道："你看赵娘子独自一人在此，我与你将她抢回府去，主人必有厚赏。"孙高听了大喜，二人向前，不声不响，背了妇人就走。这妇人惊慌叫救，那孙高背着他言道："你喊破喉咙，也不中用的。"一头说，一路奔。可怜赵娘子喊叫连声，地头民家，知是孙家强抢，无人敢救。

此时将近太平村不远，真乃来得凑巧，前面来了离山虎李义。他与张忠分路去找寻狄青，寻觅不遇，一路看些好景，又无心绪。忽一阵风吹送耳边，只闻姣声喊哭，甚觉惨然。抬头一看，远远一人，背负了一女人，后面一人随着，飞奔而来。离山虎大怒，使出英雄烈性，大喝道："两个畜生哪里去！清平世界，擅敢强抢妇女！"提拳飞至，孙茂喊声"不好"，拔脚飞跑。只有倒运的孙高，背负女子走不及，丢得下来，被李义拉定，挣走不脱。妇人坐在地上痛哭。李义问道："你这妇人，是哪里被他抢来的？这两个奴才怎样行凶？速速说明。"当下妇人住哭，从始至末一一告知。李义听了，怒目圆睁，大喝道："奴才！仗了主人的威势，擅自行凶，今日断难容你，送你归阴吧。”说完，倒拿住孙高两条大腿，他还哀求饶命。李义哪里睬他，喝道：“容你这贼奴才不得！”双手一开，扯为两段，笑道：“爽快人也！”当时妇人慢慢上前，深深叩谢，李义摇头道：“你这妇人，何须拜谢，你丈夫哪里去了？”妇人道：“将军爷，奴家丈夫只因红脸英雄斗败了，被飞天狼追赶，丈夫前去看他吉凶如何？小妇人亦不知追到何方。”李义道：“如此说来，是吾张哥了。但从哪条路去？”妇人一一说明，李义听了，心中着急，抛了妇人，一程赶去。这妇人仍从旧路一步步地慢行，不免心惊胆战。

慢表孙茂逃回家中报信，且说当日张忠被飞天狼追赶得气喘吁吁，幸得李义如飞赶到，呼道：“前面可是张二哥否？”张忠只恨逃走得迟慢，哪里听得后头呼唤之声？那赵二郎一程追去，慌慌忙忙，正在四方瞧望，欲寻个帮助之人。一见黑脸大汉赶上呼唤，心中大喜，说道：“好了！救星到了！”

不知李义赶来，救得张忠否，且看下回分解。

第二十七回

因心急图奸惹祸　为国事别母登程

却说潘豹只顾追赶张忠，哪里顾得后面有人赶上，却被李义飞趱上数步，一刀望他顶门落下，喝道："贼徒狗命活不成了！"飞天狼喊了半声："痛死也。"一颗首级，砍落尘埃，头东身西。李义呼道："不中用的东西！强狠什么！"便将刀穿上飞天狼的首级，一路赶上来呼道："张二哥不要走！"张忠被飞天狼赶逼昏了，呼道："贼奴才，休得追赶！"口中喊叫，飞奔而逃，李义赶上，夹领伸手抓定，张忠回头，喝道："毛贼还不放手！"李义道："同伴合伙，还唤毛贼么？"张忠方知是李义，问道："三弟，你从哪里赶来？"李义放手道："二哥，你这等没用，日后如何出师对垒？"张忠道："三弟，我斗此人不过，只因宝剑太轻，不称使用，却被他赶得逃走无门。"李义刀尖一起，呼道："二哥，你观此物是什么东西？"张忠一看是首级，笑道："三弟，你的本事胜于愚兄了。"李义道："这一毛贼，如今凶不得了。"说完，将刀一撇，首级撩去丈余。李义又呼道："二哥，这班奴才如此凶恶，白日抢夺妇女，不知是何等样的恶棍。"张忠即将孙云借势为恶一一说明，李义听罢，带怒喝道："可恶奴才，借着哥哥势头，欺压善良，真乃目无王法了。"

言还未了，赵二到来，欣然道："二位将军爷，小人夫妻得蒙搭救，且请到茅舍，受我夫妻拜谢，尊意如何？"张忠道："这倒不消，我二人有国事在身，耽搁不得。但你的姓名，我却忘了。"他道："小人名叫赵二。"张忠道："马上挣逃去的人是孙云，乃孙兵部之弟，后来救孙云的是何人，你可认得此人否？"赵二道："他是孙云中表之亲，诨名飞天狼潘豹，平素如狼似虎，本事高强，与孙云交通为恶。倚恃官家势力，欺凌乡里，人人受害，个个生憎。"李义道："二哥，若论孙秀，是我狄哥哥仇人，他的兄弟如此不法，这还了得！不若我二人到太平村，杀尽孙家满门，方才出得这口怨气，好使百姓安宁，方显得我等胆量。"张忠道："三弟主见不差，去吧。"赵二道："二位将军，动不得的。若杀孙云，不独我们夫妻性命不保，即本地百姓，也要累及了。”李义道：“我们杀了孙云，乃与民除害，缘何反害了地头百姓，此何故呢？”赵二道：“若将孙云杀了，朝中孙兵部得知，二位将军已去了，他奏闻圣上，地头百姓，必然尽被其害。”张忠道：“不妨，我二人乃狄王亲部下副将，今奉旨解送征衣，前往三关。今日倘杀了孙云，禀明狄王亲，自然拜本朝廷。圣上知道为国除奸，保安黎民，必然追究孙兵部恶弟，在家借势横行，立时加罪，攀倒了孙兵部，地方上自然永保太平了。”赵二听罢，大喜道：“如此小人引路便了。”

当日张忠、李义随着赵二行了不上二里，驻足指道：“前面一带高大墙门，便是他的府第了。”李义道：“你且等在这里。”二人一人提剑，一人执刀，一同跑到孙府门外，喝道：“孙云我的儿，你仗了孙秀之势，强抢有夫妇女，这等无法无天。今特来取你脑袋！我二人名唤张忠、李义，随同狄钦差大人，解送征衣到三关上去，今日路见不平，拔刀相助。你这狗奴才，即速出来受死，若再延迟，吾二人就杀进来了。”当下守门人飞报孙云，孙云大惊失色，连说：“不好了！他杀了飞天狼表兄，料必厉害，众家丁哪里是他对手！”吩咐速速关门。家人大小吓得魄散魂飞。

幸得有位西席先生，名唤唐芹，乃教训孙云儿子孙浩的。唐芹道：“东翁不用慌忙，古言柔能克刚，待晚生出府，以柔制他，管叫两位粗豪，转刚为柔而退。”孙云道：“先生出去，倘被他们杀将进来，如何是好？”唐芹道：“晚生包得不妨。”便叫家人开了府门，一见就招呼道：“二位将军，请息雷霆之怒。”二人问道：“你是何人？”他道：“小人叫唐芹。昨闻狄钦差大人解送征衣，迤逦而来，不啻一路福星，更兼帐下张、李二位将军，乃英雄盖世，安民保国，相与布化，到处均沾德泽。”唐芹要解劝二人，自然要奉赞他几句。二人冷笑道：“我们原与国家效力，意在收除刁好恶棍。”唐芹道：“二位将军之言是也。二位原是当世英雄，要到边关立战功的，那孙云没用东西，何足轻重，杀之不费吹灰之力。杀便杀了，但杀之污了器械，二位将军，饶了他如何？”张忠喝道：“休得多言！这孙云可恶，不守王法，强抢有夫之妇，捉得丈夫，几乎弄死，岂得轻恕！不须多说，速叫他出来纳命！”唐芹道：“二位将军是明理之人，岂不知孙云是个村愚俗汉，不读圣书，不明礼法。皆因表亲飞天狼不好，教唆他行此坏事。如今这恶徒被二位杀了，谅孙云再不敢胡行了。望祈二位将军赦他，老汉再不令他蹈前辙了。”张忠道：“本当赦他强抢妇人之罪，但他哥哥孙秀，乃狄王亲仇人，断断饶他不得。”唐芹道：“二位不知其详，若说孙兵部与孙云虽是弟兄，岂知两不投机，犹如陌路一般。故兄官居兵部之职多年，孙云没有官做。况且冤有直报，德有德酬，狄钦差与兵部有仇，理该去寻兵部算账，若将孙云抵折，岂不屈杀他，请二位将军恕了他吧。”李义听了，道：“孙云果与孙秀不投机么？”唐芹道：“老汉怎敢欺瞒二位将军。”张忠道：“三弟，我们原与这孙云无冤无仇，不过一时气愤。况冤家乃孙秀，他既与兄不睦，且饶了他吧。”这时李义气已平了，便道：“走吧！”二人踩开大步走了。唐芹喜道：“好不中用的莽夫！来时雄赳赳的样子，不烦老汉舌尖几点，一阵烟去了。”

当时唐芹进内，将言对孙云一一说知，孙云听了唐芹之言，不觉怒从心上起，恶向胆边生，说道：“原来这班狗党畜类，与哥哥为仇，我孙云倘不害他，终有一日被他们害了。欲保全孙家免祸，不如先下手为强。”想定一计，暗弄机关，瞒着唐芹，回到书房，写下密书一封，取出五百两黄金，明珠四颗，打发一个心腹家人，名唤孙通，将书并金珠物件，吩咐如此如此，速去速回，不许泄漏，回来重赏。孙通领命而去。要知孙云用计，下文自有交代。

却说两位莽英雄不杀孙云，依原路而回，赵二一见问道：“将军，未知孙府中被杀得如何？”张忠想道，一盆火性承应去杀人，焉好说出一个也不曾杀得之话？只道：“孙云已被我一刀割下脑袋了。”李义接言道：“杀得干干净净，鸡犬不留，快些寻你妻子回去吧。”赵二称谢不尽，叩头起来，往寻妻子回家不表。却说李义道：“二哥，可曾寻着狄哥哥？”张忠道：“早已寻着了。”李义道：“既已寻着，方得心安。”张忠又将狄青会母，飞山虎行刺，反被降服，一一说明。李义听了此言，拍掌笑道：“原来狄哥哥母子重逢，姐弟叙会，真乃可喜。我二人同往拜见狄家伯母，不知你意如何？”张忠道：“且先回营中去，看看征衣，然后再去未迟。”

二人回营，见红日已有丈余高，是辰时中了。这时倏然黑云四布，日光顿蔽，李义道：“二哥，你看天色像要下雨，如何是好？”张忠道：“三弟，若非下雨，定然风雪，倘耽误在中途，征衣就过限期了。”李义道：“二哥，算来批文御旨上，限期十三日解至关前，今日已是初二了，还有十几天途程，不知可赶得及否？”张忠道：“前六载，吾曾由本省至陕西一次，若一刻不停步，决不致误了限期。”李义道：“限期过了无碍，有太后娘娘谕札，难道杨元帅不谅些情么?”张忠说道:“倘迟三两天,杨元帅未必执责吾狄哥哥,只忧天下雨雪,军士受苦,我们去催促哥哥登程便了。”李义道:“张文家中,我却不认得。”张忠道:“贤弟勿忧,愚兄得知。”

当时吩咐军士造饭,好打点登程,弟兄一同来到张文家中,张文迎接进内,见了狄爷,两人同道:“狄哥哥,你今天母子重逢,同胞完叙,弟等特来拜见。”狄爷道:“二位贤弟,且先请坐。”遂进内禀知母亲。老太太大喜,传请二位英雄进内堂。狄青引路,张文在后,二人一见老太太,纳头叩拜,老太太双手搀扶道:“二位贤侄请起,我儿前日飘荡到汴京,他乡落魄,得蒙二位周旋,使老身感激不尽。可恨众奸结党,设计施谋,今又保奏我儿解送征衣,在仁安县几乎被害。如今出了潼关,安保无虞,全仗二位贤侄照应,老身铭感殊深。”二人道:“伯母大人言过重了。”当下二人告坐,狄爷与张文陪吃过茶,老太大道:“贤侄,今日奉解三十万军衣,非同小可,我儿为正解,你二人本不相干,蒙结义为手足,全仗二位贤侄,一路上小心保护,老身才得放心。”张、李道:“小侄自然关心检点,因程途不过所差十一二天了,老伯母且请宽心。”张文又对狄青道:“贤弟久别初逢,理当谈谈别后事情,流连数日,无奈限期迫促。且待交卸了征衣,再来叙话便了。”狄青道:“深感姐丈美情,母亲在府,全仗照管。”张文道:“这也自然,何须挂虑。”狄青道:“倘刘庆来时,教他早到边关。”张文应允。

言语间早膳到来,四人用过,只为行色匆匆,离别言辞,尚难尽谈,张忠、李义哪有工夫说出孙云的话来,是以当时众人尚未知情由。狄青又进内辞别姐姐,彼此谈几句分离之话,然后转出,拜别母亲、姐夫,张忠、李义也辞别老太太、张文,出门而去。当日老太太若不见儿面,倒也罢了,母子离别多年,才得相逢,即时别去,未免心酸。但因迫于王命,不得不天各一方,只有张文夫妇安慰不表。

单表狄钦差与张忠、李义二人回至营中,众将士纷纷迎接。狄爷传知众将兵,本官已用过早膳,如今立刻登程。众军士领令,拔寨起程,狄青仍是身披甲胄,骑上现月龙驹,张忠、李义也坐上高骏骅骝马随侍。两旁数十辆车,征衣在前,粮草在后。不想是日果然天昏地暗,雨雪霏霏,一连四五天,寒风凛凛,众军士着急。张忠道:“我们大抵要停顿了。”狄爷道:“贤弟,今天已将晚,寻个地头屯扎便了。”

不知路途上征衣有无阻隔,且看下回分解。

第二十八回

报恩寺得遇高僧　磨盘山险逢恶寇

当日众兵将三千军马，冒着风雪而走，张忠马上叹道："苍天，何不方便数天！"李义道："二哥，果然有此大雪，何不待我们到了边关再下，纵使下到明年也何害？"

次日，狄爷传知军士各换上油衣，并将油套裹在车辆之上盖好，弟兄三人也用上雨笼折子，仍复催趱前进。雨雪交加，狄爷思算程限不多，只得三四天，如若多耽搁一天，就违一天限期。虽有几封客书倚靠，到底以不违限期为妙。是以雨雪虽大，日则兼程趱赶，夜方屯扎，一连三天，众军士滑足难走，叫苦悲嚎，颇有怨言。狄青对张忠、李义道："二位贤弟，今天雪比往常倍加，军士们声声呼苦，于心何忍。无可奈何，只得暂且停扎，待雨雪小些，再行前进便了。"张忠道："此地一片荒郊，在此屯扎，恐有不测，须要寻个稳固地头安顿才好。"狄爷道："二位贤弟暂且停车，待吾往寻个好地段安扎。"张、李允诺。李义道："哥哥寻了地段，速速回来。"狄青点首，即提金刀拍马而奔，一瞧四处荒冈野岭，好似一片银河。计到三关，路途差不多有三百里，原望两天到得三关，交卸了军衣，消了御旨，方可了事。岂料连天雨雪纷飞，军士叫苦，目击情形，顿增愁闷，只得安屯，把限期耽误了。想来耽误了限期，杨元帅军法虽严，自然看太后情面，还有几封书暗助，料得杨元帅决不加罪于我。

一路思量，策马往寻，岂知龙驹跑得快捷，不知不觉已有二十里路程。隐闻远寺钟声传来，狄青见是一座寺院，十分高兴，不觉满心大悦道："这个地方，可以停屯了。"想罢，迎着雨雪，复加鞭而走，奔至山门首，只见石狮东西对立，左种松，右栽柏，山门未油红漆，直竖金字牌，是"报恩寺"三个大字。狄青跑进头门，下了龙驹，内厢走出两位僧人，笑容满面，年方四十上下，合掌曲背，呼道："狄贵人老爷，我家师父知大驾到来，故打发贫僧在此恭候。难得果然是贵人到来，方见家师之言可信，且请至里厢叙谈。"当下一人牵马，一人引道，代狄青拿着金刀。狄青听和尚之言，觉得奇怪,素未晤面,先知姓名,真乃令人疑惑难猜。

到了内厢,就有一位老和尚下阶相迎,但见他貌古神清,三绺长须,双目湛澄,挂一串珊瑚念珠,手执龙头杖,身高九尺,腰圆背厚,宛似天神下凡。狄青见他前来迎接,想他定是有德行高僧,不敢怠慢,先打了一躬。那和尚只两手略略一拱,道:"王亲大人,何须拘礼。"狄青一想:本官深深打躬,这和尚只拱手而答,必然是个大来头的和尚了。便开言道:"请问老和尚法号、年纪!"老僧道:"大人请坐,待老僧上告一言,老僧法名圣觉,问年纪,自唐至今三百八十五年了。"狄青道:"如此,老和尚是一位活佛了。"和尚道:"王亲大人,老僧的父亲乃唐朝尉迟恭,吾俗名宝林。"狄青听了言道:"原来大唐天子驾下,尉迟老将军的后裔,小将不知,多有失敬之罪了。"和尚道:"王亲大人休得谦恭,贫僧失于远迎,望祈恕罪。"狄爷道:"哪里敢当!老师父既然是唐朝大功臣之后,因何作了佛门弟子?"和尚道:"王亲大人,你也未知其详,只因大唐贞观天子跨海征东之日,老僧也随天子远征。岂料大海汪洋中,波浪大作,险阻无涯,君臣将士个个惊惶。当日天子志诚,祷告上天:若得波涛平息,能平服高丽,回朝情愿身入佛门,潜修拜佛。祷告才毕,果然波浪平静,安渡东洋。后来征服东辽,班师归国,我王不忘此愿,要去潜修佛道,有王亲御戚文武大臣,多方劝谏,万岁乃天下之主,臣民所瞻依,岂得潜修佛教,效愚民所为。我王说,君无戏言,况祈许上天之语,不依众臣所谏。当时老僧自愿代圣修行,我王大悦,即于此处,敕赐建造报恩寺,是如此来头。"狄青道:"原来有此缘由,足见老师忠心为主,真是万世流芳。今下官尚要请教老师。"和尚道:"大人意欲何为?"狄爷道:"下官只为奉旨解送军衣,前往边关。哪知这几天雨雪纷飞,军兵苦楚,又无地安营,特到此欲借宝寺安屯一二天,若得雨雪一消,即行前进。"和尚摇首道:"不须借扎此地了。你们数十万征衣,全行失去,休想此处安屯了。"狄青变色道:"倘失去征衣,下官性命就难保了。"和尚道:"大人,这征衣来时还未失去,此刻恐已被人劫去了。然此乃定数,你且在此权宿一宵,贫僧有言奉告,大人不必惊心。有失自然有归,从中因祸得福,老僧断然不误你的。"狄青听了,心下惊疑,看来此僧清高超群,又言有失有归,因祸得福,想必定有奇遇,不免在此耽搁一天,明早再行吧。

不表狄青权宿寺中,与圣觉禅师叙话,却说杨元帅自真宗天子钦命镇守三关,只因杨延昭弃世后,朝中武将只存几位王爷,但年纪高迈,少年智勇者却稀。唯杨宗保年二十六七,袭了父职。后至仁宗即位,加封为定国王,敕赐龙凤剑,主生杀之权,三关上将士,专由升革,先斩后奏。他为帅多年,冰心铁面,军令森严。是日升坐帅堂,言道:“本帅自先帝时,已奉旨镇守此关,只因父亲去世,袭了父职,执掌兵符。此关平靖十余载,岂知近年来西戎连年入寇,兴动干戈;内有权奸当道,外有敌兵犯境,怎能坐享太平?屈指光阴,守关二十六载,自西戎兴兵,争战多年,本帅止有保守之能,而无退敌之力。目下隆冬冰雪之天,帐下军士数十万,专候军衣待用,连连有本回朝催取,不料此时还未解到。前日正解官有飞文到来,说在仁安县驿中,被妖怪将副解官摄去,本帅犹恐有弊端欺瞒,是以飞差查探,不料果有此事,已经奏本进朝去了。但限期一月,今日已是二十八大期,因何征衣御标不见到来。狄青既为钦命之臣,定知隆冬兵丁苦寒,早该急趱程途到关,为何耽误限期,可怜数十万兵丁寒苦,实是惨伤。”杨元帅公位在中央,左有文职范仲淹,官居礼部尚书。右坐武将杨青,年高七十八,仍是气宇轩昂,年少时已随杨延昭身经百战,两臂膊犹如铁铸之坚,曾经见二虎相争,被他力打而服,故人称打虎将,官封无敌将军。还有多少文官武将,都在帐外东西而列。当时范爷见元帅嗟叹,微笑道:“元帅不必心烦,圣上命狄青解送军衣,决不敢在中途延误。况今限期未到,何须过虑。”元帅道:“范大人,如此天气阴寒,兵丁惨苦,倘或被他再耽迟三五天,可不寒坏了众军。”范爷道:“元帅,这狄青既为朝廷御戚,岂不体念军士寒苦,或于限内到关,也难定论。”元帅道:“范大人,狄青既然奉旨,限了军期,莫非仗着王亲势力,看得军士轻微,故意耽误日期。”杨老将军笑道:“元帅,说哪里话来?如此连天雨雪,三十万征衣,车辆数百,途中好生费力。定然雨雪阻隔行程,如要征衣解至,除非雨止雪消。”元帅道:“老将军,若待雪消衣到,众军士已冻死了。”范爷道:“元帅既不放心,何不差位将官,到前途去催,不知元帅意下如何?”元帅道:“大人之言有理。”元帅正要开言,只见部下一将匆匆跑上帅堂,身长九尺,背阔腰圆,面如锅底,豹头虎目,上前打躬道:“元帅,小将愿领此差。”一声响震如雷,此人乃焦赞之孙,名唤焦廷贵。元帅道:“焦廷贵,本帅着你往前途催趱①征衣,限你明日午刻回关缴令,如违定斩不饶。”焦廷贵手持短刀,身

---

① 催趱(zǎn)——催促赶快走。

乘骏马,带上干粮火料,离关飞马而去。

此话暂停,且说三关之内,相离一百里之遥,有座磨盘山,山上有两名强盗,乃嫡亲手足。长名牛健,次名牛刚,强占此山已有一十二年,喽啰兵约有万余,粮草也足够三年之用,这两名强盗无非打劫为生,不想做什么大事,故杨元帅道他蝇虫之类,不介于怀。又有李继英自在庞府放走狄青,与庞兴、庞福,踞了天盖山为盗。只因庞兴二人,心性不良,只得一月,李继英见他残害良民,难以相处,分伙而去,路经磨盘山,又结识牛家兄弟,他二人向与孙云有事相通。是日清晨,孙云有书送来,二人看罢,牛健道:"原来孙二老爷要害狄王亲,叫吾劫他征衣,你意下如何?"牛刚道:"哥哥,孙大老爷乃庞太师女婿,并且孙云前时向有关照,我们岂可逆他之意?况有金宝相送,有什么劫不得?"牛健道:"劫是劫得,但这狄青与我们并无仇怨,劫了征衣,害他性命,于心不忍。"牛刚笑道:"哥哥,若狄王亲往日与弟兄相交,今日也原难劫他的,妙在一向无交,正好行此事了。"牛健闻言,只得回了来书,白银五两,赏了来人,立时召集众喽啰,吩咐已毕,忙着人请来三大王李继英,牛家弟兄起位迎接。牛健笑言道:"三弟,方才孙二老爷有书到来。只因孙大老爷与狄钦差有仇,如今狄青奉旨押解征衣到三关去,胡孙二老爷托着我们劫取征衣,使他难保性命。有劳三弟管守此山,我兄弟各带喽啰五千,下山去劫掠他征衣。"李继英听了,想了一番,摇首道:"不可劫他征衣,这是朝廷之物。二位哥哥,休得听孙云之言,莫贪此无义之财才是。"牛刚道:"三弟之言却像痴呆,哥哥不可听他之言。"继英又道:"二位哥哥,那孙家乃是奸臣一党,奉承着奸臣,非为英雄,你二位果要劫掠征衣,我等就断了结义之情便了。"牛健闻言,怒形于色,二目圆睁,喝道:"胡说,你是异姓之人,如何做得我们之主!"李继英想道:看他们如此,料想阻挡不住,不免待吾预先通个信息,叫狄公子准备便了。这继英带着怒容,气冲冲,单身上马,提了双鞭,匆匆而去。牛健弟兄也不相留,即时兴兵下山。

却说李继英到山入伙之时,只说是天盖山的英雄,牛家兄弟并不知他是庞府的家人,为私自放走狄青逃出来的。若知此缘由,必不对他说此事了。当日李继英冒着风寒雨雪,跑马如飞,岂知一来道途不熟,二来性急慌忙,走错了路途,故不能保得征衣。是以张忠、李义不知缘由,不得准备,这且不表。

却说牛健弟兄各带五千喽啰，留下二千守山寨，各执兵器，杀下山来。牛氏兄弟在此山为寇，已十二年，哪个僻静地头不熟，料想东京来必从此道经过，如今果然不出所料。原来上一天，张忠、李义等候狄钦差择地安营，岂知去久不回，张、李二人只得商量屯扎荒郊，埋锅造饭。

不知强盗杀来，是否劫得征衣，且看下回分解。

第二十九回

信奸言顽寇劫征衣　出偈语高僧解大惑

话说李义说道:“张二哥,今天风霜雨雪已消了,但狄哥哥昨天往寻地方扎屯征衣,因何至今不见回来。待他一回,好赶到关了。”张忠道:“三弟,我想这狄哥哥实有些呆痴,前数天一人独出,险些被飞山虎结果了性命。今日又不知哪里去了。”正言之际,忽有军上飞报:“启上二位将军,前面远远刀枪密密,不知哪里来的军马,恐防征衣有碍,请二位将军主裁。”李义喝道:“有路必有人走,有人马必持军器。我们奉旨解送征衣,谁敢动它一动,轻事重报的戎囊,混账的狗王八!”军士不敢再多言,去了未久,又来报道:“启上二位将军,两彪军马杀近我营来了。”张忠、李义齐言:“有这等事!”一同出外观看,果有两校军马,分东西营杀进,刀枪剑戟重重,喧哗喊杀,大呼:“献出征衣。”牛大王五千喽啰,冲进东营,二大王五千喽啰,杀入西营,张忠、李义连呼:“不好了!”即速上马,取家伙不及,李义拔出腰刀,张忠抽出佩剑,喝令众军抵敌强人。岂知牛刚、牛健的人马,分左右杀将进来,好生厉害。但闻高声叫喊:“献出征衣。”张忠、李义心慌意乱,各出刀剑迎敌。张忠挡住牛健,李义敌截牛刚,东西争战,哪里顾得征衣,三千军士又不知喽啰多少,喊战如雷,早已惊慌四散,纷纷逃窜,各自保全性命去了。当下三十万军衣,及粮草盔甲马匹,尽数被劫上磨盘山而去。

再言张忠与牛健对敌,手剑短小,抵挡大砍刀不住,只得纵马败走。却被牛健追了三四里,幸得李继英遇见,一同奔来接战,张忠复回马,二人杀退牛健,也不追赶。

且说李义与牛刚大杀一场,亦因腰刀短小不趁手,放马败走。牛刚见他去远,不来追赶,带领喽啰回归山寨,却遇牛健,兄弟喜悦而回。先表李义败回,心中大怒道:“可恨,可怒!不知哪里来的强盗,如此厉害。”又有败回军士聚集报道:“启上将军爷,征衣、粮草、马匹,尽被劫去了。”李义一听，连声说："不好了！"又问："张将军哪里去了？"军士道："杀败而逃，不知去向了。"李义正在烦恼，张忠已至，又多出一个李继英，未明缘故。继英细细说知，方知磨盘山上的强盗受了孙云之托，来劫征衣。李义听了大怒，悔不当初杀却这奴才。又道："二哥，不若我们带了军士，杀上山去，夺取军衣回来如何？"张忠道："三弟不可，方才我二人已被他们杀败了，保也保不住，哪里夺得转来！"李继英道："军衣果在他山中，且待狄爷来时，再行商量吧！"李义道："你们且在此招集败残军士，监守空营，待我去找寻狄哥哥回来便了。"张忠道："焉知他在哪里，何方去找寻？"李义道："人非蝇虫之类，身长七尺之躯，藏得到哪里，有什么找寻不到？待我去找回哥哥，将山中一班狗强盗一齐了决。"说完，怒气冲冲，加鞭而去。张忠与继英只得守了空营等待，也不多表。

且说磨盘山牛氏兄弟带了一万喽啰回到山中，将三十万军衣，收点停屯了，犒赏众喽啰，弟兄开怀乐饮，谈笑一番。牛健忽然想起，拍案说："贤弟，不好了，此事弄坏了。"牛刚道："哥哥，因何大惊小怪起来！"牛健道："贤弟，征衣劫差了。"牛刚道："到底怎生劫差了。"牛健道："三十万军衣，乃是杨元帅众兵待用之物，被我们劫掠上山来，杨元帅岂不动恼么？他关内兵多将广，经不得他差出大军前来征讨，我弟兄虽有些武艺，哪里抵挡得过他，可不是征衣劫坏了么？"牛刚听了，顿然呆了，连声说："果然抢劫得不妙了。杨元帅震怒，必不甘休的，哥哥，不如今宵速速送回他，可免此患。不知你意下如何？"牛健道："贤弟，这是你撺掇我去抢劫的，如今劫了回来，又叫我送回，岂不是害了我么？"牛刚道："如今已劫错了。悔恨已迟。杨元帅大怒，他兵一到，这万把唆罗必不济事了。不若及早送还的妙。"牛健道："我兄弟做了十余年山寇，颇有声名，劫了东西，又要送还，岂不倒了自己威名？而且被同道中人讥笑不智了。"牛刚道："如若不然，怎生打算？"牛健道："朝廷御标，杨元帅征衣，擅敢抢劫，还敢大胆送回，只可将脑袋割下送献，方得元帅允准。"牛刚道："果然中了孙云之计了。"当时一个着急一个慌忙，思来想去，不住吃酒。到底还是牛健有些智略，呼道："贤弟，我有个道理在此，我们不免连夜收拾起金银粮物，带了征衣喽啰，奔往大狼山，投在赞天王麾下，定然收录。若得西戎兵破了三关，西夏王得了大宋江山，你我做一名军官，岂不一举两得？"牛刚喜道:“哥哥妙算不差。”二人算计已定,传知众喽啰将征衣车辆数百,驾起推出山前,并粮草马匹,一齐载出。二人收拾财物,然后纷纷放火烧焚山寨,下山而去。

再说焦廷贵奉了元帅将令,匆匆来到荒郊,日夜马不停蹄,已是时交五鼓,寻觅钦差不到。他在马上思量:奉了元帅将令,催取征衣,岂知鬼也不遇一个。元帅限我明天午时缴令,如寻至天大亮,回关缴令,就来不及了。如今我不往远处找寻了,且进前边数里看看吧。于是他手持火把,不觉行了数里,猛然抬头一看,只见火光冲天,山丘一片通红。焦廷贵在马上道:“这座山乃磨盘山,山上两只牛,做了十多年强盗,从来没有一些儿孝敬我焦将军。如今山上放火,不免待吾跑上山去打抢他些财宝用用,岂不妙哉!”言罢,拍马加鞭,赶到山峰。只见寨中一派火光,哪有一人,便道:“两只顽牛都已走散,想是财宝一空了,下山去吧。”打从山后抄转,且喜明月光辉,天犹未亮,跳下山脚,有座驿亭,进内仍有明灯一盏。焦廷贵此时腹内饥饿,就将干粮包裹打开,食个痛快,解下葫芦,将酒喝尽,已是醉饱,且将马拴于大树下,打睡于驿亭中。

此言慢表,却说牛健、牛刚弟兄一路投奔大狼山,行至燕子河前,但无船只可渡,只得绕河边而进。到了大狼山,天色大亮,阳和日暖,雪弄冰散,吩咐众喽啰将军衣、车辆、粮草、马匹停屯山下,弟兄上山求见赞大王。有军士进内禀知其事,赞天王顿时升座金顶莲花帐,百胜无敌将军子牙猜对坐,还有左右先锋,大孟洋小孟洋坐于两旁。赞大王传令,速唤牛氏弟兄进见。牛氏弟兄进至山中帐下,同见赞天王已毕,仍然跪下。赞天王开言问道:“你二人叫牛健、牛刚么?”弟兄二人说:“然也。小人乃磨盘山上强民,乃同胞手足。”赞天王道:“你二人既然在磨盘山为盗,而今到此何干?”二人禀道:“启大王,小人久已有心要来投降麾下,愧无进身之路,幸喜得宋君差来狄青,解送军衣到边关,道经磨盘山,已被小人杀退护标将兵,劫掠军衣到来,投献大王。又有三年粮草,并财帛马匹,精壮喽啰一万二千,伏乞大王一并收用,小人弟兄,当效犬马之劳。”赞天王道:“孤打听得朝中狄青乃一员虎将,况三十万征衣,岂无将兵护送,你弟兄有多大本领,杀退得解官,抢劫得征衣,莫非杨宗保打发来的奸细,欲为内应么?”二人道:“大王,小人并非杨宗保打发来的奸细,现在磨盘山已火焚山寨,乃是有凭有据的。三十万征衣,余外金银,万余喽啰,马匹粮饷,都在山下,并没有丝毫隐瞒的。”赞天王听了,吩咐大孟洋下山去查明。大孟洋领命,立刻下山逐一检验讫,即回帐中禀知,赞天王方才准了,收录兄弟二人。一万二千喽啰兵注名上册,粮饷归仓,马匹归厩,金宝收贮了,又将三十万征衣散给众兵。这些西戎兵,多是皮衣裘裤,比了大宋军衣,和暖得多,是以众兵用不着,原封不动,待等狄青一到,原璧奉还。此是后话,也不烦言。

却说狄钦差上一夜在报恩寺安宿,至次日早晨乃十月十三日,红日东升,急忙忙洗漱用茶已毕,就去告别老僧,圣觉禅师微笑道:“王亲大人,征衣昨夜已失,但愿有归回之日,大人也不必介怀。如今贫僧有偈言①数句相赠,大人休要见笑。此去便有应验。”狄青细思,这老和尚未逢面即知名姓,是个深明德性、潜修品粹的高僧,故一心恭敬,敬领偈言。当下这老和尚向袖中取出一柬,递与狄青,狄青双手接过,口中称谢道:“得蒙老师指示,感德殊深。”将出柬来一看,有诗四句,诗曰:

匹马单刀径向西,高山烟锁雾云迷,
半途刺客须防备,莫教群奸逞意为。

狄爷看罢偈言,收进皮囊,又道:“小将此去边关,不知吉凶如何?还求老师再指迷途,更见慈悲之德。”老和尚道:“大人乃保宋大臣,纵有凶险,自能逢凶化吉,何须多虑。”狄爷听了道:“老师妙旨不差,就此拜别。”早有少年僧牵出龙驹,狄爷坐上,执起金刀,出寺而去。

再说焦廷贵在驿亭中睡醒转来,一轮红日,早已出现东方,揉开二目,说道:“不好了!”插回腰刀,拿起铁棍,急匆匆解下马,跨上征鞍。只为奉元帅将令,要是日午后赶回关中,杨元帅军令森严,一过期限回关即要领罚,是以焦廷贵睡醒,急忙忙地跑走。当时一心回关缴令,只碍着积雪结成冰块,一见太阳就消化了,马要快时,地滑难行。这焦廷贵生来性情躁急,说:“不好了,我赶回关去,尚有七八十里路程,如今已是辰时,这马又行走不快,如何是好?罢了,不要坐这老祖宗,丢下它吧。”想完,忙跳下马,撇在路旁,不知造化何人,书中也难交代。

---

① 偈(jì)言——佛经中的唱词。

当下焦先锋一程踏冰跑走，反觉快捷，只见前面来了一位黑脸将军。原来此人乃是李义，一路找寻狄钦差，路逢焦廷贵，问道："黑将军可见狄钦差否？"原来李、焦二位英雄的尊容，黑得不相上下，所以李义称呼他"黑将军"。焦廷贵见问，喝道："你这黑人，擅敢与焦老爷拱手么？"李义道："不瞒将军，吾乃狄钦差帐下副将，名叫李义，诨名离山虎的便是。"焦廷贵道："离山老虎果然凶，吾今与你斗上三合，强似我者，才算你为离山虎，如怯弱于我，只算煨灶猫。且看铁棍！"言罢，当真打来。

不知二人如何交战，焦廷贵如何回关缴令，且看下回分解。

第三十回

李将军寻觅钦差　焦先锋图谋龙马

当时李义见铁棍打来，短刀架过，叫道："将军休得动手，吾要寻觅钦差老爷，哪里有闲暇与你交斗！"焦廷贵道："说了半天闲话，你今要寻觅哪个狄老爷？"李义道："便是正解官狄王亲。"焦廷贵道："他与你一路同走，一营同住，何用找寻？"李义道："只因他昨日单身独马，觅地安营，至今未见他回转，故往找寻。"焦廷贵听了，喝道："胡说！他既择地安营，怎说不见回转？吾奉杨元帅将令，催取征衣，你反言不见了正解钦差，莫非你得他钱钞，放他脱身走了么？"李义怒目喝道："这狄钦差又没有什么罪名，怎说吾贪他钱财放他人走？你这人言来太狂妄了！莫非你暗中陷害了钦差性命，反向我们讨取么？"

当下两人一个言贪财放走钦差，一个言暗中图害他性命，二人都是狂妄粗蠢之徒，争论不休。少停，焦廷贵道："吾今奉元帅将令，来催趱他军衣，怎说吾图害了钦差？倘你这鸟人，激恼了吾焦将军，就要动手了。"李义微笑道："你来催取军衣，休得妄想了。军衣三十万已被磨盘山的强盗尽数劫掠去了。"焦廷贵道："此话当真么？"李义道："吾半生未说谎言，为此往寻狄钦差，前去讨取回来。"焦廷贵道："没用的饭囊，你还说去找那磨盘山的强盗么？如今山鬼也没有了，不知走散在哪一方，且请拿下吃饭的东西，去见元帅！"李义听了，吓了一惊，道："不好了！既然强盗奔散，劫去征衣，不知藏在何处，狄钦差未回，怎生是好！可恼强徒，狄钦差性命休矣！"焦廷贵见李义着急，便道："李将军不用着忙，既失了军衣，只求焦将军在元帅跟前讨个面情，元帅决不会计较了。"李义道："焦将军，你休得哄我。"焦廷贵道："谁哄你！"李义道："如此，不如分头去寻觅钦差，倘遇狄钦差，焦将军须要对他说个明白，征衣虽然失去，幸喜军兵未有伤亡，现驻屯荒冈，要他速速回营定夺。"焦廷贵应允，各自分途。

却说焦廷贵虽是个粗莽之徒，心里倒有些主意，想道：这班强徒既烧了山林，毁了巢穴，又不见投到我关，定然劫了征衣，犹恐元帅发兵征剿，想来立身不定，投奔大狼山而去。正在一路思量，心中恼怒，忽然远远望见马上一员将官，真乃威风凛凛，金甲金盔金刀，盔顶上毫光隐现，便又想道：这员小将的坐骑，在冰雪堆中跑走如飞，更见马相如此奇异，一片淡赤绒毛，定是龙驹，不免打他一闷棍，抢夺此马，回关献与元帅乘坐，岂不美哉！焦廷贵打定主意，将身躲在一株大树背后，等待此将过来。

且说当日狄青别了圣觉僧，依他偈言，望西大道而奔，行了不觉二十余里。果见烟起路迷，封罩树林。狄爷自言道：老僧偈言验了，果然烟封林径。岂知此路是磨盘山后，山寨虽然焚毁，山后却顺着风，故烟锁山林。狄爷想道：既烟迷道途，定然有刺客了。犹恐被他暗算，即发动大刀，前遮后拦，闪闪金光飞越。焦廷贵在大树后，闪将出来一看，不觉呆了，想道：此人好生奇怪，难道知吾要在此打他闷棍么？一路而来，舞起大刀，劈前挡后，做出几般架势来。他的刀法紧密，哪里有下棍之处？一闷棍也闷不得他，不免做个挡路神吧。若不抢夺他马匹，不见老焦的厉害。想罢，即跳出迎面横棍挡住，大声喝道："马上人休走，腰间有多少金银，尽数留下来！"狄青住马一观，原来乃一条黑脸大汉，手提铁棍，要讨金银。狄青亦不着恼，徐徐答道："本官只有一人一骑，并无财帛，改日带来送你如何？"焦廷贵喝道："你不遇我，是你造化，若遇了，路途钱定然要拿出来的。"狄青道："身边实在没有钱。"焦廷贵道："当真没有么？"狄青道："果真没有。"焦廷贵道："罢了！航船不载无钱客，你既经由我径，必要路途钱了。若果没有钱钞送我，且将此马留下折抵，便放你去路。"狄青道："要本官的坐骑么？倘若不送此马，你便怎样处置？"焦廷贵道："不容你不送。你若不送此马，我手中家伙强蛮了。"狄青道："吾固愿送你，只因同行伴当不愿，如若同伴允了，本官即送你了。"焦廷贵道："你伙伴在哪里？"狄青金刀一摆，大喝道："狗强盗，此是本官的伙伴，今无别物相送，且将金刀送你作路途钱。"金刀连连砍发，焦廷贵铁棍左右招架，哪里抵挡得住，震得双手疼痛，大刀已将铁棍打下地了，大叫："不好！真厉害！马上将军，饶恕了小将，休得动手。"狄爷冷笑道："你今要钱钞马匹否？"焦廷贵道："不要了，让你去吧。"狄爷道："速速与本官送来路途钱，好待趱程。"焦廷贵道："我既不要你的钱马，你反讨我的路途钱，有此情理否？"狄爷道："没有钱钞送上，定然不去。"焦廷贵道："我不知你这俊俏人如此厉害，如今真的没有钱钞携来送你。"狄爷道："既无钱相送，且将一件东西抵押，就趱程了。”焦廷贵道:“没有什么东西,也罢,且将这副盔甲奉送如何?”狄爷道:“不要!”焦廷贵道:“朴刀、铁棍送你吧。”狄爷道:“要它没用处,焉抵得你身上的好东西。”焦廷贵道:“这不要,那没用,难道我身边还有什么好东西么?”狄青微笑道:“休得胡说,只要你的脑袋。”焦廷贵喝道:“这东西实乃奉送不得。”狄青道:“这也何难,只消本官一刀撇下了。”焦廷贵道:“这东西实难送的,倘拿下送你,教我拿什么物件饮食?”狄青喝道:“既不肯将脑袋相送,本官伙伴强蛮了!”说着,提起金刀,正要砍下,焦廷贵慌了,高声喝道:“你这人不要错认我为强盗,我乃三关上杨元帅麾下焦先锋,你若杀我焦廷贵,杨元帅要与你讨命的。”

狄青听了此言,住手想道:边关有个焦廷贵,乃是当初焦赞之孙。想他既为边关将士,为何作此奸歹之事。即喝道:“你乃杨元帅麾下先锋,缘何在此做这般勾当?莫非你贪生畏死,假冒焦先锋么?”焦廷贵道:“哪里话来!我乃一个硬直汉,哪肯假冒别人姓名!”狄青道:“既非假冒,应当在关中司职,缘何反在此劫掠,这是何解!”焦廷贵道:“我奉元帅将令,催取狄钦差军衣。只因此乃关中众兵急需之物,限期已满,还不见军衣到关,限我午刻回关缴令。跑近此山,见此匹坐骑,甚是不凡,急欲劫回关中,送与元帅乘坐,此是实言。”狄爷道:“元帅差你来催取征衣么?本官乃是正解官狄青。”焦廷贵厉声喝道:“你是何等之人,胆敢冒认钦命大臣,罪该万死!”狄爷笑道:“一钦差官,有什么稀罕,何致冒认起来。”焦廷贵道:“你既是狄钦差,缘何一人一骑要乐,却何以不见征衣?”狄爷道:“现屯在前途,不出二十里外的荒郊中。”焦廷贵听了大笑不已。狄爷道:“你发此大笑,是何缘故?”焦廷贵只是笑而不言。狄青道:“你这人莫非痴呆么?”焦廷贵道:“我虽则半癫半呆,只是你们管的征衣尽行失去了。”狄爷闻言,着惊道:“果然应了老僧之言了。”焦廷贵还在那里呼笑不休,狄爷道:“焦将军,你既知军衣失去,必知失在哪个地头所在。”焦廷贵道:“你追寻失衣的所在,莫非要我赔还你么?”狄青道:“非也,只要焦将军言明失却在哪方,我自有道理。”焦廷贵道:“失在大狼山赞天王贼营里边。朝廷差你督解军衣,应该小心防守,怎么尽数失了,反来诘问于我,还不割下脑袋来,往见元帅。”狄青道:“失去征衣,原是下官疏失。既然失落大狼山,我即单刀匹马立刻去讨回,岂惧贼将强狠。倘若缺少一件,也不算好汉。”焦廷贵道:“你这人好是痴呆的了!管也管不牢,还出此妄言,单刀匹马取回,你今在此做梦么?大狼山赞天王、子牙猜、大小孟洋,英雄无敌,且有十万精兵。杨元帅血战多年,尚难取胜,你这人身长不过七尺,一人一骑,不要说与他交锋,被他一唾,你也要淹倒了。休得痴心妄想,你若知权识变,早些听我好言,最好逃之夭夭,待我回关禀明元帅,只说强盗劫去征衣,杀了钦差,你即回去,隐姓埋名,休想出仕,以毕天年,方保得吃饭的东西。"狄青听了此言,不觉动恼,双眉一耸,二目圆睁,叫道:"焦将军休得小视本官。我岂惧怯赞天王等强狠,我自有翻山手段,管教他马倒人亡,才显得我狄青平生本领。"焦廷贵道:"我今听你说此荒唐之言,真乃要河边洗耳,不堪听的。"狄青道:"焦将军,难道你不知么?"焦廷贵道:"岂有不知,固知你是太后娘娘嫡亲内侄,但太后的势头压不倒西戎兵将。"狄爷喝道:"胡说!谁将势头来压制贼帅,本官在京刀劈王提督,力降龙驹马,赫赫扬扬,谁人不晓。今宵定必服了赞大王,单刀一骑,大破十万西兵。"焦廷贵道:"倘你杀不得赞天王,讨不转征衣,那时一溜烟走了,叫我老焦哪处去寻,实信不得你。"狄爷道:"我亦不与你斗弄唇舌,倘杀不得赞天王,愿将首级送你回关缴令。我倘讨回征衣,烦焦将军在元帅跟前与下官讨个情,将功折罪,可允准否?下官不知大狼山在于哪方,还要劳你指引。"焦廷贵道:"你果除得西夏将兵,即征衣失去,元帅也不敢加罪了。大狼山路程,小将更为熟识,如今不必多言,就此去吧。"说完,拾起铁棍,踏开大步而走。一双飞毛腿,不弱于狄青现月龙驹。

却说那焦廷贵是个痴呆莽汉,说话牛头不对马嘴。方才李义明说被磨盘山强盗劫去征衣,是有凭有据实事。他并不提起,反说征衣现在大狼山赞天王营中,此是焦廷贵见磨盘山放火烧尽,随便猜度猜度。不想果然被他猜准了,反助着狄青立下战功,这实乃出于意外。当日二人迅速前行,已有数里,前面燕子河并无船筏可渡。若对河能走,只得五里之遥,倘沿河周围而走,却有十多里。狄爷勒马,二人商量,只得绕着河边而走。幸喜龙驹跑得快捷,焦廷贵两腿如飞,一连跑了十里,其时日交巳刻了。相近大狼山不远,又只见远远一座高山,连天相接,密密刀枪如雪布,层层旗幡似云飘。又闻吹动胡笳,声声嘹亮,有巡哨的巴都军四山巡逻,许多番将驰骋如飞。狄爷看罢,呼道:"焦将军,前面这一座高山,一派旗幡招展,莫非即大狼山么?"焦廷贵道:"正是,只恐你今见了此山,魂魄已消了,还敢前往对垒争锋否?"

不知狄青如何答话,到山讨战胜败怎分,且看下回分解。

第三十一回

勇将力剿大狼山　莽汉误投五云汛

当下焦廷贵激消着狄青，狄青却不着恼，只道："焦将军，休得多言，你且看下官去讨转征衣，才见我言非谬。"焦廷贵道："你果能杀得赞天王，讨得回征衣，就算你有仙人手段。但我不能帮助你，只好远远在此树林之中等候。"狄青允诺，一连打马三鞭，飞跑到半山，高声喊道："叛贼赞天王，抢掠了征衣，速速送还，万事全休，有胆的出来会我，否则本官即杀上山来了。"早有巡哨军进寨报知。是日赞天王与众将同在帅堂吃酒寻乐，吹番笛，唱番歌，正在热闹之际，小番进行跪报："山下有一小将，单刀独骑，十分猖狂，要讨还征衣，与大王会阵。如无将士出马，他即杀上山来了，请速定裁。"赞天王道："宋将有多大本领，如此狂言。他若讨取征衣，且还他便了。"子牙猜道："不可，我自兴兵以来，威名远震，个把宋将，纵然强狠，岂可一朝示怯，还他征衣！"赞大王道："孤这里众兵原不用这些征衣，还了他也无所损失的。"子牙猜道："大王若将征衣还他，敌人只道我等惧战，畏怯于他，断然还不得的。"言未了，又闻报："山下小将自称解官狄青，必要与大王见个高低，若再迟延，他就杀上山来。"赞天王道："宋将如此猖狂，反要与孤家对敌，可恼，可恼！"传左右抬过兵器盔甲。

这黄天王生来面似乌金，两道板眉，豹头虎额，凛凛神威，狮子大鼻，口阔唇方，两耳长拖，眼珠碧绿而圆，海下花须，半如炭色。身长一丈二尺，声如巨雷，他乃圣帝跟前一大龟化身。穿挂上镔铁销甲，手持流金镋，骑上乌骓马，不异金刚神汉，实乃西夏国首位英雄。赞天王想道：孤家屡上沙场，未逢敌手，狄青单刀独骑杀来，取他首级，不费吹毛之力。如若多带兵丁，杀了他一人，反被宋人说我以众欺寡了。故赞天王不带一卒，拍马加鞭，一声炮响，冲下山坡。子牙猜、大小孟洋齐至山峰观看。

赞大王跑出山前，高持流金镋，大喝道："宋朝来的无名小卒，有多大本领，敢来大王额上捏汗么？速速回马，还可保全性命！"狄青道："番奴休得无礼，吾乃大宋天子驾前，官居九门提督，狄青是也。吾金刀之下，不斩无名弱将，快通上姓名。”赞天王道：“孤乃西夏王御弟，今奉命为监军总督，赞天王是也。”狄爷大喝道：“叛逆畜生，还不知我主嘉祐王，乃仁德之君，文忠武勇，屡次对你宽容，我主以悯惜生民为心，故不行征伐，是你造化。今又胆大将本官数十万军衣劫掠，今日断难饶你狗命。”赞天王喝道：“狄青！休得妄夸大言，孤自兴兵七八载，百战百胜，杨宗保尚且不敢出敌，你乃黄毛未退的小儿，休来送死。况我国自唐末时，已世代称王，今日兵雄将勇，取你大宋江山易如反掌，且吃我一镋！”言未了，一镋打来，狄青金刀，毫光闪闪地挑开。若问赞天王身高一丈二尺，比狄青七尺之躯，虽则龙马高大，还比赞天王短了三尺多。他虽是刀法精通，然赞天王实力很大，狄青与他兵刃交锋七八合，觉得两臂酸麻，难以抵敌。斯时欲败而不可败，欲战又不能战，这焦廷贵在树林中，出头一瞧，高声大喊道：“大狼山翻不转，赞天王杀不成，军衣讨不还，流金镋敌不过。”这几句话送到狄青耳边，激恼得他只得拖刀而走，赞天王拍马追赶。狄青心想：圣帝赠我的法宝，今日危急之际，不免试用起来才是。便勒住马缰，急向皮囊中，取出七星箭一支，呼念：“无量寿佛。”登时祭起一道金光，飞绕空中。赞天王眼昏神乱，兵刃低垂，七星小箭犹如流星一般，嘤嘤作响。焦廷贵大呼道：“好个戏法来了！”只听得空中一声响，宝箭飞射下来，金光四射，向赞天王头盔心射下，复飞起空中。此时赞天王痛得难当，马上翻身跌下。焦廷贵一见，飞步赶上，拔出腰刀，将头砍下，把发束住在铁棍上，踏扁钢盔，收藏怀内。狄青将手一招，收回七星箭。焦廷贵好生喜悦，道：“不想你有此妙法，来弄倒了赞天王。这等看起来，打破大狼山却是容易了。”狄青道：“焦将军自去收拾番奴首级。”焦廷贵答应道：“且再收了子牙猜，收还征衣，攻破大狼山，回见元帅缴令吧。”狄青允诺，大呼道：“子牙猜，我狄青在此，速将征衣献还，倒戈投顺，便饶你等狗命，若再延迟，我即杀上山来，不饶一卒。”

且说子牙猜见赞天王被他杀下马来，大惊道：“不好！”番兵扛来铁镋，即刻上马，提持兵器。这子牙请生得面方而长，淡青颜色，浓眉高竖，两耳张风，阔额大鼻，颏下根根赤短须，身高一丈余，臂力不亚于赞大王。只见他手执金楂槊，约数百斤沉重，乘上一匹追云豹，十分凶恶。当即带领一万番兵，一声炮响，飞奔杀下山来，大喝道：“小小宋将，本事低微，用此邪术害人，有何稀罕！”狄青大喝道：“来将可是子牙猜么？”子牙猜道：

“既知本先锋大名，还不献上首级，还敢多言猖獗，且看金楂槊！”当头打来，狄青大刀急架相迎。若论子牙猜力量，虽则次于赞天王，然而力气强于狄青。当日二员猛将，你一刀，我一架，杀得征尘四起，番兵喊声如雷。正在战杀之际，焦廷贵大呼道：“不要平战，再变一套戏法，我又要割脑袋了。”

当时狄青眼看抵敌不住，虽然未闻焦廷贵之言，然而却有此意。于是左手架槊，右手向怀中取出金面牌带上，念声：“无量寿佛。”焦廷贵笑道：“如今不弄戏法，竟在此演戏了，狄钦差真乃趣人也！”子牙猜见了此法宝，登时昏了，目定口呆，手足低垂，金楂槊跌于地上。只听得半空中一声响亮，一阵霞光，子牙猜喊了一声，七窍流血，直僵僵地翻于马下。狄青一刀，枭去首级。焦廷贵大悦道：“妙妙！戏文做得果然高！”一万番兵，吓得四散奔逃，狄青也不追赶。焦廷贵又将首级拾起，悬于棍上，仍踏扁头盔，塞于怀中。大叫道：“狄大人已经收了二凶番，余人不足介意，快些杀散山番蛮将，取得征衣回转。”狄青收回宝牌，大呼道：“杀不尽的鼠辈，快下山来，会吾祭刀！”当有大小孟洋吓得神魂不定，登时提刀上马，尽领十万番兵，众副将杀下山来。犹如山崩海倒一般，将狄青团团围困，喊声连天。狄青纵然武艺精通，但数十员番将，十万番兵，究竟非同小可。狄青飞动大刀，连杀番兵数百人，无奈兵多将多，不能杀出重围。焦廷贵远远瞧见势头不妙，挑起两颗首级，如飞跑去，要先回边关报知元帅，添兵帮助，此话慢提。

却说狄青被番将密密围住，左冲右突，杀得血染征袍，番将坠马者不少，众兵亦不敢逼近他马前。那狄青跨下现月龙驹，乃一龙马，异于寻常，见势危急，忽然大吼一声，吓得偏将与两孟洋的坐马纷纷跌倒，反将众兵踏死甚多。狄青趁此持大刀急劈，杀出重围而去。两孟洋与众将都吓一惊道：“狄青这匹马，分明是马祖宗也。”只得吩咐小番，将两个尸骸抬上山去，令牛健弟兄好生成殓，保守山寨，自己带了十万兵，到八卦山去见伍大元帅，待他尽起大军与杨宗保算账，并捉拿狄青。当日一路旗幡招展，往八卦山而去，大狼山单剩牛健弟兄，一万喽啰兵把守。

且说狄青杀出重围，跑下山来，不见番兵追赶，放心住马。想来戎兵众盛，一人难以讨取征衣。息憩一会，又见大队军马，往山后远远去了，不知何故，即拍马又奔上山峰，大喝道：“鼠辈！还不送转征衣，必要杀尽了才送么?”正在痛骂,牛健弟兄觉得惊慌,吩咐一万小兵放箭。狄青正在观望,只见箭如飞蝗骤雨,纷纷射来,将金刀舞动,纷纷抛下山中,一支也近不着他。但此时日短夜长,早已黄昏天气了。狄青心想:今天料难讨还得征衣,不如回营,明日再来讨索便了。

慢说狄青回营,先说焦廷贵棍梢上挑了两颗首级,喜色洋洋,来到燕子河边,绕河而走。这焦廷贵虽然走得快,然绕河而走,将有二十里,到了五云汛上,已是初更了。此时月色光辉如昼,一路想道:到得关中,请到元帅救兵,已来不及了,狄钦差胜负已见,不必急走回关,也不用枉费气力,不免先到五云汛上李守备衙中,不忧这官儿不请我焦老爷吃酒。想罢,转向五云汛来。只见守备衙门关闭了,只有巡哨兵丁,在此敲梆打鼓。更筹已是一更天,一对守备府提灯,甚是光辉。焦廷贵到了府门,大呼小叫,将门敲得犹如擂鼓,大喝道:“门上有人在么?快些叫李守备出来迎接我焦将军!”当下惊动了把守门兵,跑出一瞧,只见一位黑脸将军,手持腰刀铁棍,挑着两颗人头,鲜血淋淋,好不害怕。不敢怠慢,呼道:“此位哪里来的,到此何事相商?”焦廷贵开口就骂道:“狗王八!我乃边关杨大元帅帐前先锋焦老爷,难道你不认得么?”这兵丁听了,惊吓不小,慌忙跪下道:“小役不知将军爷驾到,望乞宽容免罪。”焦廷贵道:“我又不来杀你,又不罪你,为何这等畏惧?好个胆小之人!只这两颗人头要卖,如今卖不去,速唤李守备出来买了。”这小兵诺诺而去,一重门一重门叩开,有丫头传进话来,守备李成听得大惊,忙与沈氏奶奶酌议道:“边关这焦廷贵,呆头呆脑,不知哪里将人杀害,拿人头来强卖诈银子,若不将他招接,必有是非寻扰。”

这李守备妻沈氏,虽乃一妇人,却有些胆识。她胞兄沈国清,在朝现为西台御史,拜在庞洪门下,也是不法奸臣。李守备单生一子,乃沈氏所出,名唤李岱,父子同守五云汛。这李岱年方十八,习学武艺,目下已为千总武职。当下沈氏听了笑道:“老爷休得惧怯,这焦先锋将人头发作,无非借端强取些东西。”李成道:“他若要我的财帛,这就难了。”沈氏道:“他是上司,老爷是下属,上司到来,理当迎接。如他来要财帛,你只说我是穷乏小武员,实难孝敬。闻得此人是位贪酒之客,你且请他吃个醉饱,管教他拿了人头,远远到别方去发利市,也未可知。”

不知李成如何打发焦廷贵出衙,且看下回分解。

第三十二回

贪酒英雄遭毒计　冒功肖小设奸谋

当下李成听了沈氏之言，大喜道："贤妻高见不差。"即换衣冠，出至府堂道："不知焦将军夜深到来，迎接不周，卑职多有得罪。且请将军至中堂落座如何？"焦廷贵道："李守备，这两颗脑袋。你可认识么？"李成道："实认不得。"焦廷贵道："你真乃一个冒失鬼了，与我拿此宝贝去吧。"李成允诺，将双手接过铁棍、人头道："焦将军请进来。"焦廷贵进至内堂坐下，喊道："李守备，比如上宪来到你衙中，该当孝敬东西否？"李成道："该当孝敬的。"焦廷贵道："我今亲自到此，说什么周与不周的迎接，只明欺我好性子，难道你颈上多生一颗头么？"李成道："焦将军请息怒，如若将军常常来惯的，自然不时伺候，但将军忽然而来，卑职其实不知，伏唯谅情宽恕。"焦廷贵道："也罢，你既出于不知，不来多较。但我今夜杀尽大狼山敌人，如今要转回三关，尚有百里多路，未带得盘费，进不得酒肆，是以将两颗首级售与你，速将盘费拿出。"焦廷贵对李成说此蛮话，无非希图些酒食，李成心中明白，想道：他说什么杀尽大狼山，我想大狼山兵多将勇，他如此莽夫，焉有此手段。这两颗首级，不知哪个倒运的被他杀了，在我跟前夸张恐吓，即道："焦将军，你身无坐骑，怎说杀尽大狼山强盗，莫非哄我的。"焦廷贵道："好个不明白的李守备，你岂不闻将在谋而不在勇，兵贵精而不贵多。为将者于军伍中畏怯而退，乃庸懦之夫，非英雄将也。"李成道："大狼山赞天王、子牙猜、两孟洋，英雄盖世，更有十万雄兵，杨大元帅尚且不能取胜，焦将军只得一人，如何杀得尽他将兵？"焦廷贵冷笑道："你言我杀不得西夏兵将么？这是赞天王的首级，此是子牙猜的首级，乃本先锋一手亲杀的，难道是我偷盗来的？好个不识货的李守备！"李成道："果然是焦将军亲除此二巨寇，立此大功劳，实乃可喜可贺。但不知怎生杀法？还望将军说明。"焦廷贵道："不瞒你，我一箭射倒赞天王，割下首级，一朴刀砍死子牙猜，取他脑袋，杀得大小孟洋十万西夏兵四方巡奔，杀得好爽快。"李成道："请问将军，并无弓箭，如何射得赞大王？"

焦廷贵喝道:"以下属盘诘上司么? 多管闲账!"李成诺诺连声,不敢再问。焦廷贵道:"两颗人头,我要回关报功的,实不能卖与你。但我既到此,你是下属,今天怎生相待?"李成道:"卑职是个穷小守备,实难孝敬,只好奉敬三杯美酒,聊表微忱,且暂屈一宵如何?"焦廷贵道:"请我饮酒么? 也罢,只要酒吃得爽快,便不深究余外的事了。"

李成诺诺连声,进内与妻相议道:"外厢焦廷贵说是箭射赞天王,刀砍子牙猜,现有两颗首级在此。我今欲思谋了焦廷贵,拿首级往见杨元帅,与孩儿李岱冒了此功。待杨元帅奏知圣上,定然父子加封官爵,岂不留名千古么?"沈氏听了大喜道:"老爷好高见!"即时传令众丫环,往东厨安排酒馔。那焦廷贵说话荒唐,哄着李成,将功冒认,称己之能,岂知弄出天大祸事来。

当夜李守备存心冒此功劳,故将蒙汗药放在酒中,焦廷贵是个贪杯的莽汉,见此美酒佳肴,畅饮大嚼,食尽不休,吃得东歪西倒,不一刻已遍身麻软,动弹不得。

李守备一见满心大悦,便对儿子说明,李岱是个胆怯少年,听了说道:"爹爹,此事行不得的,还要商量才好。"李成道:"我主意已定,还用什么商量?"李岱道:"爹爹,孩儿想这焦廷贵,乃是杨元帅麾下的先锋,倘或果然杨元帅差他出敌,立了功劳,而今爹爹弄死他,前往冒功,元帅不信,盘诘起来,一时对答不及,就要败露了。倘然机关一泄,此罪重大如天,那时父子难逃军法,反惹人耻笑,望爹爹参酌乃可。"李成听了冷笑道:"孩儿你真乃一痴呆人了。这是送来的礼物,焉有不受之理,我与你暗中杀了焦廷贵,神不知鬼不觉,拿了两颗首级到关,只言十三夜父子二人在汛巡查,只见赞天王、子牙猜在汛口上图奸百姓之妻,吾父子不服,吾一箭射死赞大王,你一刀杀了子牙猜,连夜拿了首级,特到辕门献功。杨元帅定然欢欣,自然申奏朝廷得知,稳稳一二品的前程,强如守备微员,无人恭敬,千总官儿,到老贫穷。"若问富贵荣华,谁人不妄想的,当时李岱听了父亲之言,竟如上梯一般的容易,其心已转,便道:"爹爹,此事要做得周密便好。"李成道:"有什么做不周密,杀了焦廷贵,便放心托胆,到三关去献功,轩轩昂昂,做位大员,好不快意。"李岱道:"爹爹既然如此,须要杀得焦廷贵暗秘才好。"李成道:"这也自然。你去取一条大绳,即将焦廷贵牢牢缚住。"李岱只是浑身发抖。李成骂道:"不中用的东西! 这一点点的小事,就要发抖。"李岱道:"爹爹,这个勾当,孩儿实在没有做惯,故弄不来的。”李成道:“现现成成一人杀不来,如何上阵打仗交锋?”李岱道:“爹爹,所以孩儿只好做一个千总官儿玩玩。”李成道:“如此且闪开些,待我来!”李岱道:“爹爹,小心些,不要反被他杀了。”李成喝道:“休得多言!”即拿起尖刀,叫道:“焦廷贵,不是我今天无理;进禄加官,谁人不想,今日杀了你,休得怨我不仁。”

正言语间,不知为什么心也惊,胆也不定,两臂也酸麻起来。李岱在旁想道:我家爹爹有些硬嘴。便问道:“爹爹为何不下手杀他?”当时李成走上前两步,不觉胆破心寒,莫言下手杀人,连刀也跌下地了。李岱道:“爹爹何故呆呆不拾尖刀?”李成道:“我儿且来帮助我,一刻可成就此事。”李岱道:“儿已有言在先,此事我实在弄不来的。”李成道:“罢了,还是我来。”提刀不觉手软发抖,又是跌下,想道:莫非这焦廷贵不该刀上死,应该水里亡的不成? 也罢,不免将他抛入水中便了。又等候了一会,已是二更时候,这李成恐防众人得知,事机泄漏,故待至夜静更深,丫环家丁睡去,外面兵丁人人睡熟,才叫守门的王龙开门,父子二人,取到棍索,把焦廷贵扛抬起来,出了府门。趁着月色,一路匆匆而走。沈氏在府中等候父子回来,想道:今夜害了焦廷贵,决无人知,倘明日父子辕门报此大功,杨元帅定然喜悦,差官回朝奏知圣上,岂不加官封爵,奴亦诰封,好不荣光。

慢言沈氏胡思乱想,却说李成父子急忙忙扛了焦廷贵,李岱道:“爹爹,将他抛在哪里?”李成道:“且到燕子河送他下去。”李岱道:“前面有山,洞中有水,抛他下去,纵使淹不死,也冻死他。”李成道:“此算倒也不差。”二人扛抬至山前,见这山涧,月光之下,约略深有丈余,却不知水之浅深。即将焦廷贵抛下,父子二人回转,岂期失手,连铁棍也跌了下去。

当时父子欣然跑归,仍是一轮明月当空。沈氏正在等候,且喜父子回来,尚有余馔,夫妻父子,吃过数盏,李成道:“夫人,这段事情,神不知,鬼不觉,我与孩儿拿了首级,连夜到关去献功如何?”沈氏道:“老爷,如此快些登程。”当夜李成拿了赞天王、子牙猜二颗首级,与儿子李岱上马出府。沈氏闭门安息。

话分两头,却说狄钦差杀出重围,走马如飞,来到燕子河边,已是月色澄辉。当夜狄青到了燕子河边时,乃焦廷贵束手待毙之际,故一事再分二说。这燕子河隔五云汛有十里程途,是日狄钦差下大狼山,不见焦廷贵,一到河边,方才想起大营在河那边。绕河边走,倒有十五六里,如何是好。

只因已有一更时候，心急意忙，要赶回营中。但大水汪洋，无船筏载渡。正要沿河跑走，加上几鞭。岂料这龙驹闻言，直立不动，狄青道："奇了！莫非龙驹思渡水不成！"不意此马连点头三回，前腿一低，后尾竖起，嘶了一声，即要飞下河中。狄青扣定缰绳，便道："马儿下不得水也！一下水，你我不能活命了！"此马闻言，倍加纵跳，早已飞奔于水波上了。狄青紧挽丝缰，身不由己，只得随马下水。但见此马发开四蹄，在水面犹如平地。月照河中，马蹄跃水，金光灿辉。狄青初时也甚惊惶，及至到了水中，不觉大悦，笑道："妙妙！此马世所罕有，能浮水面，是奇见也。但是我在南清宫降妖，你出身原乃金龙化成马匹的，故仍善伏水性。"半刻工夫，已将狄青渡过燕子河，乘着月光，一程跑过数十个山冈。一到了荒郊大营扎屯之所，高声呼道："张忠、李义，二位贤弟可在么？"

原来当晚张忠、李义与李继英找寻不见狄爷，三人正在烦恼，征衣被劫，又寻狄青不遇，粮草也尽被劫走，营中几千军兵，人人饥寒。忽闻呼叫之声，狄青人已到了营中来了。三人齐道："狄爷虽然回来了，但征衣已被抢劫。"狄青道："我已得知，粮草马匹全失，此乃小事也。"又问李继英缘何到得此方，继英见问，即将逃出相府后事一一说知，又要叩头参拜，狄青连忙扶起。继英接过金刀，带过马匹，付交小军去了。张忠、李义道："狄哥哥，你去找寻地头安顿征衣，一日夜不见回来，却被磨盘山强盗劫抢了征衣，连夜放火烧山，逃走而去，如今只剩下一座空营寨了，看你如何到得三关，向杨元帅复命。"狄青道："贤弟，征衣失去也不妨，乃是小事。"张忠、李义道："失了征衣，还是小事，必要失了江山，才算大事不成！"狄青道："贤弟不知其详，征衣虽然劫去，今日已立了大战功，杀却赞天王、子牙猜，退去十万西兵，到关也可将功赎罪了。"张忠道："哥哥愈觉荒唐了。赞天王、子牙猜，英雄盖世，杨元帅尚且不能取胜，你虽是一员虎将，到底一人一骑，他有十万雄兵，十分劲锐，哪里杀得过他？休来哄着我们了！"狄青道："我非谬言哄你们。"即将报恩寺内得遇老僧人，赠送偈言，路遇焦廷贵，方知磨盘山的强盗劫去征衣，献上大狼山。我单刀匹马，与焦廷贵到了大狼山，箭除赞天王，金面收子牙猜等情，细细说明。李义道："哥哥你既收除得二贼首，也该割下他两颗首级，前往三关献功，难道无凭无据，杨元帅便准信了不成？"

不知狄青如何答说，如何到关，且看下回分解。

第三十三回

李守备冒功欺元帅　狄钦差违限赶边关

当下狄青闻李义之言，即道："贤弟，这两颗首级，由焦廷贵取下，难道他没有到营中？"李义道："并未有一人到此。"张忠道："不好了！焦廷贵拿了首级回关，冒功去了。"狄青道："不妨，此人是杨元帅的先锋，乃一硬直莽汉，决非冒功之辈。"继英道："他先回关通知杨元帅，也未可知。"狄爷又问继英道："方才你言孙云早有书与强盗，劫去征衣，但不知此人是怎生来历，要害我们？"李继英道："小人自逃离相府，与庞兴、庞福同到天盖山落草存身，不料二人残杀良民，吾因劝告不听，与二人分伙。偶到磨盘山，又与牛健兄弟结拜为盗，不想孙兵部之弟名孙云，将金宝相送，要牛氏兄弟打劫征衣，陷害主人。我再三相劝，二人不允，只得与他们分手，一心想下山通个信息与主人，不料心急意忙，走错路途，来到营中，征衣已失。如今既立了大战功，料失去征衣之罪可赎，不须在此耽搁，趁此天色已亮，即可动身。"狄爷听了道："你言有理。"李义又将遇见孙云强抢妇女，二人搭救之事，一一说明，并道："可恨这奴才又通连两名狗强盗，将征衣粮草，尽数劫去，弄得我们众人，受饥忍寒，好生可恶。"狄爷道："这孙云抢劫妇女，又串通强盗劫征衣，理应擒拿定罪。但无实据，即今趱程要紧，不能追究，暂且丢开。计程急走，明日到关，过限期六天，幸圣上外加恩限五日，明日到关，实过限一天。"连夜拔寨，狄爷上了龙驹，张忠、李义、李继英三人，同上坐骑而行。三千兵丁人饥马渴，一同赶趱三关不表。

且说李成、李岱拿了两颗首级，趁着月光，一路飞跑，到得三关，已是巳牌时分。父子下了马，早有关上的参将游击等把守官员问道："你是五云汛的守备李成、千总李岱？"二人称是。参将道："你父子离开本汛，到此何干？这两颗大大人头，哪里得来？"李成道："卑职父子射杀赞天王、子牙猜，此乃两寇的脑袋，特来元帅帐前献功。"众武员听了，又惊又喜说："妙，妙！才智的李成，英雄的李岱！"二人连称不敢当。中军官道："你且在此候着。"父子应允。

再表杨宗保元帅是日用过早膳，端坐中军帐中，浩气洋洋，威风凛凛，左有尚书范仲淹，右有铁臂老将军杨青，下面还有文武官员，分列左右。杨元帅开言道："范大人，想这狄青，为钦命督解官，押运征衣，期限一月，又蒙圣上宽限五天，今天尚还未到，想他仗着王亲势头，故意耽延日期，他若到时，不即处斩，难正军法了。"范爷道："元帅，这狄钦差倘或不是王亲，故意怠情迟延，也未可知。他乃朝廷内戚，岂敢迟延，以误圣上边兵，尚祈元帅明见参详。"杨青老将道："解官未到，只算故意耽迟，即迟到一天，不过打二十军棍，何致斩首？元戎的军法，也太严了。"杨元帅想道：范、杨二人，因何帮助狄青，莫非狄青先已通了关节，还是二人趋奉着当今太后？便道："杨将军、范大人，如若狄青心存为国，顾念全军冻寒之苦，还该早日到关。如今限期已过，况雪霜漫天，众军苦寒，倘遭冻死，此关如何保守？"范爷道："关中苦寒，未为惨烈，他在途中奔走，迎冒风霜，倍加苦楚。"杨青道："如若要杀狄钦差，须先斩焦廷贵。"杨元帅道："焦廷贵不过催趱之人，怎能归罪于他？"杨青道："元帅限他十三日午时缴令，今日十四还未回关，此非故违军令么？"杨元帅听了，默默不语。正在沉想之间，忽见禀事中军跪倒帐前道："启上元帅，今有五云汛守备李成、千总李岱同到辕门求见帅爷。"元帅道："他二人乃守汛官儿，怎敢无令擅离职守，又非有什么紧急军情来见本帅，且与吾绑进来！"中军官启道："元帅，那李成、李岱有莫大之功，特来报献。"元帅道："他二人又不能行军厮杀，本帅又未差他去打仗交锋，有何功可报，何名可立？"中军道："启禀元帅，这李成言箭射赞天王，李岱杀死子牙猜，现有两颗首级带至关前，求见元帅。"元帅道："有此奇事！传他二人进见。"范爷听了微笑道："元帅，吾想他父子二人，毫无智勇，如何将此二寇收除？此事实有可疑。"杨青道："如此听来，是被鬼弄迷了，元帅休得轻信。"杨元帅道："范大人，杨将军，且慢动恼。若言此事，本帅原是不信，但想李成父子，若无此事，也不敢轻来此报。况且现有两颗首级拿来，那赞天王、子牙猜面容，岂不认识？且待他父子进来，将首级一瞧，便可明白了。"

当时李成父子进至帅堂，双双下跪，口称："元帅在上，五云汛守备李成、千总李岱，参谒叩首。只因卑职父子，箭射赞天王，刀劈子牙猜，有首级两颗呈上。"杨元帅当令左右提近，还是血滴淋漓，元帅细细认来，点首道："范大人，老将军，看来两颗首级，果是赞天王、子牙猜的，请二位看明是否?”二人细认道:“果是不差。”心中却觉得李成父子一向无能,今日如何立此大功,有些蹊跷。范爷道:“元帅,那首级虽然是两贼首的,但不知李成父子怎么取来,也须问个明白。”元帅道:“这也自然。”便发令将两颗首级辕门号令。又唤李成道:“你父子二人,有多大本领,能收除得此二寇?须将实情说与本帅得知。”李成道:“帅爷听禀。前天卑职父子,同在汛岸巡查,已是二更天时候,只见二人身高体胖,踏雪步月而来,吃得酒醉沉沉,并无器械护身,询问卑职,此地可有姿色妓女。当时我们见他不是中原人声音,即动问他姓名,这黑脸大汉,自言是赞天王,紫面的是子牙猜。卑职父子,见他二人已经醉了,即发一箭射倒赞天王,儿子李岱顺刀劈下了决子牙猜,将二人首级割下。今到元帅帐前请功。”

这李成若言在疆场中交战立功,自然众人不信他,说是深夜了,观他酒醉,无人保护,手无兵器,趁此出其无意中下手,说得有理可凭。不但杨元帅,便是范爷、杨青俱已信以为真了,一同出位言道:“此乃贤乔梓①莫大之功,国家有幸,宁靖可期了,且请起!”李成道:“元帅,范大人,老将军,吾父子毫无所能,全仗天子洪福齐天,元帅雄威显著,是以二凶自投罗网。卑职父子,偶然侥幸,何敢当元帅如此抬举,实为惶恐。”元帅欣然扶起李成,礼部范爷挽起李岱,扶他们父子二人起来。元帅吩咐摆下两个座位,父子俱称不敢当此座位。元帅再三命坐,范、杨二人亦命他们坐下说话,李成、李岱只得告罪坐下。帅堂上吃过献茶,元帅又吩咐备酒筵贺功。元帅道:“难得贤乔梓除此二凶,大小孟洋,不足介怀了。待本帅申奏朝廷,贤乔梓定有重爵荣封。今日本帅先奉敬一杯,以贺将来。”李成、李岱道:“元帅爷虽有此美意,但卑职断然当不起的。”当日帅堂摆开酒宴,李成父子正吃得高兴,忽闻报进狄王亲奉钦命解到三十万军衣,现有批文呈上。元帅将批文拆开,上填三十万军衣,九月初八在汴京出发,圣上加恩限期五天,算今天十月十四,只是过限期一天。元帅吩咐,将狄钦差绑进。范爷道:“元帅,狄钦差此刻到关,只算差得半天,且念他风霜雨雪,路途劳苦,应该免绑才是。”杨青老将军也道:“元帅须要谅情些。护载数百辆车、三十万军衣,途中雨雪难行,昨天期到,今日方来,虽说过了限期,不过差得几个时刻,便要绑了钦差,元帅太觉无情了。”元帅暗想,二人定是受

① 乔梓——指父子。

了狄青贿赂，所以屡次帮他，便道："既然如此，免绑，有劳二位出关点明征衣，倘差失一件，仍要取罪。"二人领命。一同出关。范爷东边立着，杨将军西边拱立，开言道："足下是钦差狄王亲否？"狄青道："不敢当，晚生狄青，请问大人尊官？"范爷道："下官礼部范仲淹。"狄青道："原来范大人，多多失敬了。"深深打拱，向锦囊中取出包待制书一封，双手递与范爷，言道："此书乃待制包大人命晚生送与大人的。"范爷接过道："重劳王亲大人了。"狄青道："岂敢。"此地不是看书之所，范爷就将书藏于袖中，想着：包年兄料得狄青在途中必耽误限期，要我周全之意。又问道："包年兄与各位王侯，近日如何？"狄青答说："都很安康。"又向囊中将佘太君之书信取出，揣藏怀内。又向杨青打躬道："此位老将军是何人？"杨青道："某乃安西将军杨青。"狄爷道："原来是杨老将军，多多失敬，有罪了。"连连打拱，杨青还礼。狄青道："吏部韩大人有书，命晚生带上。"打虎将军笑道："原来韩乡亲不曾忘记我铁臂杨。"此间不便开书，揣于怀内。杨将军不问忠臣，反诘奸党情形，狄青便将冯拯、丁谓、王钦若、吕夷简、陈尧叟、庞洪、孙秀一班奸佞，倚势陷害忠良，恶似狼虎，君子退贬，小人日进的情形说了一遍。范、杨二人嗟叹一声道："圣上原是明君，但太仁慈，致奸臣胆大弄权，滔天焰势，十分可慨。"范爷又道："狄王亲，元帅如今正在着恼，只因天寒地冻，征衣待用，理该及早到关。限期在于昨天，今日方至，莫非你果有意延迟？"狄青道："范大人说哪里话来？晚生虽则愚昧少年，但岂不知天气严寒，征衣乃众将兵待用之物，况且仰承王命，焉敢故意延迟，以取罪戾。奈因途中风霜雨雪，兵丁寒苦，难走程途，不得已停屯，如今延迟一天，不过只差半日。"范爷又问道："征衣可齐到了么？"狄青道："到齐了，如今俱屯在大狼山。"范爷听了道："是何言也！元帅委我们点明征衣，方好散给众军人，如何反说屯于大狼山，此是何解？"狄青道："大人不用查点了，谅也无差错的。"范爷道："休得闲谈，速令众兵押车辆到来，方可查点给散。"狄爷道："大人这些征衣已经失去了。"范爷道："怎么说失去的？"狄爷道："被强盗劫去，解往大狼山去了。"范爷道："抢去多少？"狄爷道："三十万尽数抢劫去了，一件也不留存。"范爷听罢，高声说道："不好了！如今是捆绑得成了。"杨将军道："杀也杀得成了，有什么理论说情的？快些去吧，勿来此混账，休得耽搁，且走回朝中，不要在三关上做孤魂怨鬼了。"

不知狄青如何答话，是否被杨元帅斩首，且看下回分解。

第三十四回

杨元帅怒失军衣　狄钦差忿追功绩

当时杨青、范仲淹都道："军衣既然尽失，须要逃走回朝，方得保全性命。"狄青道："二位大人，征衣虽失，明日定然讨还。"杨青道："征衣失在大狼山，你还想讨得回么？随口乱谈，休得多说，快些遁逃，埋藏姓字，方保得性命。"狄青道："二位大人，晚生即未讨回征衣，如立下一战功，可以抵消此罪否？"范爷道："征衣尚然管不牢，被强徒劫去，还有什么大功来抵此重罪？"狄青道："小将匹马单刀，杀上大狼山，已经射杀赞天王，刀伤子牙猜，杀退西戎两孟洋，晚生虽然有罪，但此功可以抵偿。唯望二位大人明鉴推详，引见杨元帅，待晚生领些军马，克日讨回征衣。"范爷道："缘何又是你收除此二贼了，吾却不信。"杨青道："口说无凭，哪人相信，由你说得天花乱坠，且自去见元帅，由你分辩。"

当下三人进关，杨、范二人踱至无人之处，将书拆开，二人看毕，范爷道："包年兄，若是狄钦差违了限期，本部便能一力周全，无奈军衣尽失，除非代补赔了，方得完善。"杨青也道："大人，军衣一失，重罪难宽，叫我二人如何助他？除非圣上有旨颁到，方可免得，不是朝廷赦旨，哪人保得此罪！"当时二人将书收藏过。杨青又道："范大人，若在元帅跟前，说明失了军衣，定然绑出辕门，立正军法了。"范爷道："这也自然。"杨青道："且不要说明，待他自往分辩，我与你见景生情，可以帮寸者帮寸，不可帮寸者，再作道理，范大人意下如何？"范爷道："老将军之言有理。"

二人进至帅堂，杨元帅离位言道："二位大人，军衣可无差么？怎查点得如此捷速？"二人道："一一无差。"元帅道："二位且坐。"范爷道："元帅请坐。"当下传狄青进见。

书中交代，前日焦廷贵若说明狄青功劳，李成断不敢冒，只因焦莽夫随便夸口，故敢将焦廷贵弄死，前来冒功，以为死无对证。是时狄青到了，李成父子全不介意，只顾洋洋然在帅堂侧吃酒爽快。狄青见了元帅，弯腰曲背，口称："元帅，正解官狄青进见。"杨元帅见他的盔甲，乃是太祖之物,想狄青虽是太后内戚,总为臣子,怎合用先王太祖的遗物,定然太后赐赠于他。其实此副盔甲,前已交代明白,狄青以臣下,不当用王家之物,故太后另行照式造了一副,赐侄儿使用。今元帅认为太祖之物,心头颇有不悦,即起位立着拱手道:“王亲大人,休得多礼。”又问道:“批文上副解官石郡马何在?”狄青道:“启上元帅,只因副解官石玉,在仁安县金亭驿中,被妖魔摄去,未知下落,小将已有本回朝,启奏圣上。”元帅道:“此事关中亦有文书到来。狄王亲解送征衣,本月十三日限满,如今十四日了,极应体恤众兵寒苦,及早赶趱到关交卸才是,为何违限?本帅军法,断不徇私,你难道不知么?”狄青道:“元帅听禀,小将既承王命,军法森严,岂有不知。原要早日到关交卸,并非偷安延缓。无奈中途霜雪严寒,雨水泥泞,人马难行,故违限期一天,望元帅体谅姑宽。”范爷点头自语道:你言之有理,只恐说出不好话来,就要劳动捆绑手了,看你如何招架。元帅道:“若依军法,还该得罪王亲大人,姑念雨雪阻隔,本帅从宽不较。”即呼统制孟定国,速将征衣散给军中。孟将军得令,正要动身,范、杨二人摇首暗道:不好了!不好了!只见狄爷打拱告道:“元帅且慢。”元帅道:“却是为何?”狄爷道:“征衣已失,无从给散了。”元帅听罢,喝道:“胡说!”狄青道:“征衣果然尽失了。”杨元帅登时大怒,案基一拍,喝道:“你既管解三十万征衣,因何不小心,想是偷安懒怠。御标军衣,岂容失却,不只欺君,且藐视本帅了。”喝令捆绑手,卸他盔甲,辕门斩首正罪。两旁一声答应,刀斧手上前参报过元帅,如狼似虎,上前要动手捆绑钦差。

这狄青两手东西拦开,叫声:“元帅,小将虽然失去征衣有罪,还有功劳,可以抵偿。”元帅只做不闻。范爷接言道:“元帅,狄钦差既言有功抵罪,何不问他明白,什么功劳可抵此重罪?待他可抵则准抵,不可抵再正军法不晚。”元帅将范爷、杨青一看,暗暗道:你二人说查点过征衣,一一无差,明是代他搪塞,如今还要多言插嘴。范、杨只做不知。狄青却道:“若说失了征衣,小将理该正法,但元帅的罪名,却也难免。如若要执斩小将,元帅理该一同正法。今独斩我一人,小将岂是畏死之徒!元帅乃贪生之辈,没奈何将大罪卸在小将身上,只恐圣上知其情由,凭你位隆势重,天波府内之人,也要正罪的。”元帅闻言,心中着实怒恼,案基一拍,喝道:“你失去军衣,难以卸罪,故欲牵连本帅。”吩咐捆绑起来,不用多言。刀斧手应声上前。杨青问道:“你的征衣,在哪处地方失去的?”元帅道:“不要管他哪个地方失去。”杨青道:“元帅身当天下攘寇之任,附近各处军民,皆为元帅所属,失了征衣,元帅有失察捕盗之罪。况这磨盘山离关不过一百里程途,你既为各路督捕元戎,怎可不问?缘何日久纵容,强盗竟敢来打劫征衣,这是杨元帅失捕近处强盗,比之狄青失征衣之罪,加倍重大了。”狄青听杨青如此说,便道:“小将在元帅关内地方失去征衣,理该元帅赔补,如何反将小将屈杀,军法上全无此理。待吾与你回朝面见天子,情理上看谁是谁非。你今不过势大相欺,小将乃一烈烈丈夫,岂惧你存私立法的。”范爷听了暗言道:此语却是有理有窍的正论,只怕元帅难以答话,便接口道:“你失去征衣,罪该万死,还来顶撞元帅么?吾且问你,将功抵罪,有什么功劳于此?”狄青道:“收除西戎首寇赞天王、子牙猜,不是战功么?”元帅喝道:“胡说!现有李成父子,射死赞天王,刀伤子牙猜,你擅敢冒认么?不须多说,捆绑手速将解官拿下正法!”狄青冷笑一声道:“杨宗保,你真要害我么!也罢,由你便了。”当即卸下盔甲,脱去征袍,刀斧手将狄青紧紧捆绑。

旁边礼部范爷,怒气满胸,打虎将气塞喉咙,狄青厉声大骂道:“杨宗保,吾明知你受了朝中大奸臣买嘱,串通了磨盘山强盗,劫去征衣,抹过本官战功,忘却无佞府三字,归附奸臣,辜负圣上洪恩,你虽生臭名万代,吾虽死百世流芳。”这几句话,骂得杨宗保几乎气倒帅堂,二目圆睁,骂道:“大胆狄青,敢将本帅屈枉痛骂,速速将他推出辕门斩首!”狄青道:“且住!若要斩我,须将赞天王、子牙猜首级,拿来还我,便由你杀。”元帅道:“你有什么首级拿来,向本帅讨取。”狄青道:“交与焦廷贵拿来,已经你辕门号令,怎说没有?”杨元帅听了,顿觉惊骇,心中有几分明白,忙问左右道:“焦先锋可曾回关?”众将道:“启禀元帅,焦先锋尚未回关。”范爷听了,只是冷笑,杨青道:“既然狄王亲交首级于焦廷贵,须向他讨还,方得分明此事。”正说之间,偶见地下一书,拾起一看,上面写着:“长孙儿宗保展观。”杨青微笑道:“元戎的家书到了。”此书乃是狄青卸甲解袍时跌落下来。

当时杨元帅心中明白,哪里按捺得定,只得立起,一手还拿尚方宝剑,一手接过家书一瞧,乃祖母来的家书,只因在帅堂上,不便拆了观看,且收藏袖中。明知祖母要包庇狄青,一把尚方宝剑,发又发不出,放又放不下,正有些事在两难,便对范爷道:“礼部大人,狄青说焦廷贵拿回两颗首级,不知是真是假,须问焦廷贵才知明白,你道如何?"范仲淹听了,冷笑道:"狄钦差过却限期,罪之一也;失去征衣,罪之二也;冒功抵罪,罪之三也;辱骂元帅,罪之四也。将他处斩还太轻,理该碎尸,立正军法。"这几句言词,说得元帅脸色无光,只得转向西边,呼问杨青道:"狄青失去征衣,原该正罪,但有此大功,可以抵偿,须待焦廷贵回关,方能明白。不知老将军怎样主裁?"杨青道:"死生之权,全在元帅手中,缘何动问起小将来了?倘我劝谏不要斩他,又赔补不起征衣,此事牵连重大。我实不敢担当。"杨元帅满脸通红,只得吩咐刀斧手推转狄青,问道:"狄青你既能收除了赞天王、子牙猜,可将其情由细细言明。"狄青带怒,大呼道:"杨宗保你且听着!"遂将在磨盘山失征衣后,往大狼山杀了二将,交首级于焦廷贵,先回关中报知情由,一一说明。又道:"我立此战功,可以抵偿失征衣之罪,你今贪冒我大功,害我一命,却是何故?"元帅闻言,心中不安,杨青笑道:"妙!妙!两颗人头,三人的功劳,这官司打起来,着实好看。"元帅即吩咐传进李成父子,二人闻命,齐来进见元帅,只因官卑职小,自然该当跪下。父跪东,子跪西,启道:"卑职李成、李岱,谢帅爷赐宴。"元帅问道:"李成、李岱,这赞天王、子牙猜二将,乃狄青箭射刀伤的,你父子二人为何冒认了他的功劳,该当何罪?"李成见问,惊吓不小,李岱更是慌张无措。李成心想:只道功劳是焦廷贵的,故立心冒认,希图富贵,岂知乃狄王亲功劳。也罢,事已至此,木已成舟,便抵罪不招,要冒到底了。便道:"元帅,实是卑职射杀赞天王,儿子刀伤子牙猜,岂敢冒别人之功,以欺元帅?"元帅道:"狄青,那李成、李岱现在这里,你且与他对质。"狄青道:"既捆绑了本官,杀之何难,何必多言!"元帅吩咐放了捆绑,觉得面无光彩,尚方宝剑只得放下。

不知后事如何,且看下回分解。

第三十五回

帅堂上小奸丧胆　山洞中莽将呼援

当时杨元帅收回尚方宝剑，呼问："李成、李岱，狄王亲在此，你与他对质分明。"李成道："是卑职父子功劳，不消对质了。"元帅又唤狄青道："狄青，若是你的功劳，为何并无一言，与他对话？"狄青道："李成父子是何等之人，叫吾堂堂一品，青衣秃首，与他讲话！"杨元帅又吩咐左右还他盔甲。狄青穿好盔甲，怒目横眉，大言道："拿首级回关者，乃焦廷贵，若要弄明此事，须待焦廷贵回关，本官与这李成父子对质，总是无用。"范爷听了点头言道："钦差大人，如何与冒功的犯人理论，也失了帅堂之威。"杨将军喝道："将李成父子拿下！"左右刀斧手，答应一声，顿时将李成父子拿下，可笑他二人一念之贪，遂至弄巧成拙。元帅即差孟定国，将李成父子看守，又拔令唤沈达，速往五云汛确查，十三日晚间可有赞天王、子牙猜二人，酒醉踏雪私行。沈达得令，快马加鞭而去。再令精细兵丁查访焦先锋去处。又对范仲淹、杨青道："二位大人，且与狄钦差做个保人。"范、杨二人道："事关重大，保人难做。"元帅道："且做何妨？"言未已，也觉得面目无光，即退下帅堂，进里厢去了。

当时失去征衣的事情，却抛在一边，重在冒功之事，只等焦廷贵回关，就得明白。范仲淹见元帅退堂，笑道："元帅方才怒气冲冲，只怪狄王亲，却因理上颇偏，又有佘太君家书一封，要杀要斩，竟难下手。"杨青道："方才险些儿气坏我老人家，我观王亲大人，像一位奇男子，说得烈烈铮铮，才思敏捷，只待焦莽夫回来，自有公论。且先到我衙中叙话如何？"狄青道："多谢老将军。"杨青又道："范大人同往何如？"范爷应允，三人同往。这时关中众文武官员，你一言我一语，喧哗谈论，不关正传，毋容多表。

却说孟定国奉了元帅将令，收管李成父子，上了锁具。李岱叫道："爹爹，太太平平，安安逸逸，做个小武官，岂不逍遥，因何自寻烦恼？痴心妄想，今日大祸临身，皆由不安天命。"李成叹道："我儿，这件事情，都是焦廷贵不好，狄钦差功劳，他说是自己之功劳，若说明钦差狄青的战功，我也决不将他弄死,也不敢冒认此功了。”李岱道:“爹爹,明日追究,招也要死,不招也要死,如何是好?”李成道:“我儿,抵挡一顿夹棍,即便夹断两腿,也招不得的。”

不言李成父子着急,且表元帅进至帅府内堂,拆展祖母来书,从头看完,想道:若是狄青过了几天限期,孙儿敢不从命周全,奈征衣尽失,罪难姑宽,连及孙儿,也有失于捕盗之罪。如若狄青果有战功,还可将功消罪,但不知焦廷贵哪里去了,想来定是李成父子希图富贵,谋害焦廷贵,混拿了首级,到来冒功的。倘焦廷贵果遭陷害,这件公案怎生结局?是夜元帅闷闷不乐,也且慢表。

再说副将沈达,奉了元帅将令,带了数十名兵丁,向五云汛而来。焦廷贵一夜昏沉,躺在山洞中,若讲水涧,差不多有二丈深,李成将他抛下去,跌也要跌死了,虽然跌不死,天寒大雪,也要冻死了。只为李成父子走得慌忙,连铁棍一同抛下,恰恰搭在洞旁的丛树上,竟是上不着天,下不着地。一夜好睡,已是天明,药力已醒,焦廷贵却忘了昨夜事,手足一伸,大呼:“不好了!哪个狗党,将吾身子捆绑了?哪个狗王八,要我焦老爷性命!”两手一伸,断了绳索,又将腿上麻绳解下,周围一看,说:“不好了,此方黑暗暗,是什么所在?”又细细想道:昨天要打闷棍,打不着。后同狄钦差往大狼山,一套戏法,射死了赞天王,弄死了子牙猜,番兵大队杀来,自己挑了两颗人头,往三关讨救兵,打从汛上过,有李守备请吃酒,怎吃到这个所在来?是了!定然吃醉而回,却被歹人盗劫了东西,捆绑身躯,抛在山涧里了。想到此处,想往上爬,却是几次爬不到岸上,离岸有二丈多远,难以爬上。山高广大,人迹稀少,直到下午时分,方得一樵子经过,只闻山涧中有人叫道:“救人哪!我焦老爷要归天了。”那樵夫住步,四下一瞧,道:“奇了!何处声声喊救?”不觉行至涧旁,原来跌下一人,又闻他喊道:“上面那人,拉了焦老爷上来,妙过买乌龟放生。”樵子道:“你是将烧焦的老人么?”焦廷贵喝声:“大胆的戎囊!吾乃三关焦将军,哪个不闻我的大名,岂是烧焦的老人!”樵夫笑道:“原来是三关上的焦黑将军,多多有罪了。”焦廷贵又道:“我不过面貌黑色,岂是煨老焦黑的么?不必多言,快些拉我起来,到衙中吃酒。”樵夫听罢,笑道:“原来是个酒徒!”即将绳索放下,焦廷贵两手挽住麻绳,双足蹬着铁棍,幸喜这樵夫气力很大,两手一提,把他吊将起来,大呼道:“像死尸一般的沉重。”焦廷贵上得来,喝道:

“不怕得罪我焦将军么?”樵子道:“焦将军,你方才言请我吃酒,休要失信。”焦廷贵道:“你要吃酒,这有何难,且随我来。”樵夫道:“焦将军往哪里去?”焦廷贵道:“且到李守备衙中,即有酒吃了。”樵夫道:“我不去的。”焦廷贵道:“何以不往?”樵夫道:“李守备那个儿子李岱,前月来吾家中强奸我妻,被我取一缸尿撒去,他方才奔去了。我今若到他街中,此人岂不记恨前情,定然要报雪此恨了。”焦廷贵道:“如此说来,你一定不去,那么焦将军一人去了。”说罢,踩开脚步,奔走如飞,樵夫见了,发笑不已。

不谈樵夫走去,书接前文,莽汉又来到守备衙中,高声呼喊,有管门的王龙出来一看,道:“焦将军,昨夜哪里去了,为何今日又来?”焦廷贵喝道:“来不得的么!快唤这两个官儿来见我!”王龙道:“两位老爷出外去了。”焦廷贵喝道:“狗奴才,无非怕我又要吃酒,虚言相哄。我今不吃酒,只要用膳了。”大步已踏到里边来,当中坐下,双手拍案,喧声大振,呼道:“李成、李岱在哪里?”府内仆人免不得禀知沈氏奶奶,奶奶闻言,吃惊不小,说道:“不好了!焦廷贵不死,即死他父子了。”只得吩咐备酒饭出去。奶奶思量要下些毒药,怎奈日间耳目众多,反为不美。

不表沈氏心如火焚,却言副将沈达,一路上查问,没有踪迹,只因李成说是初更已尽的事情,是以汛地众百姓军民都说不知。一程又到守备行中,查问众兵役,也说不知。只有守门王龙猜着,定然老爷害了焦廷贵,拿了人头,往三关上献功,这是胆大如天的行为。如若焦廷贵死了,倒也不妨,今焦廷贵现在,老爷公子俱有伤身之祸了。

慢说王龙自语自惊,且说那沈将军到守备衙中,进府堂内,见了焦廷贵,不觉又惊又喜,呼道:“焦将军,你吃酒好有兴,还不快些回关去!”焦廷贵一见笑道:“沈将军,因何你也到此处来?”沈达为人最是仔细,想事关重大,只有在元帅跟前方好说明,若在此处说知,倘被他癫性发作,恶狠狠弄出不好看来,不若暂瞒了这狂莽酒徒为妙,便道:“焦廷贵,元帅差你催取军衣,到底军衣到否?狄钦差在哪里?为何你也违将令,耽搁限期?”焦廷贵道:“沈将军,不要说起,我昨夜酒醉,跌下山涧,险些儿冻死,还顾得什么征衣、军令的鸟娘!”沈达道:“元帅只因你违误军令,大为发怒,差我来抓你回去,如若延迟,取下首级回关。”焦廷贵道:“延迟些即取首级回去,不好了!丢了首级,用什么东西吃饭?速速走吧!”沈达道:“马在哪里?”焦廷贵道:“失掉了,铁棍也跌下山涧了。”沈达道:“不中用的东西!”焦廷贵道:“若是中用的,不在山洞中过夜了。”

慢表沈达带着兵丁、焦廷贵一同回关,且说李守备府中王龙,当日受惊不小,只悄悄到三关打听消息去了。沈氏在内堂倍加着急,呼天叫地,只愿父子平安无事回来便好。但想此事,原是老爷欠主张,及早杀了焦莽夫,方克后患,因何将他活活地抛在山涧里,岂料他偏偏不死,又得回关,如今凶多吉少,如何是好?免不得父子同归刀下而亡。

不表沈氏心中惊骇,且说焦廷贵、沈达二人,马不停蹄,到得关来,已有二更,潼关已紧闭下锁。沈达只得邀他到自己衙中,吩咐摆酒,二人双双对饮。半酣之间,沈达说道:“焦将军,如今此事要动问你了。”焦廷贵道:“沈老爷,诘问我什么事?”沈达道:“元帅差你催赶军衣,因何一去不回,反在山涧中过夜?又在守备衙中吃酒,是何缘故?”焦廷贵道:“沈老爷不要说起,我焦廷贵真乃倒运。”即将来去情形,细细说明。沈达听了点首明白,又将李成父子冒功之事,细细说知,焦廷贵怒气直冲,咆哮如雷,叫道:“沈老爷,我原想怎生在山涧中过夜,原是李成父子将我弄醉,抛在山洞里,拿了人头去冒功的,可恼!可恼!这还了得!待我连夜回去,将他狗男畜女,大大小小,齐齐杀尽,尚出不得我之气愤也。”沈达道:“焦将军去不得的。”焦廷贵道:“有什么去不得的?只消吾两足飞去,明天一早就到汛上了。”沈达道:“不然,那李成父子,已经拿下,你今不知,只要你回来质询明白,李成、李岱的性命即难保了,何劳你去杀他,是是非非,总在明天了。”焦廷贵道:“沈老爷,待我先往他家杀个痛快,留下李成、李岱!难道还没有凭证么?”沈达道:“军中自有一定之法,他虽有罪,但罪不及于妻孥①。你若不奉军令擅自杀人,岂得无罪!断然动不得,不可造次。”焦廷贵道:“实在气愤他不过,既沈老爷如此说,便宜了这班奸党了。”沈达道:“焦将军,明日元帅审问起来,你怎生对待他?”焦廷贵道:“吾只说狄王亲一弄戏法,斩杀赞天王、子牙猜,我代他挑了首级,道经五云汛,被李成父子用酒灌醉绑了,抛下山涧,拿了首级,前来冒认功劳,你道是否?”

不知沈达如何答话,且看下回分解。

---

① 妻孥(nú)——妻子和儿女。

第三十六回

莽先锋质证冒功　刁守备强词夺理

当下焦廷贵道:"沈老爷,小将明日证他冒功,管教李成父子,头儿滚下来。"沈达道:"不忧他头儿不滚下来。"

是夜不表,第二天太阳东升,辕门炮鼓响呜,文武官员穿袍披甲,兵丁刀斧如银明亮,杨元帅升了中军公位,身穿大红锦袍,背插绣龙旗八面,腰围宝带赤金绦,头上朝阳金盔戴起,双足战靴蹬踏,真乃浩气腾腾,威风凛凛,是宋朝一位保国功勋。左位有范礼部,右座有陕西杨老将军,文官袍服分班立,武将戎装序次排。

狄青上帐见礼毕,即于范仲淹肩下就座。昨天要正军法斩首,今天元帅却命人设了座位,实乃元帅心中明白李成父子冒认战功。当有沈达上帐缴令道:"启禀元帅,昨天奉令往五云汛上细细确查,据众军民说,夜深人静,并不知有无其事。但焦廷贵拿了两颗人头,道经五云汛上,被李成父子,灌得大醉,捆绑身躯,抛于山涧中一夜,直至昨天午牌时分,方得一樵夫将他救起,如今在辕门候令。"元帅道:"果有此事,李成父子冒功无疑了。"吩咐孟定国抓李成、李岱到来。孟将军奉令,展出虎威,抓拿到二犯,拜倒在地。父子不啻磕头虫一般,叫道:"元帅开恩,卑职父子实乃有功之人。"元帅大喝道:"该死的狗官,本帅已经差查明白,五云汛上并没有赞天王、子牙猜二人酒醉夜出之事,你敢无中生有,妄捏虚言,冒认功劳么?"李成道:"元帅,其时只为更深夜静,汛上军民均已熟睡,故无人得知。"元帅喝道:"佞口的狗奴才,本帅且问你,因甚用酒弄醉焦先锋,捆绑抛于涧中?一心希图富贵,将人陷害,取了首级来冒功,忍心害理,畜类不如。"

李成父子闻言,吃惊不小,好比头颅上打个大霹雳。李岱想:这件事情,料难抵赖,不如招了,免得夹棍之苦。哪晓得李成立定主见,抵死不招,李岱无奈,只得随着父亲抵赖。李成只管向着元帅连连磕头,呼叫不已,只说:"并不曾将焦先锋灌醉,抛下山洞中,岂敢在元帅台前,欺心谎语。上有青天，下有地抵，焉敢将人谋害？”元帅闻言大怒，喝令传进焦廷贵，焦廷贵一进帅堂，怒气冲冲，将李成父子踢打不已，大骂道：“好大胆的乌龟李成、狗王八李岱，将我弄得大醉，捆绑了抛下山涧，害得我几乎冻死。可恼你等丧尽良心，处死你两个狗畜类，也难消我气愤。”父子二人呼叫不已，说道：“焦将军，卑职父子没有此事，怎敢斗胆陷害焦将军，拿首级来冒功？焦将军休得枉屈了人，卑职父子哪有此事。”焦廷贵大怒，喝道：“狗官，还说枉屈你么？好畜类！”说罢，靴尖踢打不已，父子二人呼叫将军，不住讨饶。范爷喝道：“帅堂之上，不许喧哗，焦廷贵休得啰唣，失了军规。”杨元帅问焦廷贵道：“本帅差你催赶狄钦差征衣，为何反往五云汛而去？李成父子怎生将你弄醉？且细细说与本帅得知。”这焦廷贵乃一直性莽汉，从奉令来到军营，先遇李义，而又寻得狄青，直说到曾生心图谋狄青龙马。焦廷贵乃一直性莽英雄，从来说话，有一句说一句，即做强盗乌龟，也要说个明明白白，藏闭不住。元帅道：“蠢匹夫，身为将士，立此歪心，真是个鄙陋小人。”焦廷贵道：“元帅，有些缘故。当时见此马乃是一匹异色龙驹，意欲做个打闷棍人，抢了这匹龙驹回来，送与元帅乘坐。”元帅喝道：“该死的蠢匹夫！”拍案大骂。两旁齐声喝住。焦廷贵慌忙打拱，又说闷棍不进，相助得功，道经五云汛，腹中饥了，只得进守备衙中讨膳一饱，不想被他父子弄醉，捆绑身躯，抛在山涧中，几乎冻死。元帅听了，冷笑一声，喝道：“李成、李岱，焦先锋说的有凭有据，你们还不招认冒功么？”李成道：“元帅，这些虚言，何足为据，实乃卑职箭杀赞天王，儿子刀伤子牙猜，现有两颗首级为凭。若是狄钦差之功劳，何故并无首级？卑职现有首级为凭，倒是假的？狄王亲没有首级可据，倒是真的？只求元帅将卑职父子，与狄王亲焦将军狠夹起来，便分真假了。”

焦廷贵听了怒气冲冲，抢上一步，喝道：“胆大狗畜生，首级被你盗去，自然没有凭证。”然后叫道：“元帅，不必问长问短，快将两个狗官正法便了。”元帅道：“李成，既是你父子功劳，可晓得赞天王、子牙猜头上戴的什么盔，身上穿什么战袍？须说得对准，才可以算你的功劳。”李成想来，须要说得情形相配才好；又想焦廷贵只有两颗光光人头，没有盔甲，若说酒醉踏雪，决无有盔甲在身的，便道：“元帅！这赞天王头戴狐皮帽，身穿大红袍，子牙猜身穿元色皂袍，头上红折巾。”李成说未完，焦廷贵高声大喝道：“该死的狗囊！什么狐皮帽子，明明胡说八道！”伸手向胸囊中取出两个踏扁头盔呼道:“元帅！这是赞天王的头盔,这是子牙猜的头盔,无意中带藏在此。人都说我痴呆,今日也不算痴呆了。”李成想道:若我知你有踏扁头盔藏在怀内,早已拿出来了。元帅道:“李成,如今还有何话说?”李成道:“元帅,不知道焦将军哪里寻来此盔,搪塞元帅。揆情度理①,实乃钦差失去征衣,故意买嘱焦将军为硬证,冒着功劳,欺瞒元帅的。”范爷道:“李成,本部且问你,二贼既有首级被你父子乘其不备所杀,岂无身体的？倘二贼身体尚在,你父子找寻得来,也算你们之功。”范爷说话也诘得透,李成辩答也辩得妙,他道:“他二人,原有四个随从同走,已将身体抢回去了。”范爷道:“他马匹何在?”李成道:“他是雪夜步行,哪有马匹?”狄爷听了,不觉微笑,叹道:“辩得清楚,好个伶牙俐齿的恶贼!”

帅堂之上,正在审诘,未得分明,忽有军士报道:“启上元帅爷,今有八卦山伍须丰,会同大小孟洋,统领三十万兵,将四城围困,要与钦差狄大人会战,要报赞天王、子牙猜之仇,十分猖獗,请元帅爷定夺。”元帅打发报军去后,想道:西兵卷地而来,我也曾会敌过红须三眼将,身高丈余,十分凶勇,在八卦山屯扎,与赞天王大狼山相隔一百二十里,两边列成掎角之势,实称劲敌。今天尽起雄师而来,想因狄青杀了他二员猛将之故。当下便道:“李成,若果然是你父子二人功劳,为什么贼将伍须丰反不与你父子寻仇,偏偏要狄钦差会战?”李成道:“元帅,这个缘故卑职却不晓得,那段功劳确是我父子的。”元帅喝道:“佞口贼！到此仍不招认么?”忽又报:“元帅爷,西兵攻打四关甚急,请令定夺。”狄青听了,起立道:“元帅,既是西寇猖狂,待小将出马,借元帅之威,以立寸功。”元帅正要开言,焦廷贵道:“且慢！你的仙法奇巧,但如今用你不着。元帅,李成父子既能收除赞天王、子牙猜,叫他二人出马,与西戎对垒,倘然退得敌兵,便算他功劳,倘杀败了,是个无能之辈,休想此段功劳。未知元帅意下如何?”

且说那焦廷贵虽然鲁莽,却有些见识,倘他父子出敌,必被西戎一刀一个,岂不省了多少麻烦？元帅却道:“匹夫说来,乃不知进退之见,倘或李成父子杀敌不成,必被番兵冲进关中,谁敢担此干系?”焦廷贵道:“不妨,倘他父子出敌,使小将随后掠阵,不许西兵冲进关来。”范爷道:“焦廷贵的话也有三分道理,如若狄钦差在大狼山收除了赞天王、子牙猜,这大

---

① 揆(kuí)情度理——按照情和理估量。

小孟洋，定然认识。他见了李成父子，自然说不是狄钦差，仍要觅他交战的。果然西戎两将，在五云汛被他父子所伤，大小孟洋定然有说，那时真假可分。”焦廷贵道：“我愿往做个见证。”杨青笑道：“范大人之言不差。”元帅听了点首，即差李成、李岱，领兵出敌。父子二人闻令，吓得胆战心惊，叩求元帅免差。元帅道：“你父子身居武职，必为朝廷出力，且沙场对敌，乃武将之职，何得推诿？”李成恳告道：“卑职父子虽云武职，只好查诘奸民，若要打仗交锋，实在弄不来的。”元帅喝道：“身为武员，如何畏惧对垒交锋，许多将士，谁敢违我号令，你敢不遵将令么？”焦廷贵又喝：“狗囊子，做了武官，全仗交锋对敌之劳，若你这般贪生畏死，朝廷何用养军蓄将？倘不遵将令，定要吃刀，你若杀不过敌人，自有我在此帮助的。”父子听了无奈，只得领了将令，道：“元帅，卑职父子出关去便了。”当下给他盔甲马匹，父子二人手持抵敌兵器，带兵一万而出。焦廷贵在其后面，远远跟随。李成对李岱道：“再不想冒功冒出这般事来，今日可以死得成了。”李岱道：“爹爹，好好地守着汛地上，吃的现成俸禄，逍遥自在，岂不是好？只为贪富贵高官，拿了头来冒功，连膝盖儿也跪得痛破了，不想仍要死的。”

慢说父子一路出关，懊悔不已，这时关内狄爷起位道：“元帅，我想李成父子，岂是西戎对手，不若令小将出马，帮助抵敌如何？”元帅道：“伍须丰也是西戎一名头等上将，身为贼帅，本领不弱于赞天王、子牙猜二人，既你要出，必须小心。”狄爷口称领令，元帅复唤道：“狄王爷，须带多少军马，乃可退敌？”狄爷道：“须得二万兵丁，方才李成一万，共成三万尽够了。”当时元帅打发二万锐兵，与狄爷出关接应，杨青老将，同孟定国、沈达等，也带兵一万随后，另有一班武将，不须细述。炮响连天，冲关而出，杨元帅与范仲淹登城观看。

却说炮响一声，关门大开，李成父子心惊魄散。那李成提枪不起，李岱伏于马鞍，一万精兵，纷纷涌出关来。只见西戎兵将排成阵势，倒海推山一般，剑戟如林，西夏国大元帅伍须丰坐下花斑豹，手持铜铁金鞭，足长丈余，两目光辉灿灿，在阵前讨战。

不知李成父子如何迎敌，三关如何解围，且看下回分解。

第三十七回

守备无能军前出丑　钦差有术马上立功

却说西戎主帅伍须丰,列开阵势,左有大孟洋,右有小孟洋,三十万兵,旌旗密布,器械森严。李成父子未到阵前,惊慌无措,几乎坠于马下,枪刀早已落下尘埃。伍须丰一马飞出,大喝道:“宋将何名,为何如此惊惧,莫非不是狄青么?本帅金鞭之下,不死无名之将,快些通下名来,好送你的狗命。”金鞭高举,吓得父子二人伏倒马鞍之上,叩首不已,连连哀求道:“伍大元帅,我名李成,现为守备微员,原无计谋力量,无奈勉强临阵,望元帅饶吾一命,永沾大恩。”伍须丰听了,不觉发笑道:“杨宗保气数已绝,打发这样东西出阵,也罢,饶你狗命!”李成道:“多谢伍元帅。”伍须丰又喝道:“马上倒伏的,要死还要活!”李岱道:“恳乞元帅切勿动手,对吾开恩,吾名李岱,是五云汛的千总官儿,从来不会相争相杀的。”伍须丰道:“你既不会上阵交锋,到来阵中何故?”李岱道:“伍元帅,此是奉杨元帅所差,只因军令难违,无奈出阵,只求元帅开恩,留吾蚁命。”伏在马鞍,叩头不已。伍须丰道:“果然不济,又是个没用的东西!杨宗保这般倒运,只打发此等废物来何用?本帅金鞭之下,只打有名上将,今日取了你小卒性命,岂不污了我的金鞭,饶你去吧!”李岱道:“谢元帅大恩。”父子得命,暗暗心喜,焦廷贵一见,怒气冲冲,大喝道:“两个狗官,为何如此畏死贪生,倒灭了我元帅之威。”李氏父子也不回话,只转身而回。焦廷贵只恐二人逃走,上前一手捞了一人,拿翻下马,交付与孟定国收管,复又带兵一万出关。

这边伍须丰带领众将兵,正待冲杀进关,早有焦廷贵率兵涌出,狄爷又带领二万铁甲军,金刀耀日,一齐飞出拦阻。狄爷高声大喝道:“反贼奴,你是何人?且通报姓名来。”伍须丰道:“吾乃西夏国赵王驾下,灭宋元帅伍须丰是也!你这无名小卒,可是狄青么,且报上名来,好送你归阴。”狄青喝道:“反贼奴,既知本官名望,还不倒戈投降,献上首级,且看刀!”言未了,金刀砍去,伍须丰一闪,金鞭复又打来,狄爷还刀急架,拦腰复斩。二员虎将，大战沙场，西夏兵刀斧交加，宋将喝令数万雄师奋勇齐上，西兵势倒，各自退后，自相践踏，死者甚多。

且说狄青与伍须丰连人马相比，狄青还短四尺，交锋时，伍须丰低头，狄青仰面，所以金刀发动，只好在腰膊左右。伍须丰的力量强猛，狄青不过以刀法抵挡，冲锋十余合，觉得抵挡不住，只得一马退后半箭，取出人面金牌戴上，念声无量寿佛，只听得半空中雷声鸣响，金光一闪，伍须丰一马正在追去，忽然金鞭跌地，目定口呆，直僵僵地跌下马来，八窍流红，只为他多生一目，故是八窍流血。焦廷贵一旁看见，早已飞步抢来，将他砍为两段。大小孟洋，怒气塞胸，一持大斧，一提长枪，大喝一声，飞马奔来。狄青法宝尚未收回，连念无量寿佛，金光闪闪，雷声大起，二番将翻身跌下尘埃，七窍流血。焦廷贵仍复割下首级二颗，共为一束。笑道："果是妙妙仙戏！"那三十万番兵，见主将已死，吓得四散奔逃，却被宋兵奋勇追杀，尸横遍野，血流成河。只逃走脱了数万残兵，跑回八卦山，与在山的数万兵卒同回西羌而去。

这里狄青收回法宝，焦廷贵大悦，拿了三颗首级，抛掷空中又接回，大呼："狄王亲好戏法也。"狄青意欲带兵杀上大狼山，剿除番营，因天色已晚，只得收兵回关。杨元帅喜气洋洋，与范礼部、杨老将军齐步出关。迎接进去。四人见礼，坐了帅堂，狄青刀马自有小兵牵抬去了。元帅道："狄王亲如此英年神武，今复尽除了敌寇，立此大功，本帅有何颜面执此兵权，居此重位？当即告归，托付王亲。"狄青道："小将哪里敢当，元帅重言谬奖了。"焦廷贵提了三颗人头叫道："元帅，好一段戏文！杀了三名番将，真是仙戏。"元帅喝道："匹夫，休得戏言。"吩咐拿出辕门号令。

且说狄青到关已有两天，缘何张忠、李义与三千军马并不提及，原来昨天狄青性命尚且不保，故未对元帅说明，他一到了，即交归关内大营，张、李二人守候狄钦差回旨，故略按下。当日元帅又道："狄王亲立此大功，实为可敬。"狄青道："小将罪重如山，还望元帅大度包容，小将即感恩不尽了。"元帅吩咐排宴庆功，并犒赏大小三军众将，令沈达将被杀贼兵尸首，觅地掩埋，未死的马匹及器械一一收管。又将众将功劳，一一记录毕，另行升赏。又传孟定国道："李成、李岱何在？"孟将军禀道："小将收管在此。"元帅吩咐即速带来，孟将军领命，即拘李成父子至帅堂，双双跪在尘埃，父子二人齐呼道："元帅，卑职是有功之人，如今不望荣华，只求元帅爷开恩复职，父子便深沾大恩了。”元帅大怒，拍案骂道：“丧心毒贼！只为贪图富贵，便忍心伤人，如此心毒意狠，真乃畜类不如。”李成道：“元帅，这功劳实乃卑职父子的。”焦廷贵喝道：“万死的狗王八！差你出敌伍须丰，为什么一见番将，叩头不已，辱没了元帅的威名，可恶的狗官！”李成道：“元帅，卑职原已说过，并不会出征相杀的。”

当下元帅喝令，将李成父子捆绑起来，推出辕门枭首，正了军法。父子二人求元帅开恩，休要屈抹父子功劳，元帅喝道：“死在目前，还要强辩冒功么？”捆绑手将父子二人，剥去衣服帽子，刀斧手提起大刀，推出辕门，一声炮响，两颗人头落地，高挂辕门上号令，尸骸抛弃于荒野之外。李成衙中守门兵王龙，上日急赶至三关，不分日夜，在附近打听，方知杨元帅将父子二人一同正法。他即日如飞赶回，次日方到衙中，进内报知沈氏奶奶，沈氏闻得此言，魂飞魄散，痛哭凄凄，咬牙切齿，深恨杨宗保，发誓道：“若不雪冤，不算我手段。”即日将父子的尸骸暗暗收埋，又收拾好细软物件，带了二名女仆，与王龙径回东京，与哥哥西台御史沈国清商量报仇，又是一番重大波澜，也且慢表。

却说杨元帅是日大设筵席，庆贺大功，犒赏众将士兵丁。心爱小英雄，欢叙闲言谈论国家政务，狄爷对答如流，范爷、杨将军也是大悦。四人你言我论，甚觉投机。元帅又道：“失去征衣，如何上本奏明圣上？”狄青道：“元帅，今日西夏贼兵虽退，但大狼山余寇未尽，且待明天，小将领兵前往，借着元帅虎威，或能尽除余寇，夺回征衣，也未可知。望祈元帅本上周全些小将之罪，便深感元帅用情之德了。”元帅道：“如若夺得回征衣，免了众兵丁寒苦，本帅即行上本奏知圣上，抹去过失，只将狄王亲大功陈奏，请旨荐你执掌印令兵符，守保此关，本帅可以告退了。”狄青道：“元帅休出此言，小将乃初仕王家的晚辈，全无才德，怎敢当此万钧重任？况有误失军衣重罪，只可将功消罪，元帅过奖，反使小将赧颜①。”元帅道：“王亲少年具此英略，本帅足以放心，重托边疆重任。我领守此关，已将三十载，军务太烦，自思年迈，反不如英年精锐。如今交此任于王亲，我回京可奉年老萱亲，年高祖母，安度春秋，以终天年。”范、杨二人道：“元帅主意已定，王亲休得推辞，有此大功为帅，何言赧颜？”言谈已毕，各归营帐。

---

① 赧(nǎn)颜——因害羞而脸红。

次日，元帅呼狄王亲道："如今仍劳你往大狼山剿除余寇，夺回征衣，待本帅备本回朝。"狄青道："元帅，小将如今有事要禀明了。"元帅道："王亲有何酌量？"狄青道："小将有结义兄弟张忠、李义二将带领三千士兵，现在关外。他们本领不弱于小将，令他二人带兵往大狼山，自然夺取征衣而回。"元帅道："王亲既有二将随来，何不早说？"狄爷道："昨天小将性命几乎不保，哪有心绪及此二人？"元帅听了道："昨日错罪王亲，休得见怪。"言罢，拔令向焦廷贵道："本帅着你出关，速传张、李二将，到本帅营中领兵二万，前往征剿大狼山余寇，夺回前失征衣，不得有违。"焦廷贵得令而出，传知关外两弟兄，张忠、李义领了二万雄兵，提了刀枪，杀气冲冲而去。

且说大狼山牛健、牛刚兄弟二人，闻知伍须丰已死，吓得惊慌不定，皆因一时之错，贪了些许金珠，误受孙云之托，劫掠征衣，思害狄钦差，岂知奔投至此，众贼兵尽行消亡。牛健道："谅他们必来讨取征衣，倘他领兵剿除，我辈焉能抵敌？"牛刚闻言冷笑道："哥哥说此没用之言，如被旁人知之，羞赧难当。"牛健道："兄弟，据你之见如何？"牛刚道："有何难处？如今打发喽啰，在山前山后，山左山右埋伏，倘有兵来，四边发箭，他兵一退，即不妨了。"牛健道："能有多少箭，倘放完了，便吃亏了。如劫了别的东西，还是小故，如今劫的征衣，杨元帅怎肯甘休？他兵精粮足，被他经年累月，征剿不休，我山中兵微粮寡，怎与争锋相持？"牛刚道："哥哥，如此怎生算计？"牛健道："我也算计不来的。"牛刚道："罢了，我二人不若即日带兵，到西夏投奔赵元昊，或能博得一官，即可永远安身，未知哥哥意下如何？"牛健道："贤弟，若要做官，还在本邦故土为美。据我之见，弃此大狼山，亲到辕门叩见，送还军衣。想杨元帅乃宽宏大度的英雄，倘不究前非，收录麾下，军前效力，要做小小武员又有何难，想来强如在此落草为盗，终无结局收场。况我又不思九五之尊，无非靠着喽啰在山前打劫小民，既非善行，有日年高老迈，打劫不了，岂非全无结果！我兄弟不如趁此机会，往投三关，倘杨元帅收录了，这是正路行为。"

不知牛刚如何回答，且看下回分解。

第三十八回

思投效强盗送征衣　念亲恩英雄荐姐丈

却说牛刚听了牛健之言，气昂昂道："大哥，你如此胆怯，称什么英雄？既为男子汉，须要敢作敢为，奈何一心畏怯杨宗保，要往投降？"牛健道："贤弟，你休存偏见，听我之言，方是见机。"牛刚道："哥哥，你言无有不依，如要投顺三关，却断不依从，哥哥立意要往，弟亦不敢强留。"牛健道："既然贤弟不愿同往，别有良图，也罢，与你分伙便了。"牛刚道："倒也不差。"当时牛健将在山的喽啰兵，带了三千，尽将征衣装在车辆上，出山而去。余外物件，牛健一些也不取，留与牛刚受用。牛刚道："哥哥此去，须要做个大大的官儿，荣宗显祖，荫子封妻才好。"牛健道："贤弟，你做强盗，也要做得长久称雄方妙。"牛刚笑道："且看谁算的高。"当下牛健吩咐喽啰三千，推押三十万征衣并劫来粮草，一同推下，炮响三声，离山望三关路途而去。牛刚亦不来相送，摇头长叹一声道："哥哥，你缘何如此怯惧杨宗保，劫抢了征衣，又去交还，倘然不允收录于你，那时一命难逃，反吃一刀之苦了。"

书中不表牛刚之言，且说张忠、李义领了元帅将令，带领精兵二万，将近燕子河，只见前面一标军马，直望而来。李义道："二哥，你看前边那支人马哪里来的？"张忠道："此路军马，定然是杀不尽的余寇。"李义道："狄钦差立了大战功，我二人也立一点小小功劳，你道可否？"张忠道："说得有理。"即吩咐军士杀上前去，张忠、李义刀枪并举，雄赳赳地大喝道："杀不尽的反贼，哪里走！"牛健一看，认得是护守征衣的二将，知他们是杨元帅麾下之人，今既去投降，必先向二人下礼，方是进见之机。即马上欠身打拱，口称："二位将军，我不是西夏反徒之党，不必拦阻。"二将道："既不是反徒，莫非强盗么？"牛健道："我原强盗，如今不做强盗了。"张忠道："你是哪方的强盗，今欲何往？"牛健道："二位将军听禀，我本在磨盘山落草。"话未说完，弟兄一齐重重发怒，骂道："狗强盗，劫抢征衣，险些儿使钦差被害，连累及我众将兵，叫关中四十万兵丁俱受冻寒之苦。今日仇敌相遇，断不容饶！"言未已，长枪大刀，齐砍刺来。牛健闪开刀，架过枪，即打拱道："二位将军，请息雷霆之怒，且容小的奉告一言。"张忠、李义道："你有话快些说来！"牛健道："二位将军，且听禀，念小人一时不合，误听孙云的言语唆弄，劫抢征衣，罪该万死，那日劫了上山，悔已不及，恐防连累钦差有罪，原要即日送还到关，不想牛刚兄弟不明，言已误劫征衣，如要送还，料杨元帅执罪不赦，不如献上大狼山。是日我心慌意乱，见事不明，就依了他。即晚放火烧山，投奔大狼山，献于赞天王，给赏众军。岂知西夏士兵所穿的都是皮袄毛衣，与我中国征衣有天渊之隔，和暖各异，故征衣原装不动。我今连劫来粮草，送还元帅，立志归投效力，伏望将军引见元帅。"张忠道："你唤何名？"牛健道："小的名叫牛健。"李义道："还有一人在哪里？"牛健心想：若说在大狼山，他二人必是寻牛刚去了，因道："他与我已经分散，不知去向了。"张忠喝道："胡说，想你们已经投顺赞天王，即为敌国反寇，今将征衣为由，其中定有计谋，莫不是差你来作奸细，探听消息不成？"言罢，大刀砍去。李义长枪又刺。牛健是有心投顺，故仍不敢动手，几次架开刀枪，呼道："二位将军，小人实有投顺之心，望勿动疑！"张、李道："你既有投降之心，且立下誓来，方准你来投降。"牛健开言道："天地昭然共听，我牛健立心投降杨元帅麾下效力，若有丝毫歹意，口是心非，上遭神明责谴，在阵过刀而亡！"张忠、李义原是直性英雄，见他立下重咒，即放下刀枪言道："我二人留些情面，但做不得主张，且带你回关，候杨元帅定夺。如若元帅允准收留，是你的造化。倘然不准投降，便与我二人不涉了。"牛健道："深谢二位将军高义，还乞周全些。"张忠吩咐众兵丁就此回关，牛健随后押着征衣车辆，仍从燕子河道而行。

这李义打算立功，因道："张二哥，我与你到元帅帐前，须说些谎话，也可立些功劳。"张忠道："三弟，怎生谎话，可以立得战功？"李义道："只说奉了元帅将令，杀到大狼山，杀得二牛大败，牛刚被逃脱了，牛健被擒，取回征衣，夺转粮草，如此岂不是立得大功？"张忠道："元帅案前，且勿谎言，方见光明正大，即拿回强盗，讨回征衣，也不算什么功劳。且待血战沙场，敌人授首，定国安邦，显标名姓，方为英雄，假功劳有何稀罕的！岂可效着昨日李守备父子行为！"李义道："二哥这句话深为有理，到底不说谎话好。"张忠道："这也自然。"路上二人谈谈说说，已是红日西沉，早已封锁关门，只得在城外屯扎一宵。次早，元帅升坐，中军文武官员都来参见，有焦廷贵上帐，启禀元帅道："今有张忠、李义带领大军前往大狼山，路逢强盗投降，送还征衣，现在辕门外候令。”杨元帅喜色洋洋，连称妙妙，吩咐即传二人进来。焦廷贵领令，不一时张忠、李义报名进至帅堂，参见过元帅，站立两旁。元帅虎目一瞧，二将一人面如枣色，一人面如淡墨，体壮身魁，凛凛威风，真是两员勇将。元帅开言道：“张忠、李义，你二人带兵往大狼山讨取征衣，事体如何？且细告本帅得知。”二将齐禀道：“元帅，小将奉令，带兵未到大狼山，在燕子河遇着牛健，将原劫征衣粮草送回，他自愿投降军前效力。小将只得带同牛健而来，不揣冒昧，准其投降与否？伏祈元帅定夺。”元帅闻言点头，又唤孟定国将征衣检点明白，散给众军兵，粮饷贮归军库。狄青点首自言道：今朝才应圣觉禅师之言，有失有归，祸中得福，毫厘不差。

当日，杨元帅吩咐捆绑牛健，进至帅堂，跪于帐前，低头伏地。元帅大怒，喝道：“牛健，你占据磨盘山为盗，本帅一向全你蝼蚁之命，故未来剿灭。今日擅敢劫抢御批征衣，连累钦差，本帅都有罪名。你又投入敌人麾下，今见贼人倾尽，进退无门，方来投顺。本帅这里用你不着！”喝令刀斧手，推出辕门，斩首号令。牛健道：“元帅开恩听禀，只因孙云有书，投到磨盘山，叫我兄弟将征衣抢劫，原该如山罪重。劫上山后，悔已不及，料得元帅震怒，大兵一至，我兄弟休矣。当时原思送还，都是我兄弟牛刚不明，只恐元帅加罪，教唆我发火烧山，投归赞天王部下。但今粮草征衣原装未动，今日小人改悔前非，特来献降，愿在元帅军前牧马效力，以盖前愆，伏乞开恩，留残躯于一线，足见元帅宽仁之恩。”元帅问道：“孙云是何等样人？与你书信往来，且直禀上来，休得隐瞒。”牛健道：“元帅，那孙云的胞兄名叫孙秀，在朝现为兵部之职。”元帅道：“如此是孙秀之弟了。”又叫道：“王亲大人，那孙云与你有仇么？”狄爷细将情由说明，元帅方知其故，又问牛健道：“那孙云的来书何在？”牛健道：“放火烧山，其书未存，亦已烧毁在山中了。”元帅道：“狄王亲，如若有书留存，本帅可以上本奏明，收除此贼了。怎奈凭证全无，言词不足为据，如何是好！”狄爷道：“元帅，孙秀、孙云虽然有罪，但如今没有书信为凭，是他的恶贯未盈之故。且慢除他，小人立心不善，下次岂无再作恶之时，待他犯了大关节，再行除他，尚未为晚。”元帅笑道：“狄王亲海量仁慈，非人可及。”

一旁有焦廷贵半痴半呆叫道：“元帅，小将有禀。”元帅道：“你有何商议？”焦廷贵道：“牛健是个信人，断然杀不得。”元帅道：“你怎知他是信人？”焦廷贵道：“他误听孙云之言，劫了征衣，来害钦差。如今劫去又送还，从来只有拿到的犯人,没有自来的犯人,元帅是明理的,杀这自来贼寇,岂不是元帅欺着信实之人?”元帅大喝道:“匹夫,休说乱语。”又问范大人怎生处置?范爷道:“想大狼山余寇尽除,饶了他谅亦无妨。”杨青道:“他来投顺,并无歹心,何须杀却。”狄青见焦廷贵讨饶,料与牛健有些瓜葛,便道:“元帅,牛健也是一念之差,恕彼已知罪,送还征衣,免其一死。”元帅道:“狄王亲既如此洪量大度,本帅未便执法,死罪饶了,活罪难宽。”吩咐松绑,打二十军棍,发在军前效力。当时打了牛健二十军棍,他忍痛起来,谢了元帅之恩。元帅道:“牛健,你还有弟牛刚,如今何在?”牛健道:“逆弟不愿投降,如今分散,不知去向了。”元帅道:“何须猜测,定然在大狼山,少不得发兵征剿。”牛健道:“启上元帅,小人尚有三千兵,求元帅一并收用。”元帅命焦廷贵将兵点明上册,焦廷贵得令而去,牛健随后而出。

这时孟将军上帐缴命,已将三十万军衣给散毕,并三千押征衣兵补归元帅麾下,粮饷亦贮归军库。狄青道:“小将有言告禀。”元帅道:“王亲大人,有何见谕?”狄爷道:“五云汛守备现经空缺,小将有一姐丈,名唤张文,向为潼关游击,被马应龙无故革除,望元帅着他暂署此缺。”元帅允准,拔令差孟定国前往起复张文。

此事慢提,当日张忠、李义经元帅命做三关副将。原来三关上官员,要升要革,要活要死,悉凭元帅定夺,先行后奏。只因先帝真宗时,杨延昭守关之日,已敕授斧钺生杀之权,至宗保袭职,复赐龙凤尚方宝剑,专授官爵,执掌兵符。当下杨元帅要备本回朝,商量荐举狄青拜帅,只因失却征衣之事须要周全。范爷道:“若言失了征衣,其罪非小,大狼山破敌功劳虽大,只好功罪两消,焉得圣上准旨拜帅?”杨青道:“征衣虽失,不过三天,即复还了。将此抹去,有什么证据?本上只言钦差押送征衣,依限而至,进城数天,立下战功,岂不省却许多麻烦。”元帅听了,准依此拟,修起本草,即日差将登程。吩咐回到汴京,勿与众奸党得知,须要亲至午朝门,通知黄门官传奏。另有书信一封,送回天波府祖母佘太君、母亲王氏夫人;狄青一书,送至南清宫狄太后;范爷一书,送至包待制府中;杨将军一书,送交韩吏部府上;别无言语,无非关照狄青征衣解至,并破大狼山立下血战大功。

是日只有狄青思念生身母在张文姐丈家,一心牵于两地,今日起复张文为守备,母亲定然到此,使我晨昏侍奉,为子方得安心。

不知后事如何,且看下回分解。

第三十九回

临潼关刘庆除奸　五云汛张文上任

当晚狄青思亲之际，杨元帅退了帅堂，众将各自归营，狄青一切无差，单单忘却一位活命恩人，此人乃是庞府上逃出的李继英。他与张忠、李义一同到此，是日元帅只令张、李进见，狄爷已忘却他在外营。忽一天继英得遇张忠，他只说要见狄爷，张忠反觉骇然，道："狄哥哥忘怀了活命恩人，待我与你传知。"这日狄爷正与杨元帅对坐，论说圣上增送岁币，与北夷契丹的失算，有张忠上帅堂，向狄爷禀知，李继英求见。狄爷听了，忽然醒悟道："怎么遗忘了他，倒显得我无情了。"传命速请他进来相见，张忠领命而去。元帅忙问："那李继英是何人？"狄爷细将得他搭救前情说明，元帅与众将都言，此等义侠之人实为可敬。正说之间，李继英已至，参见过元帅，又拜见狄爷，他即扶起李继英，再参见范礼部、杨老将军、孟、焦等一班文武官员。众将士敬他是侠烈士，不便轻慢，元帅又与他一座位，在狄爷位下。谈论数说，元帅吩咐赏酒一桌，狄爷命张忠、李义陪宴。狄爷又道："元帅，五云汛上还缺一千总官，可否命李继英补了此缺？"元帅道："狄王亲既荐他，本帅自当依命。"即着李继英莅任五云汛，李继英叩谢而往。

此事暂停。且说前文飞山虎刘庆依了张文之言，归随狄王亲。但碍着妻子，又不能逃出潼关，当日计算，收拾起细软物件，将家眷送暂在一所洁净尼庵安顿了，又来见马总兵。马总兵道："庞太师一心要害狄王亲，不想前月一连几次，你不下手，莫非你与他有什么瓜葛？"飞山虎道："小将与他毫无交情，焉有不下手的？但他盔上甚奇，日夜放光，冲开大刀，不能下劈。不如待小将再至三关走一遭便了。"马应龙道："狄青到关已久，你今此去更难下手了。"刘庆道："不妨，此去定取狄青首级回来，断不再误。"马应龙道："如此，速速前往！"飞山虎退出。刘庆不往别处，只往张文家去。

且说孟氏太君，自与孩儿分别，终日悬念。只因时值三冬，霜雪交加，倘道路延搁，违了限期，只恐杨元帅执法无情，虽有佘太君家书一封，不知杨元帅能否遵依宽宥。金鸾小姐时常安慰母亲，张文也道："狄兄弟乃烈烈英雄，定然无碍的。"忽一天报进杨元帅差官到来，反吓得张文一惊，只得接进来。两人见过礼，杯茶已毕。张文问道："孟将军到此，有何公干？"孟定国道："只为钦差英勇，杀退敌人，即于元帅前保举张老爷为五云汛守备之职，元帅有文书在此，请看便知明白。"张文道："有此奇事么？"张文虽做过游击，但前程已被革去，因何孟定国仍称他为老爷？只为张文是狄钦差的内戚，今已起复为守备，孟定国所以才恭敬于他。当下张文看了文书，满心大悦，要备酒款待，孟将军坚辞而去。张文进内堂报知岳母，孟氏闻言大喜道："难得孩儿立此大功。"金鸾欣然道："母亲，兄弟果然胆大志高，具此奇能，如今愁尽闷消了。"太太道："此乃苍天庇佑，吾儿年纪虽小，却能立此奇功，真不容易。"当下张文选了吉日登程赴任，预早收拾物件，不用细言。

这日又来了刘庆参将，说道："那马总兵必要谋害狄王亲，但我已将家口安顿在尼庵中，心无挂念，张老爷可收容我了。"张文微笑道："刘老爷，真乃言而有信之君子。"刘庆道："为人言出如山之重，岂容更变？"张文道："我家兄弟虽然年轻，实乃英雄骁勇，方到边关，即立下大功。"刘庆道："立下什么大功？"张文道："首寇赞天王等五将，数十万敌兵，被杀个净尽，今又保荐我去做五云汛守备，你道奇妙也否？"刘庆道："可惜，可惜！追悔已迟了。我悔不及早跟随狄钦差，若能早到三关，也立些战功了。孰知间阻来迟，有何面目往见钦差？"张文道："刘老爷，何须着恼，你今未建小功，还有大功待你建立。"刘庆道："张老爷，还我席云帕，待我克日往见狄钦差。"张文道："你今日即是要往三关，总也迟了，如今何须性急。小弟再隔两天，也要动身，同往如何？"当时张文款留飞山虎，堂中排开酒宴一桌，二人对坐，吃得尽欢。

酒至半酣之际，谈论庞洪奸恶，马应龙附和权奸，要陷害狄钦差，张文呼道："刘老爷，吾想庞洪、孙秀、胡坤，与狄钦差结下深仇，要图陷害，也不去说他。但马应龙与狄钦差并非宿怨，不该深信其言，竟要紧紧图害于他，比之三奸，倍加狠毒。他命你往杀狄钦差，不若你反去杀这奸贼，取他首级，拿到边庭，方显得你是为国除奸的英雄，但不知你有此胆量否？"飞山虎听了，冷笑道："要杀奸臣不难，速还我席云帕，管教取到首级来此。"

张文道:“刘老爷果有胆去么?”飞山虎道:“畏怯不去的非是丈夫。”张文暗想道:“我不过是戏言,岂知他认作为真,待我索性将他激恼,可以除却奸党。”即呼道:“刘老爷,下属刺上司,罪名甚大,倘或杀害不成,反为不妙。”刘庆道:“你休戏弄于我,如一允诺,即赴汤蹈火,亦所不辞。这些小事情有何难处!若无首级回见于你,即将我脑袋割送于你。”张文道:“如果杀此奸臣,也算除一大患了。”

当日饮酒已毕,不觉红日归西,张文取出帕子,交还了飞山虎。又谈了一番,已交二鼓,刘庆将腰刀紧紧束系,驾上席云帕,在潼关马总兵府前降下,向府内四面观望,想道:马应龙这奸贼,谅已睡卧了,不若唤他出来,赏他一刀,即大呼道:“马应龙,我乃上界速报神,今奉玉帝旨到此,即速接旨。”马应龙正在内室与夫人饮酒闲谈,二更已过,夫人先醉了,这马应龙还不住杯。想起飞山虎的本领,但愿此去一刀两段,收拾了狄青,其功不小,庞太师定然升我的官爵。正在心中思想,忽闻庭外呼唤之声直达室内,忙唤丫环小使,但时已夜深,都熟睡了。只得自持银灯,来至庭前,那飞山虎看得明白,即厉声大喝道:“马应龙身居武职,当为国除奸,今不念君恩,反附奸臣,图害狄青。今我奉玉旨,斩却奸臣,断无轻赦。”这马应龙早已吓得魂散魄飞,浑身颤抖,即忙跪下埃尘,叫道:“尊神在上,我实无此事。”方说得无此事,刘庆已飞身而下,顺手一刀,血淋淋头儿,滚将下来,提了人头,腾空而去。当时刘庆犹恐牵连近地官民,又驾云飞到临潼府衙内,按住云头高呼道:“临潼府太守何在?”是晚太守还在灯前,批阅下属详文,忽闻空中呼唤,不觉吃了一惊,抽身出外,喝问:“哪方呼唤本府?”又闻高空有人叫道:“临潼府听我吩咐:我乃上界速报神,奉了玉旨所差到此。只因潼关马总兵应龙,听信庞洪奸佞之言,打发刘参将,前往边关,行刺狄钦差,此等狠恶奸臣,趋权附势,今已上干天怒。我神奉差先往边关取刘参将首级,又回潼关斩却马总兵,拿了首级复旨。我神知你是位爱民清官,是以特来报知,此非盗杀,不要累及近地官民。”说完,嗖的一声去了。府太守闻言,并不惊慌,仍又回进了书房。

原来这位临潼府太守,姓白名山,字峻高,乃是公正无私的清官。原籍江西人氏,两榜出身,年近五旬,办过多少案件,经历有年,岂不明白此事。自言道:什么上界速报神,本府闻边关参将刘庆善于席云,想必马总兵差他行刺狄青,刘庆反回刀杀了马应龙,只恐累及他人,故来本府跟前,说此谲诈之言。想罢，长叹一声道："刘庆，你不附奸臣党羽，是你正大光明的立品，但不该胆大擅杀上司。况且杀害官员，事关重大，岂不干连近地头百姓及本府官员，教我如何处置？即此无凭无据之论，实难申详上宪，有此件重案，如何了得？"想来思去，只得请刑名、幕宾两人商酌。幕宾道："太尊，这种案件倘不据此而办，恐一府文武官员都有干碍。依晚生愚见，只可据此申报，并差快马赶回汴京，密禀冯、庞二相，送副厚礼，要求他周全，方保本府官员无碍。但太尊仍要连夜进关，查看有无此事，方好播扬众官员得知，要先说明神人责备之言方妥。"白太守听了点头，顷刻传知众衙役打道，随从白太守，一路来至马总兵衙内，查看果有此事。即速差人，分头往报城厢内外各官。此时文武官员都已熟睡了，一闻此言，大为惊骇，不一刻齐到马府，进了中堂，只见尸骸，不见了首级，众官员嗟叹称奇。当时府内夫人哭得肝肠寸断。众文武纷纷议论，都说："非白太守连夜查明，是神圣显灵，有此天谴，哪里去捕拿凶手？此件大事，如何完决？"候至天明，众官员各自散去，少不得商量厚礼，申备文书本章，投达东京去了。这马府夫人只得收拾无头尸首，哭泣哀哀，不须多表。

却说飞山虎席云来到荒郊之外，将首级埋藏于泥土中，然后回见张文，细言其事。张文抚掌欣然道："刘老爷果然胆量包天，真乃英雄。"此时天色已亮，金鸾母女又惊又喜，惊则惊杀人如儿戏，喜则喜除了一奸臣，免了后患。次日，张文已收拾齐备，带同家眷，来至五云汛，汛上的兵役，纷纷迎接进衙，又有李继英也来参见上司张守备。一言交代，不须烦言。

却说飞山虎到了边关，将此情由启知狄青。狄青一闻此言，还怪他目无王法，他虽是附和奸恶之臣，纵使有罪，但非你可擅杀，又恐连累此处官民，只得将情由禀知杨元帅。元帅反称他义侠刚烈英雄，授他副将之职。又使制成四面大旗，旗上称狄青为出山虎，张忠为扒山虎，李义为离山虎，刘庆为飞山虎，四围辕门，高高竖起。此时方得四虎将，后来石玉到关，加上一面大旗，名笑面虎，又成五虎将了。

且说张文上任后，有文书到帅堂，狄青即日到五云汛见了母亲，喜色欣欣，又与姐丈、姐姐重逢。一堂欢叙，话长难述。

不如后文如何，且看下回分解。

第 四 十 回

庞国丈唆讼纳贿　尹贞娘正语规夫

慢话狄青母子姐弟重逢，且言杨元帅身居边关主帅二十六七载，从无半点私曲徇情。唯独如今本章一道，周全狄青之罪，抹过失去征衣，单提到关即退大敌，立下战功，将李成父子冒功之事，一概不提，只候圣上准旨，拜狄青为帅。岂料偏偏有李沈氏要与丈夫儿子报仇，致使征衣事情，仍然败露，又有一番大大波澜兴出，搅扰一场。

那沈氏比杨元帅本章早到汴京三天，一路进城到沈御史衙中，进内拜见哥哥，又与嫂嫂尹氏贞娘殷勤见礼，东西而坐。叙谈各问平安毕，沈国清道："贤妹，你今初到，为何愁眉紧锁，满面含悲，是何缘故？"沈氏当下叫道："哥哥，妹子好苦！"未出言词，泪先坠下，将丈夫儿子尽死于钢刀之下的情节一一说明，故特来告诉亲兄做主。沈御史听了，吃惊不小，呼道："妹子，且慢悲啼，这段冒功事情，原是妹丈差处，叫我也难处决。"沈氏道："哥哥，妹丈虽错，但杨宗保太觉狂妄，即使冒功，也无死罪。"沈国清道："怎言无死罪，简直是死有余辜！"沈氏道："哥哥，他父本招，子未认，不画供，不立案，如何可擅自杀人？故妹子心有不甘，抵死回朝，要求哥哥做主，总要报雪此仇，他父子在九泉之下，也得瞑目。"沈国清呼道："贤妹，你且开怀，罢手为高，何苦如此？"沈氏道："哥哥，若不出头，枉为御史高官，赫赫有名，反被旁人耻笑你是个没智量之人。"尹氏夫人听了这些言辞，想来这等不贤之妇，不明情理之人，世间罕有，不嫌己之恶行，反怪他人立法秉公，言来句句无理，不愿再听下去，转身回入内室去了。沈国清道："妹子，我还要问你，古言木不离根，水不脱源，你言狄青失去征衣之事，须要真的，方可说来。"沈氏道："乃磨盘山上的强盗抢劫去的，众人耳闻目见，不只妹子一人知晓。"沈国清道："你要报仇，事关重大，为兄的主张不来，待我往见庞国丈商量方可。但有一说，这位老头儿最是贪爱财帛的，倘或要索白金一二万之多，你可拿得出否？"沈氏道："妹子带回金珠白镪约有五万两，如若太师做主，雪得冤仇，妹子决不惜此资财。"沈国清道:“如此,待我去商量便了。”吩咐丫环,服侍姑太太进内,众丫环领主之命,扶引这恶毒妇人进内。沈氏心下暗忖道:缘何嫂嫂不来理睬于我,难道没有三分姑嫂之情?便命自己带来两侍女去邀请尹氏,这夫人勉强相见叙谈,排开酒宴,面和心逆,二人对坐饮酒,不必多言。

且说沈国清匆匆来到庞府,家丁通报,见过国丈,即将妹子之事,细细言明。庞国丈想道:老夫几番计害狄青,岂料愈害他愈得福,此小贼断断容饶不得。即杨宗保恃有兵权,目中无人,做了二三十年边关元帅,老夫这里无一丝一毫孝敬送到来,老夫屡次要搅扰于他,不料他全无破绽,实奈何他不得,今幸有此大好机会,将几个奴才一网打尽,方称吾怀。但人既要收除,财帛也要领受,待吾先取其财,后图其人,一举两得,岂不为美?盘算已定,便开言道:“贤契,你难道不知杨宗保,乃天波无佞府之人,又是个天下都元帅,兵权很重,哪人敢动他一动,摇他一摇。除了放着胆子叩阍,即别无打算了。”沈国清道:“老师,叩阍①又怎生打算?”国丈道:“叩阍是圣上殿前告诉一状,倘圣上准了此状,杨宗保这罪名了当不得,即狄青、焦廷贵二人,也走不开。杀的杀,绞的绞,他即势大,封王御戚,也要倒翻了。碍只碍这张御状无人主笔,只因事情十分重大,所以你妹子之冤,竟难申雪。”沈国清道:“老师,这张御状,别人实难执笔,必求老师主笔方可。”国丈道:“贤契,你说笑话了,老夫只晓得与国家办公事,此种闲事,却不在行,且另寻门路吧。”此刻庞洪装着冷腔,头摇数摇,只言“难办”。沈御史明知国丈要财帛,即道:“老师,俗语说得好,揭开天窗说亮话,这乃门生妹子之事,只为门生才疏智浅,必求老师一臂之力,小妹愿将箧②中白金奉送。”国丈冷笑道:“贤契,难道在你面上,也要此物么?”沈御史道:“古言,人不利己,谁肯早起?况此物非门生之资,乃妹子之物,拈物无非借脂光,秀士人情输半纸。今日仍算门生浼求③老师,谅情些便足见深情了。但得妹子雪冤,不独生人感德,即李氏父子在九泉之下,亦不忘大德。”国丈道:“此事必要老夫料理么?”沈国清道:“必求老师料理。”国丈道:“御状词究用何人秉笔?”沈国清道:“此状词正求老太师主

① 叩阍(hūn)——官吏、老百姓到朝廷诉冤。

② 箧(qiè)——小箱子。

③ 浼(měi)求——请求,拜托。

裁,除了老太师,有谁人敢担当此重事?”国丈道:“也罢,既如此说,也不必多虑了。但还有一说,御状一事,非同小可,守黄门官、值殿当驾官,一切也要送些使费,才肯用情,至省也要四万多白金。劝令妹且收心为是,省得费去四万金。”沈国清道:“即费去四万金,吾妹亦不吝惜,休言御状大事要资财费用,即民间有事,也要用资财的。”国丈笑道:“足见贤契明白,但不知你带在此,或是回去拿来?”沈国清点头暗说,未知心腹事,且听口中言,这句话明要现银了。便说:“不曾带来,待门生去取如何?”国丈道:“既如此,你回去取来,待老夫订稿。”沈御史应允,相辞而去。

当时国丈大悦,好个贪财爱宝的奸臣,进至书房坐定,点头自喜自言:老夫所忌的是包拯,除了包待制,别人有何畏怯?今幸喜他奉旨往陈州赈饥,不在朝中,说什么天波无佞府之人,天下都元帅威权很重,说什么南清宫内戚,只消一张御状达进金阶,稳将那两个狗贼一刀两段。杨宗保啊!不是老夫心狠除你,只因你二十余年没有一些孝敬老夫。庞洪犹恐机关泄露,闭上两扇门,轻磨香墨,执笔而挥,一长一短,吐出情由。写毕,将此稿细细看阅,不胜之喜,不费多少心思,数行字迹人头落,四万白金唾手得。

国丈正在心花大放,外厢来了沈御史,已将四万银子送到。国丈检点明白领受,即呼道:“贤契,你是个明白之人,自然不用多嘱,只恐令妹不惯此事,待老夫说明与你,你今回去,将言告知令妹。”沈国清道:“我为官日久,从不曾见告御状,还望老太师指教的。”国丈道:“这一纸,乃是状词稿,只要令妹誊写。”沈国清道:“幸喜我妹善于书法。”国丈道:“又须要咬破指尖,沥血在上,她虽有重孝,且勿穿孝服。”沈国清道:“此二事也容易的。”国丈道:“又须着一身素服,勿用奢华,装成惨切之状,一肩小轿,到午朝门外伺候。黄门官奏称李沈氏花绑衔刀,然而此事可以假传,并不用花绑的。”沈国清点首称是。国丈又道:“主上若询问时,缓缓雍容而对,不用慌忙,切不可奏称你是她的胞兄,她是你的妹子。倘圣上不询,也不可多言答话,必须将状词连连熟诵,须防状词不准,还得背诵。这是切要机关,教令妹牢牢记住为要。”沈国清听了言道:“谨遵吩咐。”即时接过状词,从头看罢,连称:“妙,妙!老太师才雄笔劲,学贯古今,此状词果也委曲周详,情词恳挚。”说时,轻轻藏于袍袖中,国丈早已命人排开酒宴,款留一番。少顷辞别归衙,便将状稿付交妹子,将国丈之言一一说明。这沈氏听得一汪珠泪，辞别哥哥，还至自寓内室中。若论沈氏，虽则为人蛮恶狠毒，然而夫妻情深，立心要与夫儿报仇拼得一死。即晚于灯下书正状词，习诵一番，待至明天五鼓，要至午朝门外进呈不表。

沈御史夜深回至内室，只见灯前静肃无声，尹氏夫人一见丈夫进来，起身呼道："相公请坐。"沈御史答应坐下，问道："夫人还未安睡么？"尹氏道："只为等候相公，故而未睡。"沈国清道："夫人为什么愁眉不展，面有忧色，莫非有什么不称心之事？"尹氏道："谁人晓得妾的忧怀！"沈国清道："是了，定然憎厌姑娘到此，故夫人心内不安。可晓得她是我同胞妹子，千朵鲜花一树开，也须念未亡人最苦，夫人，你日间冷淡她是不应该的。"尹氏听罢，叹道："相公亏你也说此言，妾之不言，无非假作痴聋，我不埋怨于你，何故相公反倒来埋怨于妾？"沈国清道："今日姑娘非无故而来，她是个难中人，姑夫甥儿都死于刀下。你为嫂嫂，当看我面上，多言劝慰，方见亲戚之情，何故这般冷落于她，反要埋怨下官怎的？夫人你却差了！"尹氏道："相公，妾非冷落令妹，可她为人不通情理，不怨丈夫儿子冒功，反心恨着杨元帅，强要伸冤。这事是她夫儿荒谬，冒了别人功劳，希图富贵，将人伤害，自然罪该诛戮。她如是个知情达理的妇人，即应收拾夫儿尸首，闺中自守，才为妇道，亏她还老着面颊，来见相公，打算报仇，岂非丧尽良心之人？只因她是相公一母同胞妹子，妾才勉强与她交谈。相公官居御史，岂有不明此理，实不该助她报仇，倘然害了边疆杨元帅，大宋江山社稷何人保守？奉劝相公休得为私忘公，及早回绝了她，免行此事才是。"沈御史听了笑道："你真乃不明事理之人，杨宗保在边关，兵权独掌，瞒过圣上耳目，不知干了多少弊端。"夫人道："相公，你知他作何弊端？"沈国清道："圣上命他把守边关，拒敌西戎，经年累月，不能退敌，耗费兵粮，不计其数，其中作弊之处，不胜枚举。纵然我妹丈甥儿干差了事，重则革职，轻则痛打军棍，为什么没一些情面，竟将他父子双双杀害？况且既不画供，又不立案，杀人杀得如此强狠，别人哪个不忿恨，我妹痛夫念子，焉得不思报冤仇？即铁石人心上也不甘的，夫人你错怪她了。"

不知尹氏夫人作何答话，且看下回分解。

第四十一回

逞刁狡沈氏叩阍　暗请托孙武查库

当时尹氏夫人听了丈夫之言，即道："不知相公如何料理伸冤大事?"沈御史道："下官也料理不来，故与庞太师酌议，费去四万银子，做御状一纸，待妹子于驾前哭告。但愿得上苍默佑，若天子准了状词，天大冤仇得翻雪了啊。夫人，是亲必顾从来说，哪管江山倒与坍。你是一个妇人，休得多管，我自有主意。"尹氏夫人自语道：奸党弄此伎俩，众忠良虽是凶多吉少，但沈氏终属女流之辈，如何起此恶毒念头。纵然奸雄主谋，御状做得狠毒，看你弱质裙钗，怎到五凤楼前，岂不是画饼充饥，惹人笑话！沈御史见夫人自言自语，便说："夫人休得多言，冤仇伸与不伸，日后自见，且请安睡去吧。"

不表东边却说西，庞国丈收领沈御史四万两白金，喜色洋洋，即往见黄门官言道："明日万岁临朝，有一妇人在午朝外叩阍呈御状，断断不可拦阻她，劳你奏明圣上，一切言语间帮衬些。"黄门官道："国丈吩咐，定当效劳。"只因庞太师女为庞妃，把持朝纲，赫赫有名，二品上下官员，十有其七在他门下。如今他对黄门官说了一声，哪有不遵的，是以李沈氏叩阍，名为费了四万银子，而庞太师一厘一毫也不曾破费，实乃一人受惠了。

次日五更三点，东方未明，已有文武官员齐集，天子登殿，香烟霭霭，晓雾腾腾，又是一番景象。朝罢，圣上有旨："文武众臣，有事出班启奏，无事即此退朝。"有黄门官俯伏启奏道："有一妇人于午朝门外，自称李沈氏，花绑衔刀，手呈御状，俯伏哀惨，称言身负沉冤，无门申诉，冒死而来，乞求万岁爷做主。小臣即将该氏驱逐，该氏称言杨宗保误国欺君，不知是真是假，小臣不敢不奏明万岁定裁。"班中国丈暗暗点头，黄门官果也能言。当时众文武个个心惊，不知真假，独有庞洪、沈国清心头坦定。嘉祐君开言道："妇女之流，泼天胆子，敢到此间，不知有何海底极深之冤，敢于午朝门外呈此御状。寡人非地头官，恕她妇女无知，从宽免究，逐出午朝门，不许再奏。"黄门官听了万岁之言，焉敢再奏，即称"领旨"。正待抽身，只见庞太师执笏当胸，俯伏金阶奏道："臣思李沈氏乃一妇人，据称身负大冤，无门申雪，故敢于吾主驾前求伸。更言杨宗保误国欺君，此事必因国家而起，陛下若不究询虚实，而该氏果有重冤，何忍听其申诉无门。如杨宗保果有误国欺君之弊，亦不便置之不理，伏唯陛下睿鉴参详。"君王道："朕思杨宗保世沐君恩，为将多年，只有保邦，从无误国，此事定然是妇人听了别人唆使而来，朕必不询究，卿勿多言。"天子果乃英明，参透此事，众位忠良大臣俱都无言，独有庞国丈满面透红，沈御史心如火炙，眼睁睁只看着庞国丈。这庞洪只得又奏道："臣思地方有司衙署，或有刁民藐视国法，以假作真，以曲作直，捏情诬告，刁讼唆弄。但万岁驾前，若非沉冤重枉，焉敢冒死而来以身试法？况有误国欺君大款，谅非海市蜃楼之虚，伏望陛下准收此状，以免此妇有屈难伸，而重臣弄法，实碍朝廷纲纪，臣戴罪宰阁，不得不冒死启奏。"嘉祐王看着国丈，心想：此事必是他从中主唆，故如此着力，也罢，寡人且看状上情由如何便了，便道："依卿所奏，着黄门官取状进呈。"黄门官口称领旨，去不多时，取到李沈氏状词，呈于龙案上。嘉祐王御目一瞧，状曰：

诚惶诚恐，稽首顿首，冒死上言。诉冤妇李沈氏，现年三十五，江南松江府华亭县原籍。诉为冒功枉法，贪赃徇私，斩宗绝嗣，屈杀害民事：氏夫李成，原任五云汛守备，仅有独子李岱，是汛千总。冤于本年十月十二日，钦差狄王亲颁解征衣，已至关外荒地屯扎，悉被磨盘山强盗抢劫。至十三夜，氏夫经汛巡查，偶遇胡人赞天王、子牙猜醺醉逡巡，踏雪履霜而至。氏夫思二人乃西戎巨寇，中国大患，父子私算，乘其醺醉糊涂，有机可乘，即箭射赞天王，刀伤子牙猜，二首并枭，双功望奖，父子共赴边关，献功帅府。岂料狄钦差尽失征衣，难弥其罪，重行贿赂于焦先锋而为硬证，得以冒功卸罪，而杨宗保徇情枉法，混将氏夫及子枭首辕门，痛思氏之夫子功凭级证，奈杨宗保恃职司权，凌属如蚁，嗟呼，人心何在，国法奚彰①？既掌三军司命，职司生死之权，理应秉公报国，乃竟有罪得功，因功惨死。在氏冤屈沉沦，绝嗣斩宗；在杨宗保昧法欺君，专权屈杀。至彼兵符统属，势大藩王，故氏申诉无门，不得已冒死午门，沥血金阶，倘黑天翻白，虽死之日，犹

---

① 奚彰——奚为疑问词，做何讲；彰，显扬。国法奚彰，国法如何显扬呢？

生之年。衔刀上恳，乞天皇电鉴，不胜哀惨痛切之至！

嘉祐帝看罢，将信将疑，想到：若说狄青征衣尽失，依照国法，原该有罪，如无此事，这沈氏妇人怎敢轻告此词？也罢，寡人且自准她，将情由一询，看是如何。传旨："李沈氏放绑卸刀，着进金銮。"黄门官领旨，这沈氏低着头，一身淡色服饰，步至金銮殿前俯伏，两泪交流。当时圣上诘她情节，沈氏照依状词上，句句对答无差。天子想来，这款状词，十有七八是国丈专主的，故不诘问是谁人代笔主谋。只降旨道："将李沈氏发往天牢，此案未分皂白，着令九卿四相公同酌议办理，三日内复明定夺。"当时退朝，群臣各散，不必多表。

单言李沈氏，天子虽说降发她在刑部天牢，沈御史即日弄了些手脚，只与司狱官知照，说了数言，李沈氏仍归御史衙中。因姑嫂二人不甚相得，沈御史又差人悄悄将妹子送至一尼庵内暂住。一言交代，也不多提。

当日九卿四相文武大臣，奉了圣旨，在朝房公议。当初忠义重臣首相寇准、毕士安，仁宗即位元年已卒，次后相继而亡者有李太师、沈待制、孙爽，如今冯太尉、庞国丈、吕夷简秉政，欲拟狄青中途失去征衣，贿证冒功，杨宗保混昧不察，妄杀有功，误国瞒公之罪。却有左班丞相富弼、平章文彦博、吏部天官韩琦三位忠贤驳论道："那妇人乃一面之词，岂得为凭？若因此伤边关望重之臣，依私昧正，焉有此法律？如若力办此事，须当严审根究李沈氏，方得分明真伪。"当天商议不定，第二天仍复如此。次日五更将晓，天子设朝，正在君臣议论此事，忽有黄门官人奏道："有边关杨元帅差官赍表①呈进，现于午朝门外候旨。"圣上传旨宣进。赍表差官进阶俯伏，三呼万岁，有侍官取上本章，在龙案上展开。天子观看，其表上叙及狄青征衣限期到关，力除西戎国五员骁将，杀败十数万敌兵，解了边关围困，特请旨荐保狄青为帅，他要告假回朝之意。天子看完，欣然大悦，开言道："庞卿，你且将杨宗保奏招看来。"庞国丈道："臣领旨。"一看本章，惊吓不小，顷刻满面通红，再不想狄青有此本领，如今杨宗保又保荐他为帅，如若狄青做了边关主帅，老夫休矣！即忙俯伏奏道："陛下明并日月，臣思杨宗保荐狄青为帅，但现据李沈氏控他失去征衣，贿证冒功，希图抵罪，而杨宗保本上却于失征衣之事一字不提，即李成父子冒功正法，因何

① 赍(jī)表——持捧奏表。

也不陈明。是沈氏所呈确切,而杨宗保弊端显然。昧法欺君,理当究本穷源,仰祈陛下明察。”君王听罢,想道:“此事叫寡人也推测不来,怎生是好?”首相富弼怒气不平,出班奏道:“老臣有奏。”天子道:“卿家有何奏闻?”富相道:“臣思此妇,敢于叩阍,必有主唆奸臣。而李成父子若不冒功,杨宗保岂有屈杀无辜?狄青果然无功,他焉肯欺君,请旨拜帅。陛下如要究明此件重案,先将李沈氏发交包拯,严究何人主唆,则李成父子冒功真假,必可彻底澄清。”

这一番话弄得君王心无定主,明知富弼所奏合理,但想此事定然国丈主谋,碍在贵妃情面,如何深究,颇觉左右两难。却见庞洪又奏道:“臣思该氏冤大如天,无门申雪,到午朝门外上呈御状,实为情极冒死而来,还有哪人不畏死的与她把持。如要究李沈氏,须先究杨宗保,祈陛下降旨往边关,即将杨宗保、狄青、焦廷贵等扭解回京,发交大臣勘问,便可以水落石出了。”有吏部韩爷出班奏道:“边关重地,岂可一天无帅,若将他等扭解回朝,一有泄漏,其祸非轻。契丹尚在未平,西夏叛攻未服,此事万万不可!”天子闻奏喜道:“韩卿所言合理,江山为重,非同小故,三位卿家且平身。”三位大臣谢恩而起。天子道:“朕思杨宗保失察征衣,狄青疏忽被劫,焦廷贵贪赃硬证,朕亦未能深信。李沈氏诉雪夫冤,亦不便置之不办,寡人差一大臣密往边关,名为清查仓库,实则暗访此事真伪,众卿以为何如?”富弼、韩琦都言道:“陛下之旨甚善。”庞太师也无可奈何,不便再奏。天子看看两旁班列,即下一旨,着工部侍郎孙武前往边关。庞太师自言道:此人差得有机窍了。当时富弼、韩琦、文彦博几位忠贤,虽知孙武亦是奸臣党羽,料想杨宗保等立于不败之地,畏他什么?是日只因功罪未分,天子于杨元帅本章,也不批旨,狄青的元帅,也未封赠,且待孙武回朝,再行定夺。

不知孙武往边关如何复旨,且看下回分解。

第四十二回

封仓库儒臣设计　打权奸莽汉泄机

群臣朝罢回衙，俱各不表。单提国丈回归相府，自语道：只说几个畜生易于翻倒，岂知这昏君心中不决，反差孙武往边关查盘仓库。你这昏君主意虽好，但这差官已错用了，孙武乃孙秀从弟，又是老夫的心腹，不免请他到来，嘱咐而行，岂不善哉！想定主意，吩咐备酒席于暖香楼，然后差人请到孙侍郎，进相府拜见庞太师，二人即于暖香楼中对酌，细细商量一番。国丈道："孙兄，老夫请你到来，非为别故，一则与你饯行，二来有事相托。"孙武称谢，又道："不知老太师有何吩咐?"国丈道："狄青乃老夫不喜之人，又与你哥哥和胡坤二人切齿深仇，孙兄谅所深知。"孙武道："晚生也深知的。"国丈道："几番下手算计，不独害他不成，反被他取高官，封显爵，又得此重大战功。这冤家如此得意，实是孙、胡二人不甘心的。即杨宗保身居二十六七载边关元帅，眼底无人，不看老夫在目中，从无一些孝敬送来，私囊独饱，亦是容他不得。你是我的心腹厚交，今日圣上差你到边关，古言明人不用细说……"国丈说到此处，孙侍郎即打了一拱道："此事都在晚生身上。"国丈笑道："孙兄乃明白之人，我亦不用多言，只消回朝如此如此，便可收拾此党。"孙武连连应诺。再复把杯一刻，至晚辞别而回。道经孙兵部府，顺即进见，谈说之间，孙兵部与庞国丈不约同心。是日，胡坤亦在孙府把盏，心中大悦，总要算计狄青、杨宗保二人。孙武见二人如此，即说："庞国丈方才已说过，小弟自必当心，决不差误。"孙秀道："若得如此，愚兄感激无涯。"孙武道："哥哥，弟兄之间，些小之事，何足介怀。"孙、胡二人听了大悦，孙武告别回衙，打点动身。

不表孙武出京，且说边关赍本官尚在汴京，将杨元帅、狄钦差各书，分头送达，还有一书要送包待制，岂期包拯在陈州赈饥未回，故将书投送包府。是日韩爷将杨青来书展阅，果然狄青功劳浩大，只恨庞奸贼兴此风波，主使沈氏叩阍。当日备酒款了差官，又修书一封，带回边关，说明钦差孙武到边关明查仓库，暗访失征衣的缘故。

再言天波无佞府佘太君是日接得边关来书，与孙媳穆氏及众夫人等拆书一看，方知狄青初到，即杀退敌兵，众位夫人一同羡美，不用烦述，然佘太君与众夫人俱不上朝，故不知孙武奉旨出京之事。

又说南清宫狄太后得接侄儿回书，母子大喜，难得建此大功。那潞花王是朔望上朝，故今沈氏叩阍与孙武出京之事，也不得而知。

此言不表，再说庞国丈、冯太尉这天接了几封密报，方知潼关马应龙被神圣所诛，说出他用计恶处。冯太尉不知其故，只庞国丈心下大惊，二人不敢陈奏圣上，即私放一官赴任潼关总兵。

不表二奸欺君昧法，却说边关杨元帅见狄青力退敌兵，除灭五将，解了边关重围，一心敬重他乃当世英雄，国家有赖，随时设宴款叙，每日谈论军机，觉得两相投契。忽一天赍本官回关，元帅细问，圣旨缘何不下？赍本官回禀道："朝廷未有加封拜帅旨意，但不日之间，却有钦差孙侍郎到关盘查仓库。"元帅道："孙侍郎到关盘查仓库么？本帅守关二十余年，从未有人盘查仓库，莫非又是奸臣的计谋？"赍本官又将韩爷的回书送与杨青，然后叩辞元帅而出。杨青将书拆展，细细看明，冷笑道："可恼庞洪老贼，弄此奸谋恶计，将此美事又弄歪了。"细细说知三人。元帅道："纵有钦差到来，我何畏哉！况仓库历年无亏，岂畏盘查？"范爷道："这孙武乃孙秀族弟，庞洪心腹，料这老贼定然有计作弄，他亦必需索金帛。回京复旨，只言失征衣是真，李成父子冒功是假，我众人亦不在朝与辩，必中奸计。不妙了！须要预早打算，不着他圈套为高。"元帅道："礼部大人才高智广，如何打算才是？"范爷冷笑道："只略用半点小功夫，可先将仓库封固，只说钱粮亏空过多，要求钦差回朝周旋。想孙武乃贪婪财帛小人，送他三五万银子，求他在万岁驾前，只言仓库无亏无缺之语。孙武得了银子，自然应允，待他转身后，预差一精细将官，在前途埋伏拿下，以赃银为证，备本劾他。他即陈奏李成冒功是假，失征衣是真，圣上也不准信，自然扳顶出庞洪来，此为诈赃据赃之计，未知元帅尊意何如？"元帅听了笑道："范大人智略高明，非人所及，所虑者，孙武倘然不上此钩，如何再处治这奴才。"范爷道："定然中计的，老夫稳稳拿定他。"狄爷点首道："这众奸臣见了财帛，岂肯放脱，元帅休得过虑。"言谈已毕，时已日落西山，堂上安排夜宴，四人就席把盏。范爷又道："孙武一到关，即依计而行，但焦廷贵跟前说明不得，倘被他痴痴呆呆泄漏机关，事便不成了。"元帅道："范大人高见!”是夜不表。次日元帅发令,将仓库悉皆封固,不许私开。

不表边关安排妙计,却言孙武一自离却皇城,自恃钦差,所到地方,文武官员多来迎接款留,厚送程仪食物。如若馈送得轻微,孙侍郎便不动身,一路耽耽搁搁,发获大财。孙武想道:这个生意果也做着了,但本官一到边关,必要将仓库查得清清楚楚,料想杨宗保领边关二十余年,亏空的谅也不少,不忧他不来买求本官!路上非止一日,到得边关,报知杨元帅,排开香案,孙侍郎气昂昂下马进关,开读诏书罢,方见礼坐于帅堂,闲言一番。元帅道:“本帅职任此关二十余年,圣上从无盘查仓库旨意,如今忽差大人到来查察,莫非又是庞国丈的主见?”孙武冷笑道:“元帅之言说得奇了。下官奉了朝廷旨意,只因圣上常忧仓库空虚,是以差下官到来盘查明白,岂是国丈从中起此根由?”元帅道:“果是朝廷的旨意,本帅失言了。敢问大人,本帅有本还朝,请旨荐狄王亲为帅,不知何故至今没有旨意下来?准旨与否,大人必知其由。”孙武道:“圣上览表之后,并不语及准与不准,下官却也不得而知。”元帅冷笑道:“竟不得知么?”当时元帅也不多言,少不得酒筵盛款,只为天色已晚,是以仓库尚未盘查。

次日,孙侍郎先要暗察失征衣之事,有关内的偏将兵丁,自然护着元帅,多言征衣未有疏失。即城中百姓内有知识的,知他来访察杨元帅的底蕴,亦言不失,故孙武未能查访得的确。又访查到李成父子冒功之真假,众人都言冒功是实。这孙武又亲往打探仓库,岂知尽皆封固,自言道:杨宗保,不知你亏空得怎样,你若是个在行知事的,早在我跟前说个明白,送吾三五万两,也不为过多。本官看这银子份上,自然在圣上驾前替你掩饰,只言仓库并不空缺,还将误杀瞒公之罪,抹过几分。

是日,又进来见杨元帅,帅堂上早已安排早膳,席间孙武开言道:“元帅,下官原奉旨盘查仓库,不知为何悉皆封固,难道不许盘查,违逆圣旨不成?”元帅道:“孙大人有所不知,只因本帅领职二十六七载,无有一载不亏空钱粮的。向来圣上不曾降过旨来盘查,本帅也便糊糊涂涂混过去的了,岂知圣上今次忽然要盘查起来,特命大人到关,本帅千方百计打算,难以弥补得足,亏空多年,一朝败露了。”孙武想了想,道:“据元帅主裁,教下官不盘查了么?”元帅道:“盘查是悉凭你的,但本帅亏空之处,仰仗大人周全些为妙。”孙武一想:这话我又出不得口,但他既要我周全,不免一肩卸在国丈身上,便道:“元帅若要下官回朝遮饰,事是不难,圣上可以瞒得过,独有国丈瞒他不得。”元帅道:“国丈如何不能瞒?”孙武道:“吾实告元帅得知,国丈明晓库仓有缺,故教下官彻底清盘。”元帅道:“国丈既然如此,怎生料理得好?”孙武道:“下官断没有不肯周全的。”元帅道:“如此,国丈那边送他二万两,大人处奉送一万,有劳大人与本帅在国丈那里说个人情如何?”孙武道:“下官一厘也不敢领元帅之惠,但国丈那边还要商量。”元帅道:“还嫌微薄么?”孙武道:“国丈也曾言来,元帅二三十载从无些小往来,此是真否?”元帅道:“果然历久并无丝毫往来,再增一万如何?”孙武道:“元帅,你在此为官二十余年,职掌重位,即一年计来三千,只管二十五年,合总也有七万五千两。如依下官之请,便可不查仓库。”元帅闻言微笑道:“奈本帅乃边城一贫武官,七万五千两实难措得来。也罢,国丈三万,大人二万,共成五万,再多也不能措置了。”孙武笑道:“既元帅如此说,下官从命,如数五万两,不用查仓库了。”

正说之间,不防焦廷贵在左阶班部中,听了大怒,跑上帅堂,不问情由,将孙武夹领一抓,啪嗒一声,撂在地上,喝道:“贪财图利的狗王八!吾元帅在此多年,从无亏空仓库!庞洪奸贼要元帅的银子,想是他做梦么!”将孙武揿按地上,哪管什么钦命大人,将拳擂鼓一般打下。孙武大骂道:“无礼匹夫!你殴辱钦差,该得何罪,无非杨宗保暗使你等奴才如此的!”当时杨元帅气得二目圆睁,大骂焦廷贵,离位上前拉开,孙武方得抽身而起,还是气喘吁吁,纱帽歪斜,怒气冲冲,叫道:“杨宗保你纵将行凶,可知国法!”杨元帅想道:好个妙计,被这莽夫弄坏了,早知如此,不瞒他也好。今日此计不成,范公的机谋枉用,只落得纵将行凶,辱打钦差之罪。只得骂一声道:“孙武!你不该如此,圣上命你到来盘查仓库,本帅仓库每年无亏无缺,如何你反听信庞贼奸谋,图诈赃银五万两。你乃奸贼党羽,欺君误国,王法已无,本帅容你不得!”说着喝声:“拿下!”与焦廷贵用两架囚车禁了,连忙写本章一道,差沈达押解到京,悉凭圣上做主。另修书一封,教沈达到京,悄悄送交天波府达知佘太君。沈达领命,带了十名壮军,押了两个囚笼,离了边关,向汴京城而去。

不知后事如何,且看下回分解。

第四十三回

杨元帅上本劾奸　庞国丈巧言惑主

却说沈达进京去了,杨元帅心头气恼,又觉可笑。笑的是范礼部设成妙计,孙武已上了圈套,恼的是不遂其谋,被莽夫弄歪了,不得不将焦廷贵一并解回朝中。纵有朝廷议罪,也必怀念开恩,又有祖母佘太君周全,管保无碍。范爷长吁一声道:"都是这莽匹夫将机谋泄露,虽有太君包庇无妨,只忧老奸贼又要兴风作浪了。"杨元帅道:"事已至此,纵然朝廷治罪,只可听其自然。"狄爷也点头长叹道:"内有奸臣,实难宁靖的。"杨青道:"从今大事,不可重用此莽夫了。"

不表边关一番忠良话,且说沈达趱程,沿途无阻,到得东京地面,未进王城,先想道:若将二人解进王城,圣上未知,奸臣先晓,倘或被他谲弄①起来,便不稳当了,即于相国寺将二架囚车悄悄寄放僧房内,着令兵丁看守。其时天当中午,处置停妥,先往天波府内投递了元帅家书。佘太君拆书,从头细阅,冷笑一声道:"庞洪何苦施此毒计,虽则如此,只好将别人播弄我府中人,休得妄思下手。"太君吩咐备办酒席,款待沈达。当日众夫人也知此事,即差人到朝中打听消息,倘有干系情事,即要报知。

且说焦廷贵将孙武大骂奸贼不休,一程出关,也是大骂喧喧,是日在相国寺中,更吵骂得厉害。孙武欲待通个消息于庞府,无奈随行家将人等,都被杨元帅留在边庭,并无一人在身边,只得忍耐,由那焦廷贵痛骂,且待来朝庞太师自有打点,这且按下不表。

至五更三点,万岁登殿,百官人觐,朝参已毕,文站东边,武立西侧,值殿官传旨已毕,忽有黄门官奏知万岁:"今有边关杨元帅特差副将沈达赍本回朝,现在午门候旨。"天子闻奏,想道:朕差孙武往边关查察,尚未还朝,杨宗保缘何又有本章回朝?即传旨黄门官取本进览。不一刻已将本章呈上御案。圣上龙目细细观看完毕,又向文班中看看庞国丈,明白他贪

---

① 谲(jué)弄——欺诈之意。

财诈赃，便道："庞卿，杨元帅有本，你且看来。"国丈领旨上前在御案侧旁细看，只见上面写道：

原任太保左仆射、统领粮饷军机大臣、兼理吏、兵、刑三部尚书罪臣杨宗保奏：恭仰先帝洪恩浩荡，职任边关，将近三十载；复蒙吾主陛下加恩，奚啻天高地厚，虽肝脑涂地，难补报于万一。臣铭心刻骨，颇效愚忠，敢替先人余烈，以紊六律章程；兹奉钦差工部侍郎孙武至关盘查仓库，臣即遵旨将仓库悉行封固，恭候稽查。孰意孙武阳奉阴违，诈赃索贿，仓不查，库不察，称系庞洪嘱托，言每年应得馈礼五千两，共合银十二万五千，而孙武索送七万五千，有即以二十五年计每年三千两不为过多之语。依允即不予盘查，不允则回奏仓不亏为亏，库不缺为缺。当时臣不遂其欲，在帅堂吵闹一番，部将焦廷贵忿忿激烈，不遵规束，殴辱钦差，与臣例应并罪。唯臣职领边疆重地，不敢擅离，先将孙武、焦廷贵着沈达押解回朝，恭仰圣裁定夺。臣在边关待罪，恭候旨命。谨奏。

庞国丈看罢大惊，想道：只说孙武材干能员，岂知是个无用东西，今日驾前文武众多，叫我如何对答当今？只得奏道："陛下，臣伴驾多年，深沐王恩，岂肯贪图索诈。前蒙陛下差孙武出京，何曾有言嘱托？况今孙武现在，只求万岁询他，便知明白。杨宗保刁诈异常，自知有罪难逃，诬告谎奏，无证无凭，希图搪塞，况他纵将行凶，将钦差辱打，显系恃势欺凌，伏唯我主明鉴参详。"天子道："庞卿平身。"即传旨焦廷贵见驾，当驾官领旨宣进，焦廷贵昂然挺胸，踩开大步，直至金銮殿，全然不懂三呼万岁见驾之礼，高声道："皇帝在上，末将打拱。"天子见他如此，也觉可笑！早有值殿官喝道："万岁驾前，擅敢无礼，还不俯伏下跪么！"焦廷贵道："要我下跪？也罢，跪跪何妨。皇帝，我焦廷贵下跪了。"天子倒也喜他耿直，知他不会说谎，便想先细细盘诘他失去征衣之事。

当日圣上缘何不问殴辱钦差，倒盘诘起失征衣之事？原来法律重在起因，殴辱钦差原由却为失征衣而起，故先问征衣失否，为的是向呆将讨个实信。如若失征衣事真，是孙武诈赃事定假，诈赃事假，则焦廷贵殴辱钦差之罪不免。天子想罢，便问道："焦廷贵，狄青解到征衣究竟怎样？且明言上来。"焦廷贵道："征衣到也到了，因不小心被强盗抢去，险些狄钦差吃饭东西都保不牢。"国丈在旁，心头暗暗喜欢，难得圣上问失征衣事，更喜这莽夫毫不包藏。天子听了失去征衣，点头又问："焦廷贵，失在哪里？"焦廷贵道："离关不过二百里，是磨盘山强盗抢去，哪人不知，谁人不晓？"天子道："失去多少，存留多少？"焦廷贵道："抢得一件不存。"庞洪想道：圣上若再问下去，射杀赞天王、子牙猜事情必败露了，须要阻当君王诘问为妙。即俯伏金銮奏道："臣启陛下，那焦廷贵乃杨宗保麾下将官，今日已经认失征衣，此事既真，事事皆实了。狄青冒功抵罪，杨宗保屈杀无辜，李沈氏呈他冒功屈杀之语，实为确切，孙武诈赃显无此事了。焦廷贵如此强暴，岂无殴辱钦差之事？此案内情委曲，诚恐有费陛下龙心，伏祈陛下发交大臣细加严审，询明复旨，未知圣意如何？"天子道："依卿所奏，但此事非小，不知发交何人？"国丈道："臣保荐西台御史沈国清承办，必不误事。"

当时圣上准了国丈奏议，发交西台御史审讯。沈御史口称"领旨"，早有值殿将军拿下焦廷贵，他还是高声大骂道："你如此真乃糊涂不明的皇帝了！怎么听了这鸟奸臣的话，欺我焦将军么！"国丈大喝道："万岁前休得无礼！"焦廷贵乃一莽汉，怎知君上的尊严，还不断大骂好贼狗畜类，当有值殿官急将焦廷贵推出午朝门外，押回囚车而去。国丈奏道："押解官沈达不可放归边关。"天子问道："何故？"国丈道："臣启陛下，倘然回关，杨宗保得知，自觉情虚，恐生变端。且将沈达暂行拘禁，待询明之后，方可释放。"天子准奏，着将沈达暂禁天牢，值殿官领旨，登时将沈达押下天牢去了。

天子退朝，当有一般大臣见天子事事准依国丈，一个个敢怒而不敢言，只有庞洪、孙秀一退朝，便命人打开孙武囚车，同至庞府。若问孙侍郎是犯官，因何沈御史既领旨审办，又不带去？只为一班奸党相连，私放了孙武，独欺瞒得朝廷耳目，仁宗时奸臣势焰滔天，大抵如此。这且不表。

当日孙武随着庞洪、孙秀至相府，胡坤亦来叙会。国丈道："出京之日，一力肩担，怎生倒翻杨宗保之手，几乎累及老夫，实乃不中用的东西！"孙武道："非我不才，他们早已暗算机关，装成巧计。"孙秀道："岳父大人，且免心烦，如今埋怨已迟了。但这焦廷贵已招出尽失征衣，只要沈御史用严刑追逼他招出狄青冒功之事，不惧杨宗保刁滑势大，即狄太后、佘太君也难遮庇。"四人正言，沈御史也到了，说道："晚生特来请教太师，这焦廷贵如何审办？"国丈道："这些小事还来动问么？只将焦廷贵严刑追究,失征衣之事,已经招出,还要他招出李成父子功劳被狄青冒去,焦廷贵又受贿硬证,杨宗保不加细察,反将李成父子糊涂屈杀。再审得孙武诈赃是假,焦廷贵殴辱钦差是真,审明复旨,将这狗党斩的斩,杀的杀,岂不快哉!”胡坤道:“太师,想那焦廷贵乃铮铮烈烈硬汉,倘然抵死不招,怎生弄法?”国丈道:“他抵死不招,何难之有?做了假供复旨即可。”沈御史喜悦应诺。此时堂上已排列酒宴,五奸叙酌言谈,宴毕各各告归回府。

却说沈御史进到内堂,时早过午,尹氏夫人一见问道:“相公,今天上朝,因何这时候方回,莫非商议国家大事?”沈御史道:“与你夫妻,说也不妨。”即将始末情由言明,尹氏夫人听了,心中不悦,顷刻花容失色,叫道:“相公,此是他人之事,别人之冤,且妹子适人,已为外戚,何况李氏父子死有余辜?凡人既出仕王家,须望名标青史,后日馨香,何以入此党中,将众贤良一网兜收?此事断然不可,万祈老爷三思。”沈御史冷笑道:“此言差矣!下官若非庞太师提拔,怎能高陛御史,夫人你也哪有此凤冠霞帔?”夫人道:“国丈今日势头虽高,但他刁恶多端,等他势倒之日,料这老奸,必然遗臭千秋。”沈御史听了这“奸”字,怒气直冲,连连骂道:“不贤泼妇,出语伤人,因何风平浪静惹出闲气来?”夫人道:“相公,不是妾身凭空惹你动气,不过将情度理,劝君以免灾祸罢了。”沈御史道:“哪见我有灾祸来?”夫人道:“老爷这般趋奉奸相……”言未完,御史喝骂道:“不贤泼妇,他为何是奸相,奸从何来?你且说知!”夫人道:“妾是谏劝老爷忠君为国,何须动恼?我想国丈作尽威福,陷害忠良,贪财误国,即妾不呼他奸臣,也难遮外人耳目。”御史道:“你知他害了哪个忠臣?”夫人道:“怎言不是?即今要扳倒杨宗保就是一桩。杨宗保乃是世代忠良,保护江山的元勋,即提督狄青,乃当今太后内戚,在边关立下大功,亦武勇之臣,为国家所倚赖。若灭害了这等英雄,君王社稷哪人撑持?老爷食了王家厚禄,须当忠君报国,方得后世流芳,趋炎附势,千秋之下,臭名难免。倘不入奸党,妾便终身戴德了。”御史听罢,怒道:“可恼贱人,你一无知女流,休得多言,如再饶舌,定不饶你!”

不知尹氏夫人如何答他,且看下回分解。

第四十四回

骂奸党贞娘自缢　捏供词莽汉遭殃

当时尹氏夫人叫道:“老爷,妾是一片忠言谏劝,岂料你仍甘心作奸臣党羽,还防日后有倾家之祸,那时方悔不听妻谏之言,反落得臭名与后人笑话!”沈御史大喝道:“不贤之妇,日后纵然有倾覆之祸,与你何涉何干!”伸手两个巴掌打去,旁边众丫环趱近,扯住老爷袍袖,劝道:“老爷万勿动手!”众丫环扶持主母,共归内房,夫人坐下,呼唤丫环素兰,往外堂屏后打听老爷将三关将官如何审断,即回来复知,丫环领命而出不表。

且言沈御史怒气冲冲,不听夫人劝谏,一出外堂,立即传话升堂,早有差人带着焦廷贵,浑身刑具,来到御史堂上。那焦廷贵高声大喝沈御史的诨号道:“沈不清!你休得妄自尊大。”沈御史拍案大喝道:“蠢奴才!法堂上还敢如此无礼,要怎的?”焦廷贵道:“焦老爷要回边关去。”沈御史道:“焦廷贵,今日本御史奉旨,审讯杨宗保乱法欺君之事,速将狄青失征衣、冒功劳,杨宗保屈斩李成父子,你受了狄青多少财赃,怎生殴辱钦差,杨宗保妄奏财赃事,细细供来,以免动刑。”

焦廷贵大喝道:“沈不清,你这鸟御史,说的什么话,我焦老爷一概不知,休得多问!”沈御史道:“本官也知不动刑法你怎肯招认!”便吩咐将他狠狠地夹起,差人领命,即将焦廷贵卸下脚镣,一双赤足,套入三根木中。焦廷贵道:“这个东西倒甚有趣。”沈御史拍案喝道:“焦廷贵招认否?”焦廷贵道:“我焦老爷招取你狗命。”御史再呼役人,将那夹棍一连三收,两棍头又加数十锤,焦廷贵愈加大骂,大声喝道:“沈不清,乌龟官,狗奴才!敢如此欺侮你焦老爷么!”御史道:“焦廷贵,本官劝你招了吧。”焦廷贵大骂道:“沈不清,割下我脑袋才算你的本领。”沈御史想道:焦廷贵乃一硬汉,谅来不肯招认,不免做个假供。吩咐左右,将他松了刑棍,上了镣具,发回大牢,待明天取他脑袋。

不表焦廷贵发下天牢,且说御史退堂,回进书斋,做备假口供。当有丫环素兰在屏后打探得分明,进至后堂,细细达知主母。尹氏夫人听了,登时脸上无光，珠泪汪汪，打发丫环众人都出房外，夫人独自一人将房门闭上，长叹一声，浓磨香墨，题绝命诗道：

安身一殒有谁怜，虚度光阴三十年，
但愿夫君偏性改，纵归黄土也安然！

题罢，泪如泉涌，哭道："可怜十余载恩爱夫妻，一旦分离，未免情伤。但今日劝谏不从，日后亦不免杀身之祸，反要出乖露丑，与其生，不如死了。"言罢，自缢身亡。

众丫环见夫人进房已久，闭门不开，众人说："老爷从未与夫人叹气，今朝言语驳斥，骂了一番，又动手打两个巴掌，为着外人之事，夫妻惹起气来。如今夫人闭门不开，不知吉凶如何？"众丫环商议，甚觉慌忙，只得一齐动手打开房门，一见吓得惊慌无措，都说："不好了！夫人当真寻了短见。"素兰叫："金菊姐姐，你等看好夫人，待我往报老爷得知。"言罢急忙去了。内房丫环将汗帕解下，啼哭呼叫，灌下姜汤，夫人身体早已冰冷，哪得复醒。

不表众丫环惊惶，当时沈御史在书斋中正做完假供，写就一本要来朝奏帝，自笑道："此一本上去，哪管你天波府势头高，杨宗保性命难存，即使狄青是太后娘娘内戚，也逃不掉狗命。"写就此本，正要去见庞国丈，只见素兰丫环跑得气喘吁吁而来，叫道："老爷，不好了！"沈国清喝道："贱丫头，何故大惊小怪？"素兰道："不是小婢惊怪，只为夫人死了。"沈御史喝道："小贱人！敢来谎我！夫人毫无病症，怎言死了？"素兰道："夫人自缢身死，现有众人尚在房中救唤夫人。"御史道："此不贤妇人，应该死的。"素兰听了，流泪道："老爷，难道口头上争闹几言，就断了夫妻之情不成？可惜夫人乃一位贤良诰命，翰墨名家之女，死得如此惨伤，老爷还不速往看看夫人能救活否？"沈御史喝道："贱丫头胡说！你们自去救她，我不管了。她如此可恶，口口声声只骂我奸臣，还有什么夫妻情分！"言未了，又见两名丫环飞奔进来，啼啼哭哭道："老爷，夫人缢死惨伤，我们多方解救，只是不能还阳了。"沈国清趋奉权奸，厌恼夫人谏阻多言，竟将夫妻之情，付于流水，见丫环都来禀告，只得进内房，走近身旁，立着冷笑道："尹氏，谁教你多管我的闲事！是你自寻死路，实乃口头取祸，你死在九泉，也怨恨不得丈夫。"又回身吩咐丫环道："速唤家丁掘土埋她。"众丫环道："老爷，不知怎生埋法？"沈国清道："即在后园亭中掘个土窖，以掩尸骸罢了。”众丫环齐道:“老爷差矣!主母夫人曾受皇封诰命,是老爷结发夫妻,今日寻了短见,死得如此惨伤,理应开丧超度,然后棺椁入土为安才是。”沈国清喝道:“贱婢!休要你们多管。”众丫环道:“老爷,这是理该如此,算不得我们丫环多言。”沈国清喝道:“这是不贤之妇,死何足惜,有什么棺椁成丧!哪个再敢多言,活活处死!”说罢,出房而去。众丫环听了,不敢再言,珠泪纷纷,人人悲苦,恨老爷心肠太硬,全无半点恩情。只得遵命,唤来几名家丁,带备锹锄,在后园中丹桂亭旁,掘开泥潭数尺。众丫环服侍夫人,沐浴了身体,更换新衣,头上戴些花细钗环之物。时鼓打初更,前后有提灯引道,将夫人扛起,是日乃三月初三,新月早沉,来至后庭,家人丫环悲啼惨切,已将夫人埋入土窖中,上面仍用土泥浮松盖掩,以免压腐体骸。这是众家丁丫环怜惜夫人受屈,不忍之心,不然,日后怎生全尸,这是后话不提。是夜众家丁丫环人人叩首,个个含悲,都道:“夫人受过王封,金枝玉叶之躯,惨死了不得棺椁安葬,皆老爷薄幸不情之过。”那沈国清亲至亭心,看见夫人埋于土中,说道:“尹氏,你如今死了,是你命该如此,勿怨着我丈夫无情。待我来朝奉旨杀了焦廷贵,公事一毕,然后用棺埋葬便了。”说罢,回进书房,头一摇道:“罢了,哪有这等多管闲事的女子,竟不畏死的,还恼她留下诗词四句,要本官改什么偏性!”说罢,命家丁手持火把,前往国丈府中,令人通报,进内相见,即将本章假供与国丈观看。国丈灯下看毕,大悦道:“此本甚是妥当详明,待明朝呈进便了。”沈国清道:“夜深如此,告退了。”当日算得神差鬼使,有关尹氏自尽的缘由,御史并不说明,是以国丈全然不晓。

次日,沈国清来到朝房,少停,万岁登殿。文武朝参分列,值殿官传过旨意,有沈御史出班俯伏奏道:“臣奉旨审断焦廷贵,初则倔强不招,次后用刑,招出:狄青失去征衣,冒功抵罪,焦廷贵受贿为证,李成父子除寇有功,杨宗保竟不察而屈斩,钦差孙武又被他封固仓库,不许盘查,纵令焦廷贵殴打钦差,反劾孙侍郎诈赃。”又将本章供状上呈,天子看罢,龙颜大怒,骂道:“泼天大胆的杨宗保,朕只道你是边疆大臣,今日看来乃一大奸臣。深负国恩,目无王法,狄青等失去征衣,不该冒功抵罪,屈杀有功,着一并押解回朝治罪!”国丈一想,如若押解回朝,必被狄太后、佘太君出头,仍是杀不成,即出班奏道:“臣庞洪有奏。”天子道:“卿且奏来。”庞国丈奏道:“杨宗保久镇边关,兵权统属,如若押解回朝,诚恐被他风闻准备,万一途中生变,为祸非小。”天子道:“卿之见如何?”国丈道:“臣思焦廷贵招认罪名,无庸再问,莫若密旨一道,赐其刑典,着杨、狄二臣即于边城尽节,焦廷贵即于王城处决。未知我主龙意若何?”天子准奏,仍命孙武赍旨一道,即行密往边关,着令杨、狄二臣速行受命,孙兵部监斩焦廷贵复旨。二奸得差大悦。众贤臣人人惊恐,一同出班保奏,有富太师、韩吏部与天子面争辩驳,天子只是不依。众臣只落得气愤不悦,无奈此时随驾在朝,也不能往南清宫、天波府通个消息。那孙兵部奉了圣旨,一刻也不停留,即往天牢中调出焦廷贵。这位黑将军还是骂不绝口,大骂奸臣乌龟,一程骂到西郊,早有天波府家丁打听明白,飞奔回府报知。佘太君闻言大怒,即时上了宝辇,亲自上朝面圣,犹恐搭救不及,先命杜夫人、穆桂英往法场阻挡,不许监斩官开刀。若问天波府几位夫人,十分厉害,这孙秀虽乃权奸,见了二位夫人也惧怯三分。只听穆桂英喝道:“奉太君之命,刀下留人!”这孙秀哪里敢动,焦廷贵高呼道:“夫人速来搭救小将,不然活活的人要分作两段了。”二位夫人道:“焦廷贵,不要怕,如若杀你,自有孙兵部抵命。”焦廷贵道:“如此方妙!”

不知佘太君上殿见驾,救得焦廷贵否,且看下回分解。

第四十五回

佘太君金殿说理　包待制乌台审冤

却说佘太君进至金銮殿中俯伏见驾，天子即命内侍扶起，赐坐锦墩。太君开言道："未知陛下因何处斩这焦廷贵？他乃边关效力之将，又是忠良之后，即便有罪，圣上亦须念他祖焦赞有血战大功，略宽恕几分，免得断了忠良后裔，方见陛下仁慈。"天子听了，觉得难将此事原委说出，国丈暗道：君王不善言辞，何不说君要臣死，臣不得不死。我亦不敢多言辩驳，只因这位佘太君不是好惹的。当下天子不言，太君又道："陛下，臣妾夫儿都是为国捐躯，苗裔止存一脉。即我孙儿领守边关，亦将卅载，尽心报国，并无差处，乃陛下所深知。这焦廷贵随守边关，也有战功，未知犯了何罪，要处斩他？"天子见太君又问，只得说道："朕差孙武往边关查库，焦廷贵不该殴辱钦差。殴辱钦差，正如殴辱朕身。如此目无王法，理该处决。"太君道："孙武既奉旨盘查仓库，乃仓库不查，反诈取赃银七万五千两，钦差诈赃，犹如陛下诈赃，也应该将这孙武执法惩处为是。"天子又道："孙武并未诈赃，处决他岂不枉屈？"太君道："焦廷贵殴辱钦差，并无此事，杀之无辜。"天子听了，微哂道："焦廷贵殴辱钦差，已经明白招供，岂是枉屈斩他！"太君道："既重办焦廷贵，孙武何得并不追究？殴辱钦差，理该罪究杨宗保，如何独执焦廷贵？如此岂非陛下立法不当么？"天子听了太君之言，略一点头道："你孙儿果也有罪，难以姑宽。朕念他是功臣之后，守关二十余年，不忍身首两分，已特赠三般法典，全其身首了。"太君听了大怒，道："臣妾夫儿，十人死其七八，俱乃为国身亡，不得命终。即我孙儿杨宗保，守关有年，辛勤为国，陛下轻听谗言，一朝赐死，其心何忍！即如民间讼案，也须询诘分明，两造谁是谁非，方能定断，何况如此大事。不究孙武，不问宗保、狄青亲供，只据焦廷贵狂妄之言，便杀的杀，赐死的赐死。倘果是奸臣作祟，一死固不足惜，但忠良受此冤屈，一生忠义之名化作万年遗臭，岂不冤哉！沈御史与庞国丈是师生之谊，孙武是孙兵部手足，内中岂无委曲情弊？伏祈陛下暂免焦廷贵典刑，且将杨、狄二臣取到，陛下亲自审讯。如果是实情，非但宗保之罪难免，臣妾满门亦甘愿受戮。如若陛下不分明四人罪端，先将焦廷贵处斩，是立志存私，非立法之公，何能服众臣之心！”

这时庞国文一旁暗暗想道：今天稳稳地杀了焦廷贵，以假作真，死无对证，那边关上两名奴才易于收拾。不知哪个畜生大胆，往天波府通知消息，这老婆儿来到朝堂，说出一段狠言恶语。可笑昏君，犹如木偶一般，老夫这一段计谋又枉用了！当下又有文阁老、韩吏部、富太师等听了老太君之言，理明而公，道破奸党心肠，无不大快。那天子闻太君之言，想来有理，只得传旨道：“焦廷贵暂免开刀，仍禁天牢；孙武免责朝廷刑典，另颁旨意，召取杨宗保、狄青回朝，询明定夺。”太君又奏道：“恳陛下将焦廷贵赐于臣妾收管，决不有碍。”天子准奏，又着太监四名送老太君回归天波府内。

当时圣旨一到法场，焦廷贵不用开刀，旨上又着令孙兵部送回天波府，有杜夫人、穆桂英冷笑骂道：“奸臣佞贼，你敢向老虎头上捉虱么？”孙秀被骂得默默无言。当日焦廷贵到府，拜见老太君并列位夫人，太君道：“边关之事，实乃如何？”焦廷贵道：“狄青失征衣、立战功是实，李成父子冒功是真。孙贼一到，即诈赃数万，是以小将将他殴打。”太君道：“都是你打了孙武，中了庞洪之计。”焦廷贵道：“太君不妨。庞洪这奸贼断断容他不得，待小将往取他首级，方消此恨！”太君喝道：“休得闯祸，谁是谁非，且待元帅回朝，再行定夺。”当日，太君犹恐焦廷贵出府招灾闯祸，故意将他款留在府中，不许私出。又差人往天牢吩咐狱官，待沈达细心供给，此话不表。

话说尹氏夫人死去，寿算未终，向阎君哭诉惨死之由。阎君查阅夫人年寿有八旬以外，目下虽亡，实属屈死，应得还阳。沈国清注寿三十六，本年三月初八，应死于刀下。阎君开言道：“尹氏夫人虽冤屈了，但你丈夫本年该凶死于朝廷法律，夫人可速回阳世，到包待制那边告诉，他自有救你还阳之法。”夫人上禀阎君道：“包大人往陈州赈饥未回，尹乃一亡女，如何越境远奔，岂无神人阻隔？”阎君听言，即备碟文，差鬼卒二名，吩咐送夫人往陈州城隍司管收留，好待夫人告诉冤状回阳。鬼卒领旨，送护尹氏夫人到陈州城隍那边交代。却说包拯上年奉旨赈饥，尚未回朝，前书说陈州地面，连饥数载，众民度日维艰，岁岁粟价倍增。只因蝗虫大盛，稻麦被食，十不存一。有产业之民，稍可苦度，更有贫乏之家，老弱之辈死于沟壑之中，实为可悯，故本府官员，是年申详上完，督抚文武拜本回朝，圣上恤民，敕旨包公调取别省米粮，到陈州低价而粜①，济活多少生命，人人感沾皇恩，个个爱戴包公大德。包公又命不许强横土豪积聚，倘查出有囤粮抬售的，即要拿究，施与贫民。是以恶棍土豪不敢积聚图利；官吏粮差不敢作弄卖法，人人惧怕着包拯厉害。

当日乃三月初三日，包公督理饥民粮粟，正在转回来，三十六对排军，前呼后拥。包爷身坐金装八抬大轿，凛凛威严，令人惊惧。其时日落西山，天色昏暮，忽一阵狂风，风声响过，包爷身坐轿中，眼前乌黑了，众排军也被怪风吹得汗毛直竖。包公想道：此风吹得怪异，难道又有什么冤屈情事不成？想罢，即吩咐住轿，开言喝问："何方鬼魂作祟？倘有冤屈，容你今夜在荒地上台前诉告。果有冤情，本官自然与你力办。如今不须拦阻，去吧。"言未了，又闻呼一声，狂风卷起沙石，渐就静了。包公吩咐打道回衙，用过夜膳，即命张龙、赵虎道："今夜可于荒郊之外，略筑一台，列公位于台下，不得延迟！"两名排军领命去讫。是晚立刻在北关外寻了一所空闲荒地，周围四野空虚，邀齐三十余人，搭了竹棚，中央排列公案一位。

其时初更将尽，二人回禀包大人。包公赏了众人，只携两对排军，董超、薛霸，合了张、赵二人，提灯引导。街衢中寂静无声，只闻犬吠嗥嗥。钩月早收，只有一天星斗。约行二里到了北关，包公停了坐轿，但见周围多是青青的草，又是乱丛丛的砖瓦，坍棺古冢，破骨骷髅，东一段，西一段，包爷见了，倒觉触目惊心。包爷上了台，焚香叩祝一番，然后向当中坐下，默默不言。四名排军，遵包爷命，立俟台下。包爷昂昂然坐定，听候告冤。其时远远忽有一阵怪风吹来，寒侵肌肤。四排军早已毛骨悚然，昏昏睡去。当下包爷也在半睡半醒，朦胧中只见一女鬼，曲腰跪下，呼道："大人听禀，妾乃尹氏名贞娘，西台沈御史发妻。"包爷道："你既云沈御史妻，乃是一位夫人了，且请立起。"当下包爷道："夫人，你有甚冤屈之情，在本官跟前不妨直说。"尹氏道："丈夫沈国清与国丈众奸臣欺君，审歪了杨元帅、狄青，要为沈氏翻冤，要诛杀杨元帅三人。只为妾一心劝谏丈夫不要入奸臣党羽，须要尽忠报国，方是臣子之职。不料丈夫不听，反是重重发

---

① 粜(tiào)——卖出谷物。

怒,诟骂殴辱妾身。心想丈夫既归奸臣党中,日后岂无报应?倘累及妻孥,出乖露丑,不如早死以了终身。妾身自愿归阴,亦别无所怨,唯有丈夫不仁,妾虽死有不甘心之处,今已哭诉阎君,言妾阳寿未终,故求大人起尸,倘可再生,感恩非浅。”包公道:“夫人,你却差了。古有三从之道:出嫁从夫,理之当然。你因丈夫不良,不依劝谏,忿恨而死,不该首告夫君,既告证丈夫,岂得无罪?”夫人道:“大人,妾自求身死,有何怨恨丈夫?但妾身冒叨圣上之恩,敕赠诰命之荣,丈夫即不念夫妻之情,亦该备棺入殓,入土方安,何以暴露尸骸,仅盖泥土,辱没朝廷命妇,岂无欺君之罪?妾若不伸诉明白,则世代忠良将士危矣。如今有钦差往边关调杨、狄二臣回朝。一众奸臣究问二臣,二臣犹比釜中之鱼,若非大人回朝,擎天栋柱登时倒,宋室江山一旦倾。妾今告诉,一来为国,二来诉明委屈。但大人须速回朝,方能搭救二位功臣。迟了二臣危矣。”

包爷听了,不胜赞叹道:“你一妇人,尚知忠君爱国,兼有惜将之心,真乃一位贤哲夫人了。”转声又问道:“你今玉体现在沈御史衙署中么?”夫人道:“现在府中后庭内东首桂树旁边,掘下泥土数尺,便见尸骸了。”包爷听罢怒道:“果有此事,可恼沈御史糊涂,不通情理。你妻乃一诰命夫人,缘何暴露便埋土中,欺天昧法,莫大于此!更兼行私刑,做假状,欺瞒圣上,陷害忠良,以假作真,实在死有余辜。夫人且请退下,待本官星夜赶回朝便了。”夫人拜谢,冉冉而去。这时包公已悠悠苏醒,耳边仍觉阴风泠泠,想来似梦非梦,十分诧异。

不知后事如何,且看下回分解。

第四十六回

行色匆匆星夜登程　狂飙飒飒中途落帽

当晚包公醒觉起来，甚为惊异，觉得还是早日回朝为妙。下了台棚，四名排军，服侍包大人坐进轿中，持灯引道，一路回归衙署。坐下思量，定了主意，发下钦赐龙牌一面，差两名排军，将奉旨到边关拿调杨、狄的钦差阻挡住，不许出关，待本官进京见驾，候圣上准旨如何，再行定夺。两名排军奉了钧谕，持了龙牌，连夜往边关而去。

包爷即晚传进陈州知府，嘱咐道："本官有重大案情，即要进京见驾，所有出粜赈济一事，目下民心已靖，且交贵府代办数天，必须依照本官赈济之法，断不可更易存私；如有作弊，即为扰害贫民，贵府有不便之处，本官断不谅情，必须公办。"陈州府道："大人吩咐，卑职自当力办，岂敢存私自误，以取罪戾？大人休得多虑。"是日，包公将粮米册子，存粮多寡，粮金贮下若干，一一交代清楚，然后连夜动身。有陈州知府州县文武得知，齐齐相送，纷纷议论道："这包黑子做的事，俱是奇怪难猜，不知又是何故，不待天明竟是去了。包待制在本州粜赈饥民，众百姓人人颂德，如今我们接手代办，比他格外加厚，有何不可。"众官言语，不烦多表。

且说包公是夜催促行程，一心只望早回王城，一路思量道：庞洪一班奸党，妨贤病国，弄出奇奇怪怪事情，别人的财帛，你或可以贪取，杨宗保是何等之人？你想他财帛，岂非大妄人么？吾今回朝，究明此事，不由圣上不依，扳他不倒，也要吓他个胆战心寒。行行不觉天色曙亮，再走一天，将近陈桥镇不远，天已晚了。包爷吩咐不许惊动本镇官员，免他跋涉徒劳，不拘左右近地寻个庙宇，权且耽搁可也。薛霸启禀道："大人，前边有座东岳庙，十分宽敞，可以暂息。"包公道："如此且在庙中将息便是。"

原来一连二夜未睡，一天行走，众人劳苦，是以包爷此夜命众军暂行歇止。当夜包爷下了大轿，进至庙殿中，司祝道人多少着惊，齐齐跪接，同声道："小道不知包大人驾到，有失恭迎，万乞恕罪。"包爷道："本官经由此地，本境官员尚且不用惊扰。只因天色已晚，寻个地头夜宿，明早即要登程了，不须拘礼。况你们乃出家之人，无拘无束，何须言罪。”众道人道：“大人海量，且请到客堂小坐，只是地方不洁，多有亵渎。”包公道：“老夫只要坐歇一宵，不费你们一草一木，休得劳忙。”道人道：“小道无非奉敬些清汤斋馔，还望大人赏光。”包公道：“如此足领了。”

包爷进内，只见殿中两旁四位神将，对面丹墀两边，左植苍松，右栽古柏。包公进至大殿，中央东岳大帝凛凛端严。道人早已点起灯火香烛，包大人沐手拈香跪下，将某官姓名告祝，礼叩毕起来。是时道人等备了上品蔬斋一席，与包公用晚膳，众排军轿夫另在别堂相款，不多细表。

当晚众道人只言包大人在此安宿，连忙预备一所洁雅卧房，请他安睡。包公反说他们厌烦，定要坐待天明。又吩咐众排军役夫，一概将息，五更天即要启程。众排军人等连日劳累，巴不得大人吩咐一言，各各睡去。单有包公在大殿上或行或坐，庙内道人紧紧陪伴，不敢卧睡，包公几次催促他们去睡，众道人道：“大人为国辛劳，终夜不睡，恐妨贵体。小道等乃幽闭之民，焉敢不恭伴大人？”包公道：“老夫路经此地，只作借宿，你等何必过谦。”众道人见包公十分体贴，人人感激，不一会，又恭奉清茶。至五更天，众军役择日抽身，道人早已设备烧汤梳洗。此地近离王城不远，用膳已毕。包公先取出白金十两，赏与道人，作香烛之资，即打轿起程。众道人齐齐跪送，都道：“包大人好官，用了两顿斋饭，却赏了十两白金。”

不表道人赞叹，却说包公行了一程，已是陈桥镇上，方到一桥中，忽狂风一卷，包爷打了个寒噤，一顶乌纱帽被风吹落。原来包公由西而东，这顶帽子在轿中吹出，落在桥口上。张龙、赵虎连忙抓抢，岂料四手抢一冠，也抢不及，竟滚落于桥下，露出包公光头一个。包公喝道：“什么风，这等放肆！”旁立排军呆呆，有些答道：“这是落帽风。”包公笑道：“如此就是落帽风了。”说时，张龙、赵虎将乌纱与包公升戴好，包公一想，唤张、赵道：“着你二人立刻拿了落帽风回话。”二人一想，不好了，如今又要倒运了，忙启上大老爷道：“落帽风乃无影无踪之物，何处可以捕拿？乞恳大人详参。”包公喝道：“狗才！差你这些小事，竟敢懈俯退避！”二人道：“并不是小人们贪懒畏避，只因无根之物难以捕拿，求乞大人开恩。”包公喝道：“该死奴才，天生之物，哪有无根之理，明是你们贪懒畏劳，限你们一个时辰，拿落帽风回话。”言罢，吩咐仍回转东岳庙中等候。

却说张龙、赵虎吐舌摇头，赵虎道："张兄，吾二人今番倒霉了。一连几天，路途劳累，如今又要拿什么落帽风，这是天上无形之物，哪得捕拿，实乃我二人倒运。"张龙一路思量，又道："赵弟！此事我们办不来的，不免去觅陈桥镇上的保正，要在他身上将落帽风交出，若还交代不出，即拿这保正去见包大人，你意下如何？"赵虎听了笑道："这个主见，倒也不差。"

当下二人昏昏闷闷，去寻镇上保正，逢人便问，内中有人说，保正家住急水乡。二人又即查诘至急水乡，正值保正在家。二人动问姓名，此人姓周名全，便问二人到此何干，张龙道："吾二人乃包大人排军，只因包大人在桥上被狂风落帽，大人差吾二人找陈桥镇保正，立刻将落帽风拿回究罪。"此人道："二位上差既奉包大人差遣，岂无牌票，今既无牌票，只恐真假莫辨。如无牌票，恕吾不往。"二人道："这句话说得有理，如此你且在家中候着，待吾请了大人签牌，再来找你。"周全应允。

二人一程跑回东岳庙中，上禀包大人道："保正要签牌，方肯将落帽风拿出。"包公听了大怒，二目圆睁，喝道："两个奴才！老夫经由的地头，向不惊动别人。如今差你往办些些小事，即要惊动保正，十分可恼！"二人启禀道："大人凡要拘拿，只须凭牌票交与地方保正，便可交出犯人。"包爷喝声："胡说！地方上保正只管得地头百姓，落帽风不是保正管领，何由惊动他们。况你二人还未知落帽风下落，擅敢妄扰保正么！"二人随即再禀道："大人，落帽风实乃无影无踪之物，教小人如何捕捉？望大人开恩见谅，饶赦落帽风，早些赶路为是。"包爷喝道："胡说！凡为承当衙役，总要捕风捉影，今日有了风，还捉不着么？也罢，老夫念你二人是个不中用的，准赏差牌一面，不许惊动保正，滋扰地方，再限你们二个时辰，即拿落帽风回来问究。若再推诿，文武棍一顿打死。"二人领诺，拿了牌票，垂头丧气跑出庙中。

且说包公不是当真要拿落帽风，只因这狂风来得奇怪，身坐轿中能卷出乌纱，料有些奇异之事。这包公是爱管事的官员，又知张、赵是能干差役，故着他二人捕风捉影，又不许他们惊扰地方，既免了一番周折，又免得差吏扰民之害。当下张、赵二人一路上心烦意闷，想："如大人差我二人捉霜拿雨，也还有形可取，偏偏要捉落帽风，这就难了。"二人跑上陈桥，立定了左顾右盼，有过往多人，见二人睁目而视，不明其故，有多言的人询他二人。二人说是奉包公所差，捕捉落帽风，只为俟候得久了，竟不知落帽风在何处。内有一少年道："只有桥西侧药材店一人，名骆茂丰，且去拿他看看。"有几个老成的道："多言乱说！此人乃一良善人，守分营生二三十载，并不招非作歹，你这人好没分晓。若不是此人，岂不冤屈了他！"张、赵听了，倍加烦闷，手中摩弄牌票，站得足都酸了，只得坐于桥栏上自言自语道："包大人差我二人捉拿落帽风，如今寻抓不着，回去定然受责，如何是好！"二人想不着路，如痴如呆。忽见呼的一阵狂风，迎面卷将过来，二人急忙立起，四手抢拿，只呼捉风，岂知捉不牢，反将牌票一纸吹卷过桥，犹如高放风筝一般，已卷起半空中。二人齐道："坏了，风捉不牢，反将牌票吹去，如何回复得包大人！"

且说陈桥镇东角上有一街衢，名曰太平坊，是一所小市头。对街两厢店铺，来往行人不少，这阵狂风，实来得怪异，卷起牌票，吹至太平坊上，落在一副菜担之内。那贩菜的人见了，说道："为什么这纸当票宽大，不知何处吹来的？"遂将担子停住，双手拾起来看，早有张、赵急忙忙赶来，大呼道："落帽风在此地了！"张、赵二人赶近了，要抢夺回那牌票，此人拿牢不放，反叱喝二人狂妄。张、赵也不争辩，只双手并挽道："落帽风，你可知包大人在东岳庙宇中等候你讯问么？快些走吧！"那贩菜人吓得发抖，即大呼道："我是小本经纪，并不为非作恶，无端将吾拘扭作甚？"张龙道："不管你犯法不犯法，且到包大人跟前分辩。"不问情由，二人扭住，推推拉拉，一同走了。太平坊上众百姓一见，七言八语地喧吵，忿忿不平，一齐跟在后面，看他将贩菜的抓往哪一方去。

不知此人可是落帽风，包大人如何审究，下回分解。

第四十七回

郭海寿街头卖菜　李太后窑内逢臣

却说张龙、赵虎扭捉了贩菜小贩，有太平坊上众百姓道："这贩菜人郭海寿，清贫度日，每天肩贩些菜韭小物，进得分文养母，虽因穷而不失孝顺，是以近处地头上人，多呼他为郭孝子。素知他是个朴质守分人，又不犯法招非，包大人何故捉他，我等众人不服，也到东岳庙中看看。"一刻间拥闹得成群结队，何止二三百人。又有人代郭海寿挑了菜担，一同前往。

不表众民拥来东岳庙，先说张、赵扭拉此人，进至庙中，启道："大人，小人已将落帽风拿到了。"包公吩咐带上。二人牵他当面，喝声下跪，此人道："小人并不犯法，此二人冒捉良民，何须下跪？"包公将此人细细一看，倒也生得奇怪，年纪约二十上下，脸色半黑半白，额窄陷而两目有神，耳珠缺而贴肉不挠，鼻塌低而井灶分明，两额深而地角丰润。当下包公细看此人，哪里是什么落帽风，老夫只因风吹落帽，疑有冤屈警报，如今定然张、赵二人难以查办，竟混拿此人来搪塞，也未可知。包公装着发怒喝道："这人还不知法律么？本官跟前，胆大不跪，且细说明你的来历。"此人禀道："大人在上，小的乃经纪小民，并未犯法，故胆大不跪。"包公道："你名叫落帽风么？"此人道："小人是郭海寿，并不是落帽风。"包公道："你是何等人，居住何方？且说与老夫得知。"郭海寿道："小人乃陈桥镇上一个贫民，方出娘胎，父亲已丧，母亲苦守破窑，街衢乞食，抚养小人。我年交十五，娘亲双目失明。如今小民年纪长成十九，一力辛勤，积蓄得铜钱五百，终朝贩卖蔬菜为生。岂知近二三载，饥馑并至，家家户户日见凄惶，米价如珠，每升售至三十文。小人生理淡泊，日中只有一饭两粥，与娘苦度。幸上年十一月，圣上差包大人开皇仓平粜，方得米价如常，连及本地头官吏也好了，不敢索诈良民，恶棍匪盗远遁潜踪。本府数县，人人感德，个个称仁，但小的乃一贫民，并不犯罪，大人拿我来作落帽风，未知何故？恳大人明言下示。"包公想道："听此人说来，竟是个大孝之人了。"正要开言动问，只见众百姓老少二三百人，成群拥进庙来。早有排军三十余人，阻挡呼叱，不许拥入庙宇中堂。包公远远瞧见，吩咐众役不须拦阻，容众人进来，不许喧哗。众人遵着吩咐，进至廊下，包公问道："你们许多人有甚事情？老夫在此，敢来这里胡闹么？"内有几个老人道："大人在上，这郭海寿乃一经纪之民，勤劳良善之辈，家虽贫困，而不失孝道供亲，是个孝子。况他向来安分守己，并不惹是招非，我等小民人人尽知，今日不知大人何故拿他？若是错捉了他，不能做小生理，母在破窑，必致饥饿。故吾众民到此，恳大人开恩释放他回去。倘大人不信，现有他贩卖菜担为凭，祈大人明鉴。"包公道："众民休得喧哗。"众民遵诺。包公即唤张龙、赵虎，喝道："狗奴才！老夫着你往拿落帽风，怎么混拿郭海寿来搪塞？可恶！"喝令责打，二人连忙启禀道："大人，我等有个情由启上。"包公道："容你言来。"二人道："小人们奉了牌票，四下找寻落帽风，忽于陈桥又遇狂风，来得奇怪，已将牌票吹卷起半空中，只恐回不得命，一程追赶至太平坊上。只见有个挑蔬菜担人，手中拿住牌票一纸，奉大人命捕风捉影，故将他拿来。"包爷喝道："胡说！风吹落帽，风卷牌票，都是狂风作怪，只要拿风，你二人故违吾令，妄捉良民，应该重处！"二人道："大人开恩，待小的再往拿落帽风，如若打伤小的两腿，难以行走，怎能奉命去拘拿？"包公道："也罢，限你午刻拿回，如违重处！"二人谢了起来，一同跑出庙门。赵虎道："张兄，我二人今日糟了。"张龙道："赵弟，这件事情叫我们实难处置，且与你再至陈桥观望一回，同归禀上，实办不出落帽风，让他革除身役罢了。"

不表张、赵之言，却说包公叫道："郭海寿，你既然乃善良之民，本官且释放你回去，你等众民，也不必在此耽搁喧哗。"众民都说："大人开恩释放海寿，他母亲可以活命了。"包公又对郭海寿道："老夫念你是个行孝贫民，赏你五两银子，回去做些小买卖，也好供养母亲。"董超早已交他白银五两。郭海寿好生欢喜，叩谢大人，挑回菜担而行。众民都自散去，皆言包公仁德清官，也且不表。

却说郭海寿回至太平坊，将菜担寄放在相识处，还至破窑，将茅门一推进内，大呼母亲。那瞎目婆子唤道："孩儿，你去了未久，何故即回？"郭海寿道："母亲，方才孩儿挑担出了大街，未有人与儿采买，方在大平坊上，忽一纸官家牌票被大风吹来。儿方拾起，早有两位公差拉扭儿至东岳庙，有位官员，浑身黑色打扮，面色亦黑。我初不晓他是何人，只道本处官员,妄拿我的,故不肯下跪。他又查问我。有众人禀我行孝,此位官员甚为喜悦,赏我白银五两,做小经纪供亲,真乃大幸,故特回来安慰母亲。”婆子道:“他如此爱民,是什么官员?”郭海寿道:“母亲,你幸双目失明,如若好目,见了此位官员,只恐吓坏了你。他面貌十分凶恶,谁知竟是朝中包待制大人,名包拯,难道母亲不闻人说包公是个朝上大忠臣,为国爱民的清官?”婆子道:“原来此官是包拯。孩儿,你且去请他来,做娘的有一重大事与他面诉。”郭海寿道:“母亲,有何事告诉?且说与儿知晓,代禀包公。”婆子道:“孩儿,我身负极大奇冤,满朝大臣除了包公铁面无私,无可伸诉。我儿代诉,终必无益,必要与包拯面言方可。”海寿笑道:“母亲之言,也觉奇了,我母子居住破窑,虽然贫苦,但无一人欺侮母亲,有甚极惨之冤?”婆子道:“孩儿,此乃十八年前之事,你哪里得知?速去请他来,为娘自有言告诉。”海寿道:“原来十八年前事,果然孩儿不得而知,倘或包大人不来,便怎生是好?”婆子道:“你去说我母有十八年前大冤,要当面伸诉,别官不来,包拯定然到的。”海寿道:“既然如此,孩儿往请他来,母亲且将银子收好。”言罢,奔出破窑。

且说张龙、赵虎二人奉令商议,若等候到明日也不中用,不如回去禀复大人,悉听处治也罢。两人垂头丧气,战战兢兢,回转庙宇中下跪,禀道:“大人,小的奉命捉拿落帽风,实乃无影无踪之物,难以搜来,恳大人开恩。”包公想了一想道:“狂风落帽,原道有什么冤情警报,所以强押二人去搜求,既无别事,也只得罢了。况尹氏之事要紧,不如且先回朝。”当下便吩咐起轿,这张、赵二人才放了心。正要喝道出门,忽来了郭海寿,叫道:“大人,我家母请你去告状。”众排军喝道:“该死奴才,你莫非疯癫,还不速返!”海寿道:“我家母有极大冤枉,故来请大人前往告诉,你们不须拦阻。”包公听见便道:“不用阻他。”原来包公性情古怪,办事也是与人迥异。今日一听郭海寿之言,想他为什么反要本官去告状,想这妇人说得出此言,定有缘故,即道:“郭海寿,你母亲在哪里?”海寿道:“现在破窑等候。”包公听了,吩咐打道往破窑去。

当下郭海寿引道前行,告诉众人到门,不可叫喝,犹恐惊坏娘亲,包公也命不用鸣锣喝道。郭海寿当先,即从太平坊上经过,旁人唤道:“海寿,缘何不往买卖,只管往来跑走?”海寿道:“我母亲要包公到门告状。”众人道:“但不知包公来了么?”海寿道:“后面来的不是包公么?”众人一看,果然排军蜂拥而来,都笑道:“这桩奇事古今罕有,这婆子久住破窑,双目已瞎,年将五十,财势俱没,莫非犯了疯癫? 谅她没有什么冤情告诉,又少见告状的子民,妄自尊大,反要老爷上门告状,想来原是包公痴呆。”你言我语,随走观看。海寿一至茅门,停足叫道:“大人,这里就是了。”回头又叫道:“母亲,包大人来了。”婆子道:“孩儿,且摆正这条破凳在中央,待我坐下。”海寿领命摆正。婆子当中坐下。海寿站立旁边。包公住轿,离茅屋半箭之遥,命张、赵前往叫妇人速来告诉,有甚冤情。二役领命到门大呼道:“妇人知悉,包大人亲自到此,有甚冤情,速速出来诉禀。”妇人答道:“叫包拯进来见我!”张、赵大喝道:“贱妇人,好生大胆,擅敢呼唤大人名讳,罪该万死!”妇人道:“包拯名讳,我却呼得,快叫他进来,有话与他商量。”张、赵二人又觉恼,又觉好笑道:“大人目今官星不现了,遇到这痴癫妇女。”二人只得禀知包公道:“郭海寿的母亲,是个痴呆妇人。”包爷道:“怎见她是痴呆?”二人禀道:“她将大人的尊讳,公然呼唤! 要大人去见她答话。”包公道:“要本官往见她?”二人称是,包公道:“这也何妨?”言罢,吩咐起轿,有众排军暗言,包公真是呆官,如孩童之见。更有闲看之人称言奇事。

当时包公到了门首,张龙跑进茅屋,叫道:“郭海寿,包大人到来,何不跪接?”妇人接言道:“包拯来了么? 唤他里厢讲话。”张龙喝道:“贱妇人这污秽所在,还敢要大人进来,休得做梦!”妇人喝道:“胡说! 我也在此久居了,难道他却进来不得? 必须他到里厢来,方可面言。”张龙听了,不住摇头道:“大人今日遇鬼迷了,回到京中,乌纱也戴不稳了。”又来启禀道:“大人,这妇人要大人进里边讲话。小人说,此地污秽,不可以请大人进去。她说,她居住已久,难道大人进去不得? 岂不可笑!”包公听了,想道:这妇人定然不是微贱之辈,故有此大言。也罢,且进去,看他有什么冤情。

包公想罢出轿,张龙、赵虎二人扶伴。包公身高,故低头曲腰入屋内,细将妇人一看,约有四旬七八的年纪,发髻蓬蓬,双目不明,衣衫褴褛,面目焦瘦,而风度似非等闲之辈。郭海寿道:“母亲,包大人来了。”她说:“在哪里?”包公道:“老夫在此。”她说:“包拯,你来了么?”包公听了,又气恼,又好笑,便道:“妇人,老夫在此,你有什么冤情? 速速诉明。”妇人道:“你且近些!”包公又近些,那妇人两手一捞,摸不着包公,又将手一招道:“再近些!”包公无奈,只得走近,离不上三步,被她摸着了半边腰带,叫道:“包拯,你见了老身,还不下跪么?”包爷瞪目自语道:“好大来头妇人,还要老夫下跪,是何缘故?”妇人道:“你依我跪下,我可诉说前情。”包公无奈,说道:“也罢,老夫且下跪。”张、赵二役见大人下跪,也同跪地中。郭海寿见了倒觉好笑起来。

当下妇人将包公的脸上左右遍摩,摸至他脑后,偃月三叉骨,将指头揿了揿,捻了几捻,连说两声道:“正是包拯了,一些也不错。”包公好生疑惑,倒觉不解,忙问:“你这妇人,果有什么冤情?速速说明!”只见那妇人泪珠如线,呼道:“包卿!我有极大冤情,十八年来无处可诉,前夜梦神人吩咐,想必今日伸冤有赖。只求大人与我一力担当,方得一朝云雾拨开,复见日月。”包公听他叫“包卿”,惊得目瞪口呆,忙问:“不知上座果是何人,有何冤情?还请见告。”这妇人呼道:“包卿且先平身。”包公果然跪得两膝生疼,连忙立起身来。

不知妇人诉说出什么冤情,且看下回分解。

第四十八回

诉冤情贤臣应梦　甘淡泊故后安贫

当下妇人道："包卿，你乃铁面无私的清官，审明过多少奇冤重案，只忧我此段冤情，审断不明白。"包公道："到底什么冤情，且细细说来。"妇人道："我原乃先帝真宗天子西宫李氏，正宫即今刘后。十八年前，吾与刘氏同时怀孕，正值真宗天子与寇准丞相往解澶州之围，御驾亲征，尚未还宫。我在宫中产下太子，宫娥内监已有知者。过了一刻，正宫刘氏忽又报生公主，谁知就此祸生不测。"包公听了，想道：若是真情，此是李宸妃娘娘了，便道："你在宫中有何人起祸?"妇人道："只为正官刘氏心怀妒毒，与内监郭槐同谋。忽一日，刘氏自抱公主到我碧云宫来，只言乏乳，要吾乳娘喂乳。当时刘氏假装美意，怀抱太子，又邀我到昭阳宫饮宴。我即同行，有内监郭槐抱持太子同往。岂知他们早把太子藏过，我也不知他等竟施毒计。后来饮宴已毕，要取回太子，她说，郭槐已送太子先回碧云宫去了。我并不多疑，回至内宫，有宫娥说，郭槐方才将太子放下龙床，已是睡熟，不可惊他，又用绫罗袱盖了。我只道是真情，揭开罗袱，要看太子，不料床上睡的乃血淋淋的死狸猫，吓得我昏了过去。方知刘氏、郭槐计害。是时天子兴兵未回，怨海仇山怎生发泄，岂知是夜刘氏、郭槐泼天大胆，又生恶计，谋害于我。即晚放火毁我碧云宫，幸得寇宫娥通知，盗取金牌，悄悄教我打扮太监，腰挂金牌，连夜逃出后宰门。临去时说明，太子已付陈琳抱去，并又指点我别无去路，且往南清宫八王爷府中，狄娘娘乃心慈善良之人，定然收匿，且待万岁回朝，然后奏明此事伸冤。当日心忙意乱，只得依此而行。"包公听了，连忙又跪下道："未知狄太后收留否?"妇人叹道："我乃女流之辈，自入深宫，从不曾到街衢一行，焉知八王爷府在哪方，故寻觅不到南清宫。可怜黑夜中孤身只影，灯火俱无，步行步跌，顾影生疑。忽觉后面似有人追迫，胆战心惊，晕跌在民家门首。岂料此家是一寡妇，姓郭，夫君上年身故，此妇中年，却已身怀六甲。当夜救我苏醒，问及来由，我亦不敢说明露迹，伪言夫死，翁姑逼勒改节，不从，私行逃避。

此妇为人厚道,收留作伴,后来生下遗腹子,仅得半载,可惜此妇一命归阴,只得由我将此婴儿抚育。不到一载,又遭回禄,可怜一物未携,只逃得性命,出于无奈,远出京城。后来闻得圣上班师,岂知八王爷上年已归仙界,未及半载,又闻颁诏先帝归天。老身自知还宫无望,守此破窑,屈指光阴,已经十八载了。"包公道:"请问娘娘如何度日?"妇人道:"言来也觉悲惨,守此破窑,哪得亲情看顾,只得沿门求乞,以度残年,抚养孤儿长大,取名海寿。年交十二,即知孝顺娘亲,母子相依,实难苦度,幸得他一力辛勤,寻下些小生意度日。不料连年米价如珠,夏天身受蚊虫毒噬,天寒不得暖服沾身,苦挨苦度,直至今日。近数载双目失明,若非孤儿行孝供养,一命呜呼久矣。"言未了,嚎哭起来,咽喉噎塞,语不成声。

郭海寿在旁听得呆了。原来我身不是她产下的,嫡母早归泉世。包公吃惊道:"娘娘,你儿子既已长成,何不教他引你到南清宫去,何以甘心受此苦楚?"妇人道:"包卿有所未知,古言'画虎画皮难画骨,知人知面不知心',倘做了蝇投蛛网,欲脱便难了。"包公道:"请问娘娘,当年太子后来怎生着落?"妇人道:"方才说至寇宫女通线来救,我尚未说明。那日狸猫换去太子,刘后差寇宫娥将我儿抛下金水池,幸她不忍加害,奈何欲救难救,幸遇陈琳进宫,始抱太子到南清宫,由狄氏收养数年。后八王爷归天,先帝班师回朝,颁诏立八王长子为皇太子,故我知当今是我亲儿。只可怜母在破窑挨苦,受尽凄凉,弄得双目失明,母子无依。昨夜三更偶得一梦,只见一神圣自言东岳大帝,言我国今灾星已退,有清官可代明冤。我即问清官是谁,神圣言龙图阁待制包拯,乃忠梗无私清官,教我将此段情由诉知,许我散开云雾,得见光明。我又问陈州地面,多少官员来往,哪知谁是包拯?大帝又言,要知包拯不难,他脑后生成偃月三叉异骨,是以方才摸有异骨,方肯吐露十八年前之冤。若得卿家与我断明此案,感德如天了。"言罢,泪下不止。

郭海寿想道:可笑母亲,既然是当今太后,有此大冤,遭此磨难,对我并不泄出,直到今天才知她不是我生身嫡母。但太后遭此大难,不孝要算当今圣上了。又有张龙、赵虎闻得此言,吓得魂不附体,俯伏地中,不敢抬头。包公又请问道:"娘娘,那当今万岁,不知有什么凭认否?"妇人道:"何尝没有记认?手掌山河,足踹社稷,隐隐四字为凭,乃是我嫡产的儿子。"包公叩伏尘埃,吐舌摇头,道:"可怜娘娘遭此十八年苦难,微臣也罪该万死!"妇人道:"包卿言差了,此乃是我该有飞灾,若究明此事,断饶不得郭槐,还要卿家为我表白重冤,虽死在破窑,也可瞑目了。"包公道:"娘娘且自开怀,微臣今日赶回朝中,此顶乌纱不戴,也要究明此冤。望祈娘娘放开愁绪,且免伤怀。"妇人道:"若得大人与我申明冤屈,我复何忧?"包公道:"娘娘,且耐着性等候数天,待臣回朝将此事究明,少不得万岁也排銮驾自来迎请。"妇人应诺。

当日包公差人,速唤地方文武官来朝见太后。宫院赶办不及,须寻座雅静楼房,买几名精细丫头。时当三月初,天气尚寒,赶办些暖服佳馔供奉。太后双目不明,速即延医调治,若有怠慢,作欺君罪论。两名排军如飞分报。太后道:"包卿不必费心,老身久处破窑,落难已久,又有孩儿侍奉,不必麻烦地方官吏。孩儿,且代娘叩谢包大人。"海寿领命上前道:"大人,我家母拜托于你,祈代伸冤。"包公道:"自有老夫担承。"海寿道:"如此我代娘叩谢了。"包公想道:此人今虽贫民,但与太后子母之称,倘圣上认了母后,也是一个王弟王兄了。当时还礼起来,连称:"不敢当,为臣理当报效君恩。"太后道:"包卿,快些请起。"包爷道:"谢娘娘千岁。"起来立着,细看娘娘发髻蓬蓬,衣衫褴褛,实觉伤心。丢下龙楼凤阁,御苑王宫,破窑落难十余年,幸得孤儿孝养,实乃圣上救母恩人。慢说包公思想,众排军惊骇,窑外观看众民也交头接耳,都称奇异。再不想这求乞妇人,是当今的国母。一人言道:"曾记前十载到门讨食,孩儿尚幼,哭哭哀哀,被我痛骂方才走去。早知她是当今太后,也不该如此轻慢她,果然海水可量,人不可量。"众人听了,皆是叹息,这且不表。

此时来了众文武官,将闲人逐散,不许啰唣。只见破窑门首立着包大人,众官员都来参见,说道:"太后娘娘破窑落难,卑职等实出于不知,罪咎难逃。"包公冷笑道:"老夫道经此地,即知太后在此,可怪你们在此为官,全然不知。少不得回朝,奏闻圣上,追究起来,你们官职可做得安稳么?"众官员皆躬身恳道:"大人,格外开恩,卑职等不知太后落难,实有失察之罪,求大人海量姑宽。"包公闪过一旁道:"你等到此,理该朝见太后。"众官应诺,即于窑门外,文东武西通名道职,三呼千岁朝见。海寿远远瞧见,叫道:"母亲,外厢许多官员在此叩见。"妇人道:"叫他们回衙门理事,不必在此伺候。"郭海寿踱出道:"众位老爷,听我家母吩咐,各请回衙办事,不必在此叩礼。"众官员虽听如此说,却不敢动身,共启包公道:

“卑职等方才奉命,已差人速办雅室,挑选丫环,预备朝服。”包公道:“如此才是!”忙进内道:“臣包拯启禀娘娘。”太后道:“有甚商量?”包公道:“臣为国家大事,即要还朝速办,故抛下赈饥公务回朝。不想偶遇娘娘一段大冤,更不能耽搁,已着地方官好生安顿娘娘,臣即别驾,还望娘娘勿得见怪。臣回朝奏明万岁,理明此事,即排驾来迎请了。祈娘娘且放宽怀,屈居几天。”太后道:“我久居破窑,何用奢华?且本地官员政务太繁,有烦包卿传知众官,一概俱免,日中不必到来。”包公辞出窑门,传谕众官道:“太后吩咐日中朝见问安,一概俱免,以省烦劳。此皆太后仁慈体恤之意,但凤凰岂可栖于荒草之地?方才我言必当依办。”众官连连共诺。包公言罢,即吩咐起程,众官相送,众差役一路喝道而去。

不表包公回朝,当有众官见包公已去,不敢进窑门,只在门外侍候。少刻,有几位夫人各带婢女进内朝见请安,请娘娘沐浴更衣。岂知太后也不沐浴,也不更衣,说道:“在窑中居住十余载,已经惯了,不必你们费心,各自请回。”众夫人俱觉不安,哪知太后执性如山,众夫人只得退出。又有承办役人,禀道:“众位老爷,已经觅了雅室一所,可权为宫院。”岂知太后又说:“破窑久住,不劳众官多请,且各回衙。”众官再三恳求,太后只是不允,众官无奈,只得于破窑前后,立刻唤工赶造房宇。众官商议,太后不愿更衣,只得来求郭海寿,郭海寿道:“既我娘亲不愿更衣,也非众位老爷之咎,且请回衙,不然反激恼她了。”众官无奈,只得听其自然。太后百味珍馐不用,母子只是淡饭清汤,仍居破窑,丫环一人不用,仍打发回去。

不言太后诸事,却说包公赶回京中,一进开封府,天色已晚,到了内堂,夫人迎接坐下请安,复问道:“老爷奉旨赈饥,如今回来,莫非完了公务?”包公道:“赈饥公务,尚未清楚。但本官因国家大事而回。”夫人又要诘问情由,包公道:“国家政事,非你所知,不必动问。”夫人不敢再言,只命人备酒,与老爷洗尘。

欲知包公来日面圣如何,且看下回分解。

第四十九回

包待制当殿劾奸　沈御史欺君定罪

次日五更，包公进朝，先到朝房，众文武顿觉惊骇，内有几位忠良问道："包大人赈饥事已毕了？"包公回言尚未。有老奸庞洪问道："既然赈饥未完，大人何以还朝？"包公道："有要事还朝，少停便见分晓。"庞国丈心中不悦，暗想：这包黑子忽而还朝，不知何故，只愿他月月年年不在老夫目前，我便心安。

少言国丈不喜，时当五更，只听得景阳钟撞，龙凤鼓敲，圣驾登殿，文武官金阶入觐已毕。黄门官启奏万岁道："有龙图阁待制开封府尹包拯，由陈州还朝，现在午朝门候旨。"天子传旨宣进。黄门官领旨，宣进无私铁面贤臣，三呼万岁。朝参已毕，天子欣然问道："朕命贤卿赈饥，公务完毕否？"包爷道："臣赈饥未了。"天子道："卿公务未了，何故忽回见朕？"包公道："臣启陛下，臣无事不敢私回，只为奸臣欺君瞒法，国家大事，非同小故，岂容狠毒众奸，暗里误国。是以不分昼夜，奔走回朝，要奏明陛下，削奸除佞，以免江山摇动之忧。"天子道："据卿所奏，奸佞出于何方？即奏朕知。"包公道："臣知奸佞出在朝中！"君王闻奏，看看两班文武，不知又是哪人动了包黑子之怒。有几位不法奸臣都是面面相觑。天子道："满朝文武，个个赤胆丹心为国，卿家知道谁是奸臣？"包公双目直视沈御史，奏道："臣启万岁，沈国清乃是奸佞之臣。"沈御史听了，不觉大骇。君王听了，问道："包卿，怎见国清是奸臣？"包公道："沈国清是个欺君误国、藐视法纪之臣。"君王正要开口，有庞国丈出班奏道："臣启万岁。"天子道："庞卿有何奏闻？"国丈道："臣奏包拯欺瞒陛下，藐视国法，因何赈饥未完公务，又非奉旨，私离陈州，忽地回朝，摇唇鼓舌，欺压朝臣，望我王不可听他。原命他往陈州赈饥，完其公务，饥民方得沾恩。"天子听罢，正待开言，却激恼了包公，即道："国丈，此事与你无干，何故多管？"国丈被他一说，也觉无颜，只是敢怒而不敢言。君王想道：包拯原乃正直之臣，不奉旨召，一旦忽回，想必因国家有重要事情。即呼道："包卿有奏，速即言明!”包公道:“臣启陛下,杨宗保领职边关二十余秋,辛劳佐国,我主亦所深知。即狄王亲失去征衣,旬日讨回,又有大功,可以抵罪,五云汛李守备父子谋害虎将,冒功被戮,乃按照军法而办。岂料李成妻沈氏,不守妇道,胆敢前来告呈御状,冒犯天颜。我主未明刁唆之弊,委曲多端,差孙武前往边关,谁知不查仓库,图诈赃银,真乃欺君佞臣。又被莽汉愤怒诈赃,打辱钦差,犯了法律。”

包拯尚未奏完,吓得国丈魂不附体,急奏道:“陛下,包拯乃无凭无据之言,他陈州远离边关数千里,焉能一一概知?况他不奉宣召,赈务未毕,众民岂不仍受饥苦?望我王令他仍往陈州救济饥民,方不误公务。”包公道:“国丈何须多言,我非为国家大故,必不舍公务而私回。特为国除奸,与你何涉!”当时君王点首道:“包卿,你在陈州,果然怎知边关委曲情事,也须细言朕知。”包公道:“臣启陛下,臣在陈州,不但边廷之事明晰,即朝中奸权欺君坏法之事,一一尽知,容臣细奏。前数天朝内奸臣主唆匪人,叩阍上呈御状,我主但听一面之词,准状发交沈国清审办。圣上哪知他心存私意谋害功臣,不究孙武诈赃,独究失去征衣,严刑焦廷贵,不能成招。胆大沈国清假造口供,以欺陛下,若非佘太君进朝分辩,焦廷贵固难免死,即功勋元老也要一旦倾殒。此等欺君昧法之人,留为国患,必须彻底澄清,才是国家之福。”

一番言语,吓得沈御史、孙侍郎暗暗惊怕,连国丈也觉心怯。君王大呼道:“包卿,你果能明其内中原由,且细细奏来。”当时包公将三月初三在陈州路逢怪风冒体,疑有冤情,是夜在北关筑台,听候申诉,恍惚间只见女鬼称言尹氏名贞娘,说丈夫是西台沈御史沈国清等情说了一遍。君王听了此言,向沈国清道:“此姓名可是卿之妻否!”文班内有内阁大臣文彦博欣然出奏道:“尹氏乃臣中表之戚,少有贤德,素称坚贞,正是沈国清所配发妻。”当时君王听了点头,再问沈国清。但他方才闻听包公之言,已听出神了,不禁毛骨悚然,心胆战兢,不敢抬头,君王询他,答言不出。君王见此,满心疑惑,因问他何以口也不开。旁首国丈好生着急,想来机关定然败露了。君王又问道:“包卿,这尹氏可有枉屈告诉于你?”包公道:“据尹氏诉说,丈夫沈国清,食君之禄,深负君恩。沈氏是他胞妹,只因妹丈李成父子冒认了狄王亲功劳,被杨元帅所杀,故特来京要为其夫报仇,沈国清挑唆她告御状。圣上准状,差官查库,孙武欺君诈赃,丈夫身入奸党，向他劝谏，不特不从，反遭其殴辱。又思丈夫作此亏心之行，日后终无好结果，故气愤自缢，只望丈夫改善离奸。此等贤妇，可以留芳青史。臣得此一信，赶速回朝，分辨清白，奏闻陛下，速办众奸。倘或忠良被其一网打尽，圣上江山谁与保守?”君王听了包公之言，便道：“朕知道矣！”三个奸臣听了，心中摇摇，不知如何是好。却听君王呼道：“包卿，唯据鬼魅之言，作不得真，算不得凭。况前数天寡人已差官前往边关，召取狄、杨二臣回朝了，且待寡人亲自问供，不必卿家费心，且不要耽搁在此，速回陈州赈救饥民，待完公务回朝，厚报卿劳。”包公道：“陛下，若杨元帅领守边关，无事平宁之日，尚且不可一天离职，何况目下兵临城下之秋，若杨、狄二帅召取进京，边疆重地，万一有失，江山即难保守，这是断然动不得的。臣斗胆已将御赐龙牌，阻拦奉旨钦差止步，恭候圣命追转。若论陈州赈饥，赈济普遍，不日即可功竣。故臣敢于交与州官代办，决无误民之虞。兹有此警报，陛下勿云鬼魅之事，尽属虚妄，臣曾历历见之于梦，只有自裁自忖。臣拿得定是真情，故敢力辩，以分清浊。伏乞我王发臣司办，是非公私，断不误的。”

君王还未开言，沈国清忍耐不住，进阶俯伏道：“臣也有奏言。”君王道：“卿家有何奏言?”沈国清道：“臣妻尹氏乃急病身亡，并非怨忿自尽，何来鬼魂警报，求请伸冤的幻事？此乃包拯与臣有隙，狂妄诬言，伏乞我主，睿圣天聪，勿准包拯妄言诬奏，仍命他速往陈州赈济饥民为上，免他在朝妄生枝节。”包公道：“臣也有奏，前时臣借圣上三件活命的宝贝，曾救了不少民命。今尹氏身死，望我主再借三般宝贝与臣，将尹氏救活，然后细细审问，定知内中委曲之事，免叫忠良受屈。”沈国清道：“臣妻身亡多日，已经备棺成殓，掩埋坟中，皮骨已消化了，焉有死而再生之日？包拯强言妄奏，无非思害臣一命。望我主勿降此旨，方免死者不安。”这一番话激得包公怒气勃勃，呼道：“沈国清！休得谎言，你妻子尹氏，曾经诰命，现受王恩，死了尚不备棺成殓，将尸掩埋泥土中。你乃一刻薄之徒，今日驾前尚敢诳奏，说什么备棺成殓，什么尸体消化！”沈国清听了此言，心中犹如火炙，浑身发抖，不敢复辩。

当日尹氏身亡时，沈国清在国丈前未曾言及，如若庞洪得知此事，定然要叫他备棺埋土的。此时国丈气得面色青红，呆呆看着沈国清，想道：不该土掩这王封诰命的夫人，实乃欺君辱爵，倘被包拯起了尸，实是罪名重大，怎能轻赦！

不表庞洪自语，当下包公驾前请旨起尸，君王准旨，即道："依卿所奏，可将尹氏起尸，召回钦差，免取杨、狄二臣。此案重大，卿须严加细究，审明复旨定夺。"包公道："臣领旨！"天子又命内侍取出先帝时高丽国入贡三件还魂活命宝贝，付赐包公已毕，忽班中闪出孙兵部启奏。他一来不服包公多事，二来帮助着孙武兄弟，连忙俯伏金阶道："臣兵部尚书孙秀有奏，据包拯所说，尹氏的尸骸，埋于土中，如若起不出尸，包拯也该有诳奏欺君之罪。"包公道："臣也有奏，臣据尹氏告诉之词，已知其尸骸在于沈府后花园内桂花树旁泥土之中。伏祈我主询问沈国清，便知真否。"嘉祐君道："包卿之言甚是。"又问道："沈卿此事有否？"沈御史听了，心中又惊又乱，身发寒战，料想也瞒不过，只得奏道："臣妻尹氏，果是埋掩于后园桂树旁土内。"嘉祐君听了，龙颜大怒，喝道："无礼欺君的贼臣！断难赦恕，王封命妇，不肯备棺成殓，全无夫妇之情。伦常倒置，败坏三纲，莫此为甚！"喝令值殿将军将此欺君贼臣之辈拿下，登时剥削冠带，即国丈也难开口求饶。一班奸党尽吃惊慌，满朝文武唯有骇笑。

是日包公领了三般法宝，别了圣驾，带了沈御史出朝而去。天子退朝，文武各散。

不知后事如何，且看下回分解。

第五十回

贤命妇获救回生　忠直臣溯原翻案

当时朝房内与沈御史厚交的官员，你言我语，都说沈国清不通情理，将上封诰命夫人不备棺成殓，暴露尸骸于土中，原是欺君重罪。今被包拯拿定破绽，倘或起尸，被他救活，沈国清难免过刀而亡了。

不言奸党纷纷议论，且说包拯自己忖度，倘将孙武纵回，只恐他情虚要寻短见，反为不美，即令张龙、赵虎领了三般国宝，又邀了孙侍郎带同沈御史往他府衙而去。只有孙兵部倒也心上不安，不知包拯果能起尸与否，又见他邀了孙武兄弟，以故放心不下，便同至沈府而来。

当日包公缘何抹杀李太后之事不提，单奏杨、狄、孙、沈之事，只因尹氏的尸骸过不得七天，倘至七天，就难以还阳了，故以救活性命为先，将李太后之事暂且丢下。

且说包公进了御史衙，孙家兄弟并至，沈御史只得引至里厢，大小衙役房吏人等吃惊不小，议论纷纷，不明大人犯了何法，包公来抄没家产。当日沈御史指明埋尸之所，包爷与孙家兄弟，一同举目，果见一丛月桂，是新种植之象。包爷立差排军，将泥土扒开，扒去泥土，仍觉阴风惨惨。穴内女尸，面目如生，略不改色。包公叹息道："可怜一位贤德夫人，遭此一难！"二孙兄弟，也觉骇然。沈御史见了，心中烦闷，默默不言。包爷又道："这尸骸是你妻否？"沈御史说："是。"包公又吩咐董超、薛霸二役，小心细细起尸。两个排军领命，即将尸骸悠悠扶起，安放僻静所在，又命张、赵二人，将温凉帽子戴在夫人头上，还魂枕扶置首下，返魂香放在身上，令四排军远离，令丫环侍女近前。

二孙兄弟心中焦闷，不想包黑之言完全应验。正要别了包拯回衙，只见包公冷笑道："排军速将孙侍郎拿下！他是朝廷重犯，哪里放得？此法律当然。"排军领命，即上前将孙侍郎拉定。孙兵部见了大怒，挺胸直前，喝道："包拯！你非奉旨，怎生胡乱拿人？快些放了吾弟，万事全休，若不依时，与你一同面君。"包公冷笑道："这案子有你令弟在内，他原是朝廷犯人,是非且待尹氏活了,再分皂白,若询问后有罪时,应该究办,倘若错拿无辜,定罪下官。大人且请回衙,休得多管。"原来孙兵部仗着庞洪之势,党羽相连,横冲直撞,欺侮同僚,单惧包拯的硬性,当日含怒不言,吩咐打道回到庞府,另有一番忿话,不提。

单表包公令排军两人,押了孙武、沈国清一同收禁天牢。但侍郎不上刑具,只因未奉君命,止拘阻他不得回衙,恐众奸党等又生枝节。当日沈府家人仆妇,个个吓得惊慌无措。包爷在御史府中,只待救活了尹氏,然后回衙问供。又吩咐公堂上面,炷上名香,包爷下跪,叩礼当空,告视上苍,过往神祇,地府阎君,本都城隍,伏唯鉴察,说明奸臣误国之由,立心秉公报国之意。祷告已毕,仍起而坐于公堂。自有沈府家丁递送茶汤。是日天晚,将近黄昏,另行佳酿美肴送与包公用毕。不表。

且说孙兵部来到庞府谒见国丈,庞太师闻言呼道:"贤婿你到沈府去过,可知事情怎办?"孙兵部道:"岳丈大人,休要提起,可恼这包黑全无半分情面,一到沈府,果然于泥土内起出一女尸骸,面目如生,并未腐消。又将吾弟拦阻留下,说他是案内之人,难以释放,因与沈兄一并收禁了。倘若尹氏果被这包黑贼救活还阳,只忧究明此事,吾弟与沈兄即难逃遁了。"庞太师听罢,不胜烦恼。又深恨包拯不往陈州,特赶回朝,偏究此事,老夫也有干系,日夕使吾不安。便道:"贤婿,吾想沈国清平日之间,十分精细能干,今此事愚呆了。妻死缘何不备棺椁埋葬,胡乱埋于土内?况属冬天,自然肉体不消化了。圣上三般还魂活命宝贝,出在东洋高丽,太宗时入贡,留传至今。前者包拯曾救过被冤两命,今尹氏又经包公领办,必能复活还阳。被他究出真情,二人正法,难免一刀之惨,连老夫也有碍的。今日事情破绽尽泄,即深宫通线,也难解救得两人之命。"孙兵部听了,长吁一声道:"可怜吾弟一命断送于包黑贼之手!"

翁婿之言慢表,且说包公是晚用膳毕,已有一更将残,只觉得寒风惨惨,青灯一明一暗。家人侍女在旁,将尹氏夫人声声呼唤。少停初交二鼓,包爷早已传命他家人于夫人睡处,远远用火盆四围烘暖,不一刻,只见夫人手足微微转动,一呼一吸。有张、赵二人远远瞧见,启上包大人道:"尹氏夫人转活还阳了,手足已有活动的情形。"包爷听了言道:"她还阳好了,然她在土数天,身体定沾了寒土之气,速备姜汤,与她吞下才好。"二役传言,有侍女忙往取姜汤倾灌夫人喉中。包爷复叩礼上苍已毕,已有三更时分。尹氏夫人身体移动，双目微张。包公离位远远观瞧，心头喜悦，又命取回三般宝贝，道："夫人身负冤屈，归阴数日，今幸喜还阳，皆圣上宝物之功。"又吩咐沈府家人小心扶起夫人。又叫众侍女殷勤守护，不要卧睡。众侍女遵着包公吩咐，挽夫人进内，小心服侍沐浴更衣。又有家丁妇女不下百人，都说包大人神手清官，将我家夫人救活，交头接耳，不胜喜欢。

且说当夜包公又唤役人将后庭土穴填平，吩咐从役一同回府，已是四更时候。至天将黎明，带了三般法宝，要缴还圣上复旨。这时大色尚早，君王尚未坐朝，文武官员都在朝房候驾，尹氏夫人复活，文武官知者很多，都说包公是位异人，将人救活，莫非他不是凡间之人？不拘忠佞都有话说。只有孙秀、庞洪心中纳闷，有什么心思来答话呢！不一刻圣上登殿，文武大员呼拜已毕，分班侍立。有包爷执笏当胸，俯伏而奏道："老臣包拯见驾！"圣上先询问尹氏之事。包公奏道："臣启陛下，那尹氏已于昨夜二更时候还阳。再生之德，皆叨陛下洪恩。今臣复旨，并缴还三般法宝。"天子听了，喜气洋洋，言道："活人之命，功德弥天，今包卿数次救活枉死之人，乃代天活人，其功不小，上帝赐福无涯，如此朕也难及了。但以后如有被屈身亡者，又请此宝，如此拿来拿去，岂不周折费事？如今就将此三般宝贝赐与卿收藏，以后若逢冤屈枉死，便宜行事搭救可也。"包爷谢恩，又奏道："昨蒙陛下命臣审究李沈氏呈状重案，伏乞陛下将边关杨元帅本章，并沈氏御状，一并赐交于臣，核对分明，并求敕发焦廷贵与臣，方能面质详明。"嘉祐君道："依卿所奏。"命内侍速取来边关本章，并李沈氏的御状。又下旨天波府，立取焦廷贵，一并敕交包公究明复旨。包公领旨，收接了本章御状，吓得庞洪浑身汗下，手足俱麻，想道：昏君主见不善，发交本章犹可，这纸御状关系不小，包黑好不厉害，非比别位官员可以用些情面的。李沈氏乃妇女之流，倘究查起御状来，何人代写，那沈氏纵生铁口钢牙，也难抵他刑法厉害。倘招出状词是老夫做的，那时乌纱帽子戴不牢了！

不表国丈着急，且说包公将本章御状一一看毕，又启奏道："杨宗保的本章上，只有狄青一人退敌。"包公又说："孙武到关，不查仓库，只诈赃银多少，并未询及失衣冒功的缘由，与李沈氏所呈状上情节毫不相关，此是破绽机窍。况杨宗保身居边关主帅，执掌兵柄二十余载，数世忠良将士,朝中栋梁,即圣上也知他是尽忠报国之臣,他怎会私庇狄青,而伤害有功! 他既非奸贪之辈,断无欺君之行。从来妇人告状,定有主唆之人,臣问案多年,屡试十有九验。那沈氏乃妇女之流,哪有此泼天胆量? 内中岂无胆大势狠之人唆拔她? 故敢放胆叩阍,来冒犯天颜。当此之际,陛下也须追究主唆之人,若非尹氏诉冤,险些被奸臣以假作真,而忠良反遭诬陷了!"天子听了,说道:"当时原是朕未细究,包卿可知主唆呈状者是谁?"包公推测,十有八九是国丈专主,但想,这奸人非别人可比,女在宫中做贵妃,得君宠幸,料想今日扳他不倒,我且留些地步,也罢。倘若不提出唆状之人,反被这老奸言我无知识没用了。不免说出机窍之言,恐吓他一番便了。因开言道:"臣观此状词,句句厉害恳切,平常人吐达不出,定然是朝中大臣主笔,方得有此狠烈之词。待臣严究出其人,定不轻饶,只求陛下准臣严究。"国丈听了包公之言,面色由红而白,又插不得言。天子又道:"包卿,朕思朝内大臣,尽是忠良,李沈氏又在边关,去此数千里,小小武员之妻,怎能结识朝内大臣? 据朕思来,还是边关上书吏挑唆,卿也不须深究其人了。"包公道:"臣启陛下,并不是臣定要追究主唆之人,但这主唆者,看得法律甚轻,居心太狠,要害尽忠良,方得称心。据臣愚见:其状定必朝内奸臣所做的事情。此等奸佞,全不顾名节,只贪财帛。李沈氏虽不认识朝内大臣,然只用了财帛,不结识也可结识了。"国丈当时浑身流汗,暗恨包黑贼当驾前挑起老夫的心病,巴不得君王不再询问,立即退朝散去。岂知君王偏偏不会得国丈之意,即道:"包卿,既知朝内大臣主笔,可知何人?"包公又奏道:"此状词是一品大臣,权势很重的御戚所写。"国丈欲待插言辩驳,又因涉及自己,多有不便;欲待不言,又怕这包黑说出他事来,实是进退两难,懊悔错干此事。君王听了包公说到朝内一品大臣,又是御戚,心中岂不明白! 倘或被他说出来,朕亦无法处分,不如及早收场为是。因道:"包卿,朕思主唆之人,非是正案所关者,卿不须多究了。"包公也猜得君王之意,定碍国丈之故,只得做个人情,称言:"领旨。"当下退朝。

不知如何审办群奸,且看下回分解。

第五十一回

包待制领审无私　焦先锋直供不讳

君王退驾，文武官员各散，只有庞国丈回归府内，心烦不悦，恼恨包公。孙兵部也是愁闷沉沉。国丈只因做御状主唆人事，关系非小，孙兵部只因兄弟难免国法之诛，两人都是心环鬼胎，坐卧不宁。当时国丈即差家丁两名，前往打听包拯如何究办，好歹也要报知。这且按下慢表。

且说包公回转衙中，将君王所赐宝贝之物，敬谨收藏，即差张龙往天波府请发焦廷贵，又命赵虎速往沈府去请尹氏夫人，薛霸立拘李沈氏，董超带上犯官沈御史、孙武前来候审。各各奉差而去。

单表天波府内先有旨意敕发佘太君，众夫人得知大喜，焦廷贵闻知心中更是快活，正要打点抽身，又有包公差人邀请。当下焦廷贵别了佘太君和众位夫人，与张龙径往包衙而去。有赵虎往御史衙请至尹氏夫人，一肩小轿，抬至包府。单有原告李沈氏并无下落。薛霸禀明包公，带出沈国清，问他沈氏现在何处。沈御史想道：此件案情，经了包黑子之手，必要追究唆讼之人。吾妹子乃女流之辈，被他恐吓，用起刑来，可当熬不起，而且还要招出国丈来。也罢，吾今拼着一命，以免牵连国丈，又可出脱了妹子。主意已定，因道："包大人，那李沈氏本非汴京人氏，犯官讯问后，即行释放了，目今不知去向，犯官哪里得知？"包公听了冷笑道："你还想瞒谁？"沈国清道："包大人，犯官哪有欺瞒？果然释放她不知去向了。"包公喝道："胡说，这李沈氏是你同胞妹子，况且此案未曾完结，你如何将她释放，显见是你将她藏匿过，少不得严究起来，不忧你把她藏到哪里去！"立即吩咐坐堂。一声传令，衙役人等列于两行，肃静威严。当时包公坐于法堂上，传令请尹氏夫人上堂。当时若问呈状，李沈氏乃是原告，论阴告，要算尹氏是原告。凡听审情由，先要问原告，只因尹氏是位诰命夫人，更兼谏夫保国，甘心自尽，不是罪犯，乃是贤良德妇，是以包爷不敢怠慢她，随即传请一声。尹氏一至法堂，低首曲腰，早有左右两丫环将蒲扇与夫人遮脸，尹氏道："大人在上，再生妇尹氏叩见！"包爷起位，双手一拱道："夫人身叨诰命，本难亵渎尊严，因在法堂之上，权且告罪有屈了。”夫人道：“贱妾已登鬼录，今得余生，皆叨大人洪恩。”包爷道：“夫人乃沈御史之妻，沈御史是你丈夫，夫君有过，妻难控告，此乃越理之事，岂非夫人先有不合么？”尹夫人道：“大人听禀，妾虽女流，颇知礼节。岂不知今日之事，有失为妻之道。唯今日之事，乃国家之事，贱妾略去夫妻小节，而就君臣大节。妾少适沈氏，承叨诰命一十三载，夫妻从来和顺无差，是非只为边关之事而起，容妾再行诉明。”包公听说出为国家大事、夫妻小节、君臣大节之言，不胜赞叹。像这样懂得大体的，不独妇女中所罕，即男子汉不易多寻。尹氏夫人遂将丈夫帮扶李沈氏呈御状事，一长一短诉明，只因此事上回书已经表白详明，不用重复。包公听罢，请夫人暂退后堂。夫人告退。随即吩咐带上焦廷贵。这位莽将军，在金銮殿上见君，还是没有规矩，当时他大步上阶道：“包大人，吾在边关，闻你在陈州赈饥，不胜劳忙，怎的又有闲工夫来办此段案情？”包公见他如此，想来这焦廷贵乃是鲁莽匹夫，只装假怒，二目圆睁，案基一拍，喝道：“焦廷贵，在本官法堂上，擅敢没规矩，令人可恼！”焦廷贵冷笑道：“我在杨元帅白虎节堂，也是横冲直撞，即前在君王殿上，也是跑来奔去，何况你这小小地段，有什么稀罕！”包爷喝道：“胆大匹夫，休得胡说！”张龙、赵虎二役喝道：“中央供万岁圣旨牌，速速下跪！”焦廷贵道：“你这官儿要我下跪，无非为着圣旨牌，可发一笑！”一面叨叨，一面下跪。包爷道：“本官今日奉旨追究此案，在别官跟前，可以将真作假的胡言，在本官案下，丝毫作弊也作不成的，须要据实直言。倘有半字虚诬隐瞒，一刀两段。我且问你，狄青如何失去征衣，如何冒认功劳，反将李成杀害，你在边关，又怎样殴辱钦差？即速从实招供！”焦廷贵听了包公几句言词，激恼他性急火发，高声嚷道：“老包！黑炭头！人都称你是位大忠臣，清白之官，原来是个假名声诓人耳目的。我也知你入了奸臣党羽，贪了金银，有忠良不做，要做奸臣。”包公听了，不觉笑恼参半，喝道：“焦廷贵，不得胡言，到底钦差征衣失去否？快快言明，不许啰嗦！”焦廷贵道：“征衣之事，待我从头说来，你且恭听！”焦廷贵由奉帅令催取征衣起，说至被磨盘山劫去。包公听至此间，不觉摇首自语道：狄青果也失去征衣，缘何本上并无一字提及？莫非狄青果也冒了功劳？即道：“焦廷贵，狄钦差既然失去征衣，因何杨元帅本上并不提及？难免欺君之罪，据李沈氏所呈冒功屈杀，定然情真了。”焦廷贵听了，怒道：“你言差矣！

我元帅秉公报国，并无私曲，焉肯庇着狄青屈杀有功之人，况与狄青又无瓜葛，岂肯欺君昧己，以益他人？”包公道：“据李沈氏御状上，李成箭杀赞大王，李岱刺杀子牙猜，凿凿有据，你言狄青之功，莫非你受了他财贿做见证？”焦廷贵挺胸道：“你这包黑炭，真不是个清官了！我怎肯受他财贿，西夏将岂是李成杀的，实乃狄钦差的好仙戏，好手段。”包公道：“什么仙戏，什么手段？你且说明。”焦廷贵便从强盗劫去征衣，与狄钦差中途相遇，同至大狼山讨战起，说至自己挑了首级，在五云汛上守备府，李成问及首级来历，说至其间，这焦廷贵住口一想，他倒也粗中有细，直里有勾，想如若说明自己有冒功之罪，断断说不得的。谁知包公见他迟疑，双目一瞪，喝道：“焦廷贵！因何不说，其中必有隐情。若有丝毫瞒昧，以假作真，且看铡刀！”焦廷贵道：“老包你也欺人太甚，难道说了半天，不许停一停么？”包公道：“如此须速说来！”焦廷贵听了，即卸脱哄瞒李成之言，冒功在己之语，却将被李成父子灌醉，抛下山涧，得樵夫相救等情一一诉说，并道：“李成父子投关冒功，小将回关，方得对质，故元帅将他枭首。哪晓得沈氏有此胆量，呈告王状，我元帅众人在边疆，哪里得知，元帅天天排宴庆贺狄钦差功劳，分外敬重他英雄。忽一天韩吏部书到，沈达回关，方知此事。孙武来盘查仓库，元帅早将仓库封固，候旨盘查，只因历年无缺，任何盘诘，有何惧怯？不料孙武这狗官，妄自尊大，一至边关，今日不查，明日不盘，反要诈取赃银七万多，不用盘查，即要回朝复旨。当时只气得我焦将军火气攻天，忍耐不住，将这狗王八一掌打倒。元帅登时大怒，说什么殴打钦差，国法难容，将孙武与我一齐拿下，打入囚车，备本着沈达押解回京见驾。岂知这昏皇帝不公平，听了老奸臣乌龟官问供，将我一味夹打。但焦将军怎肯以假作真？听凭他们夹打，这奸贼也无奈何，将我送入天牢，想必阴谋私念，妄做假招供，不然这昏皇帝不会将我处斩，幸得佘太君上殿，保我回归无佞府，方保下这吃饭的东西。”包爷道：“你说狄钦差收除二敌人，用什么仙术戏法呢？”焦廷贵道：“说来也觉好看。他与赞天王厮杀，不上数合，只听得空中一声响亮，飞出一枝两头尖小小箭儿，高起云端，半空中雷鸣一般，小箭溜下，金光围绕，已将赞天王打扑在地。难道这不是戏法？他又与子牙猜交战，取出金脸儿盖在脸上，像跳加官一样，念一声无量寿佛，恶狠狠的子牙猜，已双目呆瞪，身体不动，如泥般跌于马下。难道这不是仙戏？”包爷听了一番言语，想道：这莽夫之言，三不对四，究竟是什么仙戏？然料狄青有此仙术，故得以除敌将。当时吩咐焦廷贵下堂。焦廷贵便道:“老包没有什么盘问,我且站在一旁,看你审询公正否。”包爷命取孙侍郎上堂。

这孙武奸贼,平日恶狠奸贪,如今在老包法地,也自心惊胆战,打一躬道:“包大人,犯官孙武当面。”包爷道:“孙武,你食了朝廷俸禄,受了圣上恩典,理该秉公报国。即你平素作歹,我也尽知。今也不多问你,只问奉旨到边关去,为何仓库不稽查,而反索诈赃银数万!你这贼臣不念君恩,只图利己,欺瞒君上,结党陷害忠良,倘然屈害了焦廷贵,连那无数边关宿将也遭此害。若是擎天玉柱被砍折,锦绣江山岂不塌隳①?可恨群奸结党,真乃蛇蝎一般。但今在本官法堂,须直白招供,倘一字支我,刑法也难宽饶。”孙武心想:包拯是个硬官,难以情面央恳。纵然王亲国戚,也都畏惧此老。他又审究过几番奇迹异形的事,即当今曹国舅如此势力,尚已被他扳倒,何况吾今做了笼中之鸟?如在别官手中,尚可强辩,如今落在活阎罗手中,倘糊涂抵赖,定必行刑。不如及早认供了诈赃,以免刑楚。况赃未入,谅无死罪。但焦廷贵殴辱钦差,不怕包拯不究治其罪。又思卸脱了庞太师,好待他从中庇助,岂不甚妙?

原来凡事福至心灵,灾令智昏,若孙武牵连出国丈来,仁宗定碍着国丈,纵然大罪,也要从宽办理,孙武未必置于死地。庞太师福运很好,是以孙武立下此意,想卸脱他帮助于己,结果反得斩罪。想罢即道:“大人,我奉旨到关,岂料杨宗保将仓库悉已封好,说二十多年岁岁亏空,难以彻查,若奏明圣上,还防执罚,要犯官格外周全。只恨我一时错见,心利他数万之银,故不盘仓库,回朝复旨,只言仓库不空。当时杨宗保恳求我,愿送数万白金。正说之间,焦廷贵已抢了将来,扭着下官殴辱不休。包大人,但念犯官赃未入手,从宽免究,才见大人洪恩。但杨宗保若无亏空,何故将仓库预先封固行赂,以免盘查?杨、焦二人岂无欺君之罪?”焦廷贵听了,大声喝道:“狗官孙武!”说着又抢进一步道:“该诛的狗囊!我元帅领守边关二十余载,一切军需仓库粮饷,按例开销,何曾有丝毫亏缺,他乃忠君报国大功臣,耿耿无私烈汉。犯了罪时,不分至厚至亲,将士不废刑罚;有了功时,不论至微至低,小军定必奖赏。你这狗官一到,即索取赃银数万两,我元帅焉肯送你银子,奸贼休得妄言!”

不知孙武如何答话,包公如何分断,且看下回分解。

---

① 隳(huī)——毁坏。

第五十二回

复审案扶忠抑佞　再查库假公济私

当下孙武听了焦廷贵之言，即道："胡说！前者乃你们元帅自送银子与我的。"焦廷贵喝道："好刁滑的狗官！我元帅乃世袭侯封，兵权秉属，岂惧你一群肖小鼠辈，送你丝毫银子，狗官休得妄言欺人！"孙武又道："包大人，前日焦廷贵殴辱钦差，也该问罪，今日在大人法堂上，原来也如此没规矩的！"包公喝道："焦廷贵！不许胡闹！"即令左右逐他出堂，焦廷贵下阶去了。包公道："孙武，今未动刑，招认了诈赃之罪，也算你造化，得免行刑。"喝他下堂，又吩咐带上沈国清。奸臣初时抵赖不招，次后熬煎刑法不过，只得从头招认，独卸脱了庞太师这奸臣，虽是他念平日师弟之情，也是庞洪恶贯未满。

当下包公又问道："李沈氏实藏哪方？"沈国清料想瞒他不过，不免招出，一同死吧，只得言明在尼庵中。包公立遣张龙、赵虎往拿沈氏，岂期这刁妇早已闻风。她虽躲在庵内，天天差王龙打探消息，正候着与夫、子报仇。是日忽见王龙气喘吁吁，进内报说："尹氏夫人被包大人起尸救活，万岁又发交包大人审问，孙大人、沈大人一口招认，今即差张、赵二役来拿捉叩阍告状人，倘奶奶去时，定然凶多吉少，反不如速速逃生为妙！"沈氏听了，吓得魂飞天外，发抖道："不好了！不想今日大难临头，也罢，丈夫、儿子都已死尽，我即留此残生，也不中用了。"即打发王龙出外，急急忙忙，正要自缢，又见七八名女尼进来，齐说："包大人差人在外，立刻要夫人至案，快些去吧，不要干连我们。"沈氏道："妾已知了。吾犯国法，决不连及你们。"可怜沈氏上吊也来不及，即回头向墙上狠狠两撞，撞破了天灵盖，脑浆迸出，鲜血漂流，仆于地下而死。女尼数人，要救已来不及，只得齐奔出外，说与张龙、赵虎得知。二役闻言，进内看过，回衙上复包大人。包公如闻别人之言，自然要相验分明，只因张龙、赵虎二役乃包公得力用人，历次试测，秉直无差，谅也无弊，故免亲到相验。包公当堂拟判：

李沈氏如若情真，立于不败之地，何不挺身出堂？如今撞壁身死，情弊理怯，畏罪自杀。李成父子冒认功劳事已显然。足见得杨宗保并无屈杀有功之人。然而焦廷贵殴辱钦差，应得革职摘参之罪。念所殴系诈赃之人，忿邪嫉奸，姑予从宽免议。据孙武供称：杨宗保库仓常缺，尚应差官复往查明，倘果亏空，照数处分，依律定议。狄青失衣是真，幸已不日讨还，且有血战军功抵罪，未便即封受帅。李沈氏所呈王状，按律定须严究主唆之人，存案定罪。但该氏早经毙命，无从根究，唯该氏生性刁恶，妄呈王状，有碍朝廷雅化。虽已畏法殒命，然典刑未便苟且以从，应请戮尸，以彰国法。孙武藐违旨命，不稽仓库，私图婪赃，虽赃未现获，律当斩首。沈国清身居御史，享朝廷厚禄，不念君恩，专顾私恩小惠，而图网尽忠良，假供欺主，例应处斩，罪及妻子，幸妻贤良，可免坐及之愆。唯其受夫耻辱，从容自尽，死后尚图忠君报国，略私恩而存大节，当代贤淑，亘古无双，应叨旌奖。呜呼！五刑不立，何以惩奸？功懋①不赏，何以劝善？臣不胜待命屏营之至！

包公分断已毕，吩咐将犯官孙武、沈国清严加绁锁②，收禁天牢，焦廷贵仍归杨府。又令家丁护送尹夫人回转御史衙中。焦廷贵回转天波府，佘太君众夫人甚喜，此话不提。又有庞府家人，打听明白，回归相府报知，庞国丈心头纳闷，孙秀也是一般着急。只为素知包拯是个硬烈之官，即王亲国戚，亦畏惧于他，而当今天子，也怕他硬直性情，奈何他不得。

次日早朝，将审案本章呈上，天子看毕，怒道："可恼贼臣暗欺寡人，若非包卿先行回朝，险些害了边疆栋梁之将。朕今依议。"仁宗当即降旨说：

尹氏乃一女流，岂期具此贤惠，割却夫妻私恩，深明君臣大义，保国除奸，忠良免祸，朕也钦敬，询为万古女师，合当表行，即于御史府，改赐旌表流芳，加封恭烈元君，每岁额加俸禄二万两，俱归沈国清夫人尹氏收管。每逢朔望之日，文武官代朕一月两谒，以示荣异。生则永叨厚禄，死则附葬皇陵，享其荣祭。而边关仓库也要依本复查定夺，狄青功罪两消，未得拜帅，着于边关效力，日后再行封赏，焦廷贵

---

① 懋（mào）——盛大。

② 绁（xiè）锁——用绳索捆牢。

虽殴辱钦差有罪，姑念先祖功臣一脉，又是出于忿邪嫉奸，情有可原，宽恩免究。沈达跋涉被羁，升加一级，以补其无辜受累，并令回关，不得久留。二奸正法，即着卿施行。

包公领旨，当日国丈心头放下，他初时只恐案内定有牵连，如今并不提及，想必包黑也畏惧着他。若问包公，岂不知庞洪主唆的？然沈氏既已殒命，死无对证，非但扳他不倒，反被奸人取笑。二者圣上也自明白，谕他不必追究主唆，这个人情不得不从权做的。

不表国丈得意，只恼得孙秀满面涨红，可怜兄弟一朝差见，依了丈人之计，免不得身遭国典。当日退朝，包爷奉旨正法两奸，一刻难留，回衙吩咐调出二奸捆绑，来至法场。众军人押了犯人，排军扛抬铡刀，哄动多少百姓闲人，远远观看，纷纷言论。那沈、孙二奸，押至西郊，犹如呆子，魂魄飞扬，顷刻铡刀分段，鲜血淋淋。包公打道回衙，闲人散去。

次日设朝，包公复旨，圣上传旨排赐筵宴，命富太师、庞太师、高太尉、韩吏部相陪，包公俯伏谢恩。就宴毕，复奏君王，差官往边关再查仓库。君王瞧看两旁文武，问道："包卿，你欲哪位官员前往？"包公尚未开言，庞太师出奏道："臣有启奏。臣思狄青失去征衣，杨宗保本上缘何并不提明？亦有瞒君之罪，未便置之不究，伏乞圣裁。"包公想：老夫放脱你，你反气不过他人。随即奏道："国丈保荐孙武盘查仓库，故违主命，仓库不查，反替国丈诈赃起祸，他罪比杨宗保大加数倍，也该枭首正法。伏乞圣裁！"天子看看国丈，暗想：你多言插舌，反使朕难于分断。当下君王因碍于国丈，免不得两面周全，即道："都是些小之事，一概宽免了。"国丈谢恩，又要复奏。天子道："庞卿不须奏了。"国丈道："臣非奏别事，乃是荐员复查仓库。"天子道："卿荐哪官？"国丈道："臣荐兵部尚书孙秀可往。"天子听了道："包卿，你知孙兵部可往否？"包公道："孙兵部果当其任。"天子即传旨，着孙秀往边关复查仓库，须要实力奉行，不得徇私，回朝复命，另有升赏。兵部领旨。国丈又道："臣有复奏。"天子道："卿又有何奏？"国丈道："陛下不准封赠狄青为帅，也须降旨，莫若使孙秀一并赍诏，以免又复差官，徒劳往返，不知圣上主意如何？"天子道："此算倒也可准。"即诏交孙秀，包公暗想道：好不知利害奸刁，还思作弄，孙秀此去，倘有丝毫作弊，管教他又尝铡刀美味。

当日群臣别无章奏，君王退朝。

且说包公一日到赵王府内，拜见潞花王母子，关于陈桥遇李太后之事,并不提及,只将狄王亲失征衣,立下战功之事,详细奏明。狄太后微笑道:“包卿你太薄情了。我侄儿立下如此大功,理上还该加升重职,杨元帅上本自让为帅,你何故反阻挡圣上?”包公道:“臣启娘娘,狄王亲有此武功,该得升职。但他失去征衣,罪也重大,这是朝廷律例,有功得赏,有罪必罚。倘不计罪而计功,不独废弛国法,且难服众奸党之心,如若被他参奏,反觉无趣了。臣为国秉公,倘要徇私,宁断头难依,伏乞娘娘鉴察。”太后听了,欣然道:“包卿若不说明,我倒错怪你了。且略饮数杯淡酒如何?”包公道:“多谢娘娘,臣不敢当。”登时告别,潞花王也留款待,包公力辞,只得由他拜别而去。包公暗想道:可哂太后,不明道理,错怪别人。只我将狸猫换主事究明,你也蒙着欺君之罪。一路无言,到了天波府内,焦廷贵闻报,出来迎接,请出佘太君。包公见礼坐下,杯茶叙谈。太君道:“我家孙儿被奸臣算计,多蒙大人一力周全,使老身感激不尽,尚未到府拜谢,反劳大人光降,心有不安。”包公道:“此乃下官与国家办事,哪敢当太君重谢?”太君又道:“我孙儿既无亏空仓库,今又往盘查,是何缘故?”包公道:“告禀太君,下官当审究时,孙武称言元帅也有亏空之说,倘经别官领审,已将此言抹杀,也未可知。唯下官出仕朝廷二十八载,由做知县官案历万千,只依法律公办,故孙武所供,也要奏知圣上。今天庞洪又荐保孙秀前往了。”太君听了,愈觉骇然,呼道:“包大人!老身久晓孙兵部是奸臣党羽,如今奉旨往查仓库,此贼心不秉公,只忧波浪兴翻,怎生是好?”包公道:“太君且请放心。孙秀此去,倘有徇私作弊,自有国法与他理论,下官岂肯轻饶纵放?只祈太君早日发遣焦廷贵转回边关,不可稽延于此,以免元帅不安。”言罢告辞。太君道:“大人再请少坐,水酒粗肴相款,望祈勿却。”包公道:“虽承太君美意,唯贱冗太烦,改日叨领。”

按下包公回府而去,只言佘太君即日告知孙媳穆氏夫人,修备家书一封,取出白金百两,交付焦廷贵、沈达二将。克日用膳罢,拜别老太君与众位夫人。家丁早已牵出两匹骏马,鞍辔整齐。二将欣然骑上。老太君又吩咐二将,路程小心,休得恃勇闯祸招灾,孙兵部不日奉旨又到,复查仓库,此贼定然诡计多端,说知元帅众人早为防备,勿坠奸人之计为要。二将诺诺答应,一径出了杨府,马不停蹄,径往边关而去。

这孙秀奉旨复查仓库,可能又要谋害狄青、杨宗保二人,不知后事如何,且看下回分解。

第五十三回

孙兵部领旨查库　包待制惊主伸冤

这一天,庞国丈排下酒筵,差家丁请至孙兵部。国丈开言道:"贤婿,不想此事愈弄愈糟了。但杨宗保、狄青二畜,断断不能容留,你今奉旨复查仓库,我特备酒饯行,你一到边关,须要见机而为,算计二贼,也须弥缝破绽,免被包黑贼放刁才好。"孙秀道:"有劳泰山大人费心,小婿至关,定然在意,设法雪报弟仇。"言罢,用宴已毕。次日孙秀离京,亲友众官送行。包公趋近呼道:"孙大人,你今奉旨到边关,须要秉公着力而行,权奸嘱托行私,你切不可依从,倘存私作弊,下官定然秉公处理。"孙秀道:"包大人,你太多心了!此行哪有旁人唆嘱徇私,我此去必定秉公,不负君恩。"包公道:"如此方好。"

不表孙秀离却汴京,且说是日天子设朝,包公主殿谢君赐宴。天子道:"包卿赈济未完,宜速打点登程,免使万民悬望。"包公道:"臣还有一桩国家大事,也要理明,方往陈州。"君王道:"包卿还有何重大事情?且奏知寡人。"庞太师巴不能包公早早动身,不啻拔去眼中钉,即出班奏道:"臣有奏。"仁宗一想,国丈真乃多管闲账。只得问道:"庞卿,你有何本奏?"他道:"臣奏非为别故,无非为国保民,今陈州赈济未完,包拯中途不往,万民仍不免饥寒苦楚,望乞我主不要留他在朝。若说朝中有事,有何难处,自有多少朝臣可办,伏乞陛下准奏。"君王听了,正要开言复问,包公接言道:"这是一件天大之事,上干天子,下干人民,即臣身受陛下隆恩,亦不能为陛下讳失察之愆。"当时众文武大臣听了此言,心内忧疑不定。君王急道:"包卿,是何大事,即速细奏分明。"包公道:"今陛下不是真天子,故臣要理论分明。"仁宗听了,不觉诧异,两旁文武大臣更是惊骇。庞国丈即出班俯伏奏道:"包拯仰叨圣上隆恩,不思报答,反敢戏谤君王,冒渎天颜,不敬莫大于此。乞陛下将他正法,以为慢君者戒。"嘉祐君王道:"庞卿平身!"

天子虽然不悦,但想到包公,为官日久,一向无错无差,丹心耿直之臣，何故发此戏言？便呼道：“包卿，寡人这天子缘何非真，你且奏明。”包公道：“陛下，若还说得出凭据，方是真的。”君王听了，微哂道：“包卿，朕是君，你是臣，缘何臣与君讨凭据！寡人临御已有七八载，在朝多是先王旧臣，并无一人说朕是假的。包卿何故发此戏言？”包公道：“陛下若是真天子，定有凭据。”君王道：“这玉玺岂不足为凭？”包公道：“陛下既接领江山，岂无印玺，这算不得为凭。只问陛下龙体有何记认，才是真凭据。”君王微哂道：“此语包卿说来真奇，要讨凭据犹可，缘何又讨寡人身上之凭？若问朕身上之凭，只掌中有两印纹‘山河’二字，足中央也有‘社稷’两字，可得为凭据否？”包公听了山河社稷，却准对了李太后之言，即奏道：“陛下实乃真天子，只可惜宫中并无生身国母。”君王道：“包卿之言差矣！现今南清宫狄太后，是寡人生身母，安乐宫中刘太后，是寡人正嫡母。包卿妄言寡人无母，也该有罪。”包公道：“国母本有，只是不见了陛下生身国母。狄太后只生得潞花藩王。她并非陛下生身母，只可怜生母远隔别方。”嘉祐王骇然，忙道：“包卿，你出言不明，令朕难以推测。既然明知寡人生身之母，何妨直说，缘何吞吞吐吐，欺侮寡人？”包公道：“只今郭槐老太监未知现在哪宫？”君王道：“若问内监郭槐，现在永安宫静养，卿何以问及于他？”包公道：“陛下要知生身国母，须召郭槐问他，便明白了。”天子听了，愈觉离奇，想道：包拯说话蹊跷，料此大事他断非无中生有。又思道：南清宫狄母后，既非寡人生身，如何又冒认寡人为子，此事叫寡人难以推测。他又言郭槐内监得知，只有宣召郭槐来问明缘故。即传知内侍往永安宫宣召郭槐去了。天子又问：“包卿，既知此段情由，也须细细奏知根底。”包公道：“陛下，臣若奏出情由，即铁石肝肠也令他堕泪。可怜陛下生身国母，屈居破窑，衣衫褴褛，垢面蓬头，乞度光阴将二十载，苦得双目失明。陛下身登九五，娘为乞丐，尊为天子，尚且孝养有亏，自然朝纲不立，屡出奸臣乱法。”嘉祐王听了包公之言，色变神惶，叫道：“包卿，破窑之妇，你曾目击否？”包公道：“臣若非目见查明，焉肯妄奏，以诬陛下？”天子道：“如此可细细奏明。”包公即将道经陈桥，被风吹落帽，疑有冤屈，因命役人捕风捉影，至郭海寿请去告状，当日太后将十八载被屈破窑，长短情由，尽皆吐露等事一一奏明。并道：“太后言非臣不能代为伸冤。臣当时惊骇不小，不意拿落帽风，却拿来此天大冤情，实乃千古奇案。臣思前十八年，臣官升开封府二载，尚未得预朝政，即火焚内官，臣亦不得而知。

因此将信将疑,故又反诘她既知太子,即今现在哪方?她自言,得寇宫女交陈琳送往八王府中,后闻养成长大,接位江山,当今天子即是吾亲产太子。当时臣一再盘诘,她有何为证。她说,掌上印纹是'山河',足下有'社稷'二字,回朝究问郭槐,可明十八年前冤抑。陛下请想,儿登九五之尊,享天下臣民之福,岂知生身母屈身卑贱苦楚之境,闻者如不伤心,非孝!见者如不恻然,非仁!若非郭海寿代养行孝,李娘娘早已命丧黄泉,身负沉冤,终难大白了。"

君王闻此奏言,吓得手足如冰,呆呆坐在龙位,口也难开。两旁文武官员,目定口呆,暗暗称奇,未明真假。内有几位大人想道:"十八年前,我们还未进位公卿。"有国丈想道:只怕是非涉及老夫,原来是朝廷内事根由,不干我事,我即心安了。

慢言殿上君臣语,先说瞒天昧法人。那郭槐乃刘太后得用之人,是以仁宗即位,太后即传旨当今,加赐九锡。时年已八旬,奉旨在永安宫静养,随侍太监十六名,受享纳福,其乐无穷。仗着太后娘娘势力,人人趋奉,倘或宫娥太监服侍不周,即靴尖打踢,踢死一人,犹如摔死一蚁,厉害无比,凶狠已极。人人对面,自然要逢迎九千岁,背后众人咒骂,怨恨他不已,巴不得此凶早日灭亡。偏偏郭槐精神满足,虽则八旬之人,健旺胜于少年,身体肥腴,生得两耳扛肩,头尖额阔,眉长一寸,鸳鸯怪眼,两颧半露,莺哥尖鼻。多年安享于永安宫内,福寿双全,快乐不异于神仙,即当今皇上也无此清闲之福。每日闲中无事,与刘太后下棋着双陆,或抚琴弄瑟。

这一天,他正在安乐宫中与刘太后饮酒谈心,忽闻内侍进来,报说圣上在殿上相宣。若是郭槐平日做人良善,结好上下,自然内侍官肯帮助些,说明李后陈桥之事,也可使郭槐早些打算如何脱身的计谋。只为他平日凶狠,故人人蓄恨。内侍今得此消息,心中大悦,恨不能将他早日根除,因此只说"万岁旨宣"四字,并不提及别的机关。郭槐听了冷笑道:"从来万岁并不宣吾,今有什么闲账?咱家今日不得空,改天出殿也罢。"内侍暗想:万岁爷都宣他不动,太觉狂妄自大了。只得去复旨,将此言禀知万岁。天子听了,龙颜发怒,可恼贱畜逆旨,即唤内侍道:"且再往宣,只说有国家大事,文武百官不能妥议,宣他上殿,做个主见,看事体如何?今天必要奉宣,再不许逆旨!"内侍领旨而去。若论君无戏言,只因当时郭槐不肯奉旨出殿,是以将他哄出殿来,这是事到其间,暂且从权。当有内侍复至安乐宫道:“臣启太公,万岁爷有一国家大事,文武各大臣不能妥议,必得要老公公出殿,定个主见,万岁爷在殿候久了。”郭槐听了道:“厌烦得紧!咱家不喜出殿,何故两次相宣?有何大事,别改一天也罢。”刘太后微笑道:“郭槐,当今既然两次宣你,你若不往,岂不失君臣之礼?难免朝臣多话。”郭槐道:“娘娘,朝臣曾说我什么来?”太后道:“只言君王宣不动,太觉狂妄欺主了。理上还该出见,以免朝臣多生是非。”郭槐冷笑道:“娘娘可知,满朝文武谁敢言我一声不是!”太后道:“你说哪里话来,虽然对面无人说,背后难免把你暗加批点。况国务非同小事,无人妥议,政令难行,当今宣你,定然说你年高智广,有政同商,劝你再不可推辞。”郭槐听了道:“娘娘既如此说,吾且走走何妨。”太后道:“出殿回来,吾还等候共宴。”郭槐允诺,叫左右扶他出殿,内监应诺,搀扶道:“九千岁慢些走。”太后道:“众人且小心搀扶。”郭槐并非年老难行,只因身躯肥胖异常,若独自行走,多有不便之故。

四名内监,绰绰拽拽,到了殿上,内侍先禀明万岁,郭槐朝见毕,对君王道:“陛下在上,奴婢见驾。”君王道:“寡人宣你上殿,非为别故,只因内廷事有不明,故特宣你究明奇事。”郭槐道:“未知陛下内廷有何不白之事?”君王道:“只因十八年前,狸猫换主,火烧碧云宫,何人为首,李太后如何被害,今已尽泄机关,你须将实事细细言明。”郭槐听罢此语,吓得目瞪口呆,想道:因何今天一时提及十余年前之事?不知哪个狗王八从中捣乱?但这件事只有天知地知,刘娘娘与咱家得知,余外别无一人可晓。我只推不知,几句言语撇开便了。君王见他不语,即喝道:“郭槐,今日机谋尽露,还想隐讳不言?”郭槐道:“奴婢实不知什么狸猫换主,大火烧宫,休来下问奴婢。孩子们,扶我进宫!”四名太监正待左右搀扶,有包公怒目圆睁,跑上金阶,伸手当胸扭定,喝道:“郭槐慢些走!”郭槐喝道:“你这官儿,怎敢无礼!”

不知包公如何捉下郭槐,且看下回分解。

第五十四回

宋仁宗闻奏思亲　王刑部奉旨审案

当下包公喝道:“郭槐！你既不认识本官,如我说出姓名,只怕吓死你这老奸！我乃龙图阁待制兼开封府尹包拯。”郭槐听了道:“你是包拯么？人称你是忠烈贤臣,即我内官也仰慕清名,当今万岁加恩宠眷,你不该胆大将咱欺藐！你太觉狂妄了!”包公冷笑道:“郭槐,你还不知么?”郭槐道:“咱家知道什么来?”包公怒道:“恨你为人凶刁狠毒,十八年前将幼主换作狸猫,又纵火烧毁碧云宫,陷害李宸妃娘娘,瞒天昧地,只言永久遮瞒,岂期今日奸谋败露,在圣上驾前,还不直供!”郭槐听了失色,只得喝道:“包拯！休得含血喷人！你缘何造此无形无影之言,妄唆圣上,欲害咱家！这火焚碧云宫,狸猫换主,我作内监数十秋,未闻此事,你何得无端寻衅蛊惑,擅敢当驾无礼,扭住咱家!”即喝令小监道:“撵他去,我还宫去也!”包爷喝道:“郭槐,你今休想还宫!”扭住郭槐不放,四名内监只好呆呆看着,只因惧怕包黑子,未敢妄动。众文武大臣并无一人答奏,君王心上也觉焦烦,喝道:“拿下！寡人定须追究阴谋陷害真情。”有值殿将军凶狠如虎,即拿下郭槐,捆缚捺定。郭槐慌忙呼道:“圣上,可怜奴婢,今已八十二岁,静处闲宫,并无差,伏乞我主勿听包拯无踪无影之言,令奴婢还宫,深沾陛下天恩。”君王道:“郭槐,你将十八年前之事一一奏明,即放你回宫安养。如有一字支吾,定决不饶。”郭槐一想:若将此事说明,我必抵罪,又怎好害却刘太后娘娘？罢了,我也拿定主意,自愿抵死不招。即道:“陛下,说什么狸猫换主,火焚碧云宫,奴婢确实不知缘由,焉有凭据上奏?”包公奏道:“此事关系重大,想郭槐是泼天大胆之人,方能干此伤天害理之事。若将言词盘诘,岂肯轻轻招认,伏乞我主将他发交与臣,待臣严加细究,方能明白。”君王道:“依卿所言。”庞国丈暗想:不好了！发交包黑审究,郭槐危矣！审明又增他之威。惺惺自古惜惺惺,奸臣只是为奸臣,并忌包拯之功,即出奏道:“陛下,这郭槐发不得包拯究审。”君王道:“庞卿,缘何发交不得包拯审讯?”庞洪道:“此事关系重大,谚语云:‘来言是非者,即是是非人。’今此事乃包拯所言,焉知真假?倘被他一顿极刑,郭槐乃八旬以外之人,哪里抵挨得重刑?倘假事勘成真的,即大不妙了。”君王闻奏,头一点言道:“庞卿此论,却是秉公而言,朕今不发交包拯,即交卿家审究,是必秉公而办。”包公道:“如将此案与国丈究断,必不秉公力办。他若存了三分私弊,十八年之冤,终于不白,却将诞育圣躬之母,永屈于泥涂中了。”君王听了两人之言,细思一刻,只得对包公道:“包卿,据你主见,还须发交与你审办么?”包公道:“国丈如此一说,臣也涉嫌疑,不敢承办了。”君王道:“卿既不领办,可于文武两班中挑选一人出来。”

包公称“领旨”,立起身来一看,左班首是富弼老太师,他是一耿直大臣,然而老髦高年,不便烦劳于他。包公又看看吏部韩琦,韩琦一想,此案重大,一位是刘太后,一位是狄太后,两人是被告,叫我如何审法,只得摇头示意。包公又看了阁老文彦博,他却对自己瞧也不瞧,分明也有些怕事。包公想道:你们众臣也称是忠良之辈,如何这等胆怯畏死?只须秉公而办,亦有何妨碍,如何人人不愿领办。如此你们徒有忠节之名,算不得铜肝铁胆之人了。包公又望至西边,看见刑部尚书王炳,二目相照,包爷一想:王兄与我是同居里井,同科出仕,他平素秉性贤良,此段事情,如交他办理,谅得妥当。此时包公一照面,头一摆,王刑部即出班奏道:“此事微臣领办,伏乞陛下降旨发交。”君王道:“包卿,王卿领办如何?”包公道:“王刑部果能领办,必不误事。”君王道:“既如此,朕将郭槐发交王卿,限三天内究明回奏,须要小心着力公办。如有半点私弊,断不姑宽。”王刑部领旨。当日散朝,王炳家丁带出郭槐。

君王还宫,庞贵妃迎接王驾,即请安问道:“君王何故龙颜不悦?”君王一闻动问,不觉感触孝行有亏之心,言道:“早朝据包拯所奏,朕不是南清宫狄母后所生,也非安乐宫刘太后所产,尚有生身母亲在别方。”言毕,不觉珠泪一行。庞妃闻言,不觉骇然,即道:“圣上既据包拯所奏,亦必有因,我王何不询明他生育圣躬嫡母太后在于何方?”君王道:“贵妃,朕也曾详诘他,包拯言还朝时,道经陈州,有白发老妇,诉说十八年前之冤,言来确据分明。”当时君王将前言一长一短,惨言尽吐,更觉感伤,纷纷泪下。此时庞妃听罢,更觉心惊,想道:不意有此弥天大事,未知真假,若还果有狸猫换主之事,郭槐罪重千钧,狄、刘二太后亦有欺君之罪。只愿当初并无此事,两宫太后方保无虞,郭槐也可无罪,只将包拯处以欺君妄奏之罪,正了国法。若除了包拯,我父独掌朝纲,畏惧何人?想罢,开言道:“我主且自放心,虽则包拯如此言来,臣妾细思此事,谅非真情。破窑市井中老妇,非是癫狂之疾,定是妖言惑众,可笑包拯为明察之官,听信妄词,特犯君上。倘无此事,两宫太后一怒,则黑脸官儿岂活得成!况乎谎奏君王,谗污国母,罪该万死,我王乃至聪天子,岂能任他如此作弄。”庞妃虽然狡猾,唯君王心下分明,知包公乃是正直无私,清官岂是轻信无凭谎奏。且破窑妇人说得有凭有据,岂是疾犯疯癫?因此仍自闷闷不乐。庞贵妃见君王恼闷,传旨排宴,百般娇媚,趋奉君王。

慢言宫中夜宴,且说安乐宫中刘太后,见郭槐久去不回,想道:不知外廷有何疑难国政,两次宣召郭槐,去得许久,尚未还宫。正盼思之际,忽有太监四人急匆匆报进宫道:“启上太后娘娘,不好了!”刘太后在宫闱三十余秋,从未闻“不吉”二字,今闻此急言,不觉大怒,骂道:“狗奴才,何事大惊小怪!”众内监禀道:“只因当今万岁爷,已将九千岁拿下。宣去非为别事,乃是包大人奏明圣上,为十八年前狸猫换主、火焚内宫之事。”刘太后听了,吃惊不小,连忙立起道:“万岁怎生分断的?”内监道:“万岁爷要九千岁招出真情,九千岁只言并无此事,万岁爷即喝值殿将军登时拿缚了九千岁,发交刑部尚书王大人审断去了。”刘太后闻言道:“果有此事,你们且退外去。”四内监遵命出宫,刘太后惶恐无主,自念:十八年前将太子换去,暗害李妃,但机关秘密,无一人得知,因何今日泄露,有人告诉包拯?又值君王偏听他言,将吾心腹人拿下,若还究出当时情事,郭槐固不免重刑处决,即老身也难免有欺君害主之罪。幸喜当今不是发交包拯审断,还有挽回之机。想王刑部虽是一位清官,不贪财宝,谅来及不得包拯铁胆铜肝之硬,且将密诏行下王炳,将金珠宝贝重赏他,岂有不受?难道他惧怯包拯,反不畏我?倘王炳肯周全郭槐,私留一线,郭槐无罪,我也无虞了。刘太后定下主见,登时修密旨一道,外有马蹄金五十锭,明珠三百颗,打发心腹内监三人,另遣王恩赍了密旨,将晓时候,潜出后宰门,往刑部衙门而去。

按下慢提。再说王刑部是日将郭槐暂禁天牢,进归内衙,有马氏夫人出来迎接坐下,夫人开言道:“相公今日退朝甚晚,又有不悦之容,不知何故?”王炳道:“夫人,兹因领了圣旨,为圣上内廷一大异事,想来实在难办。”马氏道:“老爷官居司寇,只管得顽民匪盗刑务事情,如天子内廷大事,都有富太师、范枢密、文阁老、韩吏部等办理,老相公不该管涉,何用心烦?”王炳道:“夫人,你有所未知,此事如不尽忠办理,不免斧钺之诛,不是五府六部人人可领办的。”当日王炳将包公还朝,在陈州遇妇人诉冤之事,一一言知,马氏道:“既然陈州有一贫妇冤屈,自有地方官伸理。”王炳道:“夫人,你休将破窑中老妇人小视,她乃先帝李宸妃,产育当今圣上至尊之贵。”马氏夫人听罢,冷笑道:“老爷,莫非包拯道途中逢邪祟?不独妾女流不信,即满朝大臣岂不知当今乃狄氏所出,经先王所立?只有包拯一人偏执妄言。”王炳道:“包年兄乃刚正无私的硬汉,岂有诬毁君上之理?”马氏摇首道:“老爷,你向来明理,为官二十余载,难道不明此案如天重大。且交还包拯办理为上,你何必自寻烦恼。”王炳道:“夫人,并非下官多招烦恼,只因没一人敢于驾前领旨,我因思当今国母枉屈当灾,于心何忍!况我与包兄是同年同科,一殿之臣,故在驾前领办此事。”马氏道:“妾思满朝文武,多少官员,尽食君王俸禄,人人皆可效劳,何独老爷一人?想他众官知事关重大,故无一人承办。他们是明人,老爷是呆人。”王炳道:“你说哪里话来!倘我将此案办明,难道圣上不见我情分,即不厚加升爵,下官只愿留个美名。”马氏道:“老爷,你且拿稳些!妾劝你休得痴心妄想,要安稳时,须当依妾之言,不结患于上,又无旁人嗔怪,久远安妥为官,岂不甚妙!”王炳道:“据夫人主见如何?”马氏道:“此案即云是真,却是口说无凭。况且内监郭槐威权太重,外交党羽,内结太后,事如天大,郭槐岂肯轻轻招认?他如不招,定必动刑,如此他立下一留头不留脚主意,一定抵死不招,老爷怎奈他何?事既不完,先结怨于刘太后,倘被他执一破绽,暗算起来,实难防避。那时包拯决不来看你是同里同科之谊,破窑中贫妇,也难搭救于你,古云‘识权达变者为豪杰’,老爷也须三思。”

不知王炳是否依从马氏,且看下回分解。

第五十五回

刁愚妇陷夫不义　无智臣昧主辜恩

王刑部听了妻言，默默不语。原来王炳生平有二畏惧，上畏君王，下惧夫人。

当时虽则怪着马氏，然而不敢回言，只得长叹一声，侧身呼侍环进茶。夫妻用过，马氏又道："老爷你今缘何像痴呆一般，一言不发，此叹声无非怪着妾身而已。"王炳闻言道："怎敢见怪夫人，下官只是想到朝廷的事实在难办。"马氏道："老爷既然不怪妾，只依着吾言便了。"王炳道："夫人还有什么商量，你且说来。"马氏道："老爷我劝你多一事不如省二事，一动不如一静。岂不闻达者千人缘，懵懂者结万人怨？若将郭槐认真严审，不过奉承包拯，包拯无非说一声'劳动年兄了'。这也不足为老爷增荣，却惹得刘太后、狄太后两位娘娘，将你恨死，正是福不来而祸先至。如今老爷既然领旨承办，已是卸肩不及，莫若假混瞒真，虚张声势，审讯几堂，只说并无实据，复了圣旨，一切只由圣上主见，是两不失其情。包拯危与不危，我也不管，唯有两位太后娘娘，深感你之用情，定然暗中提拔。倘老爷不依妾言，犹恐祸生不测。"王炳道："此言差矣！下官若将此案严审断明，圣上既得母子重逢，满朝义武人人钦敬，好不荣光，即无极品偿劳，亦扬名于当世了。"夫人道："你乃斗筲①之见，全不想彼破窑中贫妇，乃是随口胡说，或犯癫狂之疾，只有包拯听她谎哄。如若果有此事，为何一十八年之久，她甘心受苦，况天下官员甚多，平日之间并不提起，直至如今，才冷灰复热，岂有是理？想这包拯十分昏聩②，妄奏当今，也有这般昏君，听此狗官之言。老爷是一向明白，今日为何却愚呆了！现现成成一位刘太后，威风凛凛的九千岁，不去奉承，反因一真假未分的贫妇，与大势力结

---

① 筲(shāo)——用竹子或木头制成的水桶。在此文中'斗筲'指有限的容器，斗和筲，来比喻人的见识短浅。

② 昏聩(kuì)——比喻头脑糊涂，不明是非。

仇，岂非颠倒！你若力办此事，只忧今生今世也究不明的。反做了灯蛾扑火，自惹焚身，还要累及妻子。若待死在钢刀之下，悔恨已迟，不若为妻先别了丈夫吧！”说着立起身来，将茶盏一抛，假装撞死。此番吓得王炳一惊，飞步赶上，双手抓定道：“夫人死不得的！”马氏道：“妾身这一命定死在你手中，倒不如早死，岂不干净！”王炳道：“夫人且慢慢酌量，你若一死，下官也活不得了。”马氏首一摇，泪下纷纷，王炳却像奉敬神明一般，将夫人鬓发一一理好，戴正珠冠。

且说这王炳当初原立下美意，要与李太后鸣冤，今被不贤马氏放刁弄坏心术。是以人生有贤良内助，关乎一生名节，今王炳犹如遇鬼祟昏迷了，一片铁石心肠，化为绵软，以致欺君误国，污名当世。当下王炳安慰马氏道：“夫人，你一向智慧，只因性情急躁，不分好歹，便将性命来抵当，难道你性命如蝼蚁之贱？我劝夫人休得急恼，忍耐一些才好。”马氏道：“老爷，妾劝你万语千言，皆因欲你免遭灾祸。岂知你反怪妾，呆呆不语，怒目睁睁。倘依包拯之言，两位太后娘娘不免有罪，即为妻也难逃脱，故先死于老爷眼前，以免遭别人之辱。”王炳听了道：“夫人，你说来句句金玉之言，岂有不从之理，如今且依夫人高见。”马氏喜道：“妙，妙！老爷如肯听妾之言，管教你指日之间，定有福禄高增之荣。”王炳又道：“此重案已经领旨，怎生办理，倒要夫人出个主意，以便下官照办如何?”马氏想了想，道：“老爷一些不难，只须如此如此，神不知，鬼不觉，便能奏知圣上了。”王炳听了笑道：“夫人倒有此机谋，下官且依计而行。”

夫妻闲谈之际，早有侍环将筵宴排开，两人坐定，畅叙细谈，无非商量此案情由。少顷，日落西山，月儿渐起，又有家丁报进道：“有王恩内监三人，奉太后娘娘密旨前来。”王炳连忙请至私衙，开读诏书，密旨上大意要他审得郭槐并无此事，罪在包拯，便可加官增禄，厚赏金珠。如不遵旨意，定将王炳治罪，决不姑宽。当日王炳收下金珠，令二内监先回，又对王恩道：“公公你且先回，上复太后娘娘，下官遵旨而办便了。”王恩道：“王大人，你依太后娘娘旨意而办，太后娘娘不独赐赠金珠，指日还可高升。”王炳诺诺，登时送别王恩，复进后堂，命家丁扛抬金银珠宝，将情说知夫人。马氏闻知，喜色洋洋道：“老爷！妾是不会差的。你之智见，反不如妾，如今皂白未分，太后娘娘便有许多厚礼相赐，后又得显爵高官，封妻荫子。若还依了你的主见，顷刻间即有灭门之祸，破窑中贫妇，岂见你之情，怜你遭殃！"王炳闻言，拍掌喜道："夫人智见高明，不必多说了，请用酒膳吧。"是夜酒膳已毕，王炳又道："太后有赤金五十锭，明珠三百颗，夫人且一并收拾。"

马氏欣然应诺，又道："老爷，我想九千岁爵位尊隆，不该收禁天牢，速差家丁请至内衙用酒膳才是。"王炳道："夫人果也周到，理该如此，但时候尚早，还防众人耳目，且待至夜深寂静，方可邀请他。"

话分两处，当初真宗先帝在时，包公已内调二载，然庞洪出仕在先，早包公有五六年。包公自升朝内官，正值庞洪当道，一向恐奸臣有什么诡谋不测，故日夜留心稽查，弄得群奸及庞洪有权难弄。前时喜得包公往陈州赈饥，众奸正在快活，岂知他忽又还朝，庞奸党好生不悦。这夜包公夜膳毕，不骑马，不乘轿，不鸣锣喝道，青衣小帽，只带了张龙、赵虎、董超、薛霸四健汉，于通衢大道上，暗地查访。只见街衢寂静，路少人行，一轮明月，光辉灿灿，不觉走近刑部衙门，忽遇王恩内监。当时他认不出包公，包公亦不知是王恩，一人过东，一人向西。包公见他是名内监，即迎上去问道："你奉何人差使，往哪里去？"王恩闻言，犹如做贼心虚，并不回言，只管飞步跑去。包公道："此人定有蹊跷。"忙喝拿下，张龙、赵虎飞跑上前，却如鹰抓小鸡一般拿定。这王恩未曾被拿倒也罢了，一被擒抓，他倒凶狠起来，喝道："该死的奴才！何等之人，擅敢将咱家拿下？"张龙道："包大人问得一声，你何故一言不发，急急跑走？"王恩听说是包公，吓得涨红两脸，一时呆着，对答不来。包公越发动疑，即道："你奉谁差使？"王恩道："吾奉万岁差遣。"包公道："差遣你往哪里去？"王恩道："差往刑部衙中。"包公道："差办什么事情？"王恩道："圣上命刑部认真办理狸猫换主之事，速放咱家回复圣旨。"包公听了冷笑道："你言语支吾，岂是圣上所差，今日机关已经败露。"即吩咐带回衙去。当时张龙勇赳赳押着王恩，赵虎、董超、薛霸三人随伴回至府衙。

更敲三鼓，包公换了冠带坐堂，堂上四边灯烛，两旁排军三十二名，带上王内监，他立着喝道："狂妄包拯！咱奉圣上旨意，你有多大胆子，擅敢拿我！"包公喝道："胡说！如若圣上旨差，何不日间前往？岂有夜静更深，并无火把，见本官问得一声，并不回答，一溜烟而遁，难道圣上差你是这般光景？我早已明知刘太后娘娘差你暗中行贿于王刑部，命他不须严审郭槐，你须将实情招说，免教动刑！"王恩听了，胆战心惊，想道：包拯果然厉害,我所行之事,被他一猜而破。但只要不供认说明,他焉能罪我?即道:“包拯休得乱言,咱家明天奏知圣上,管教你头颅滚下!”当时包公捉得定,他绝非奉圣上所差,喝令左右将夹棍夹起,王内监痛楚得死去还魂,三番两次,暗想:久知包拯执法无情,即圣上也畏他三分,谅今也瞒不过他,不如招了,免受惨毒。况且我是奉差,是非自有太后娘娘在,与我何干?主意已定,呼道:“包拯,你好刑法,只算咱家今日让了你,待我实招。”包公喝道:“招了供,便饶你狗命。”王恩只得将奉懿旨情由一一招明。包公吩咐录了口供,松了夹棍,上了刑具,不禁牢狱,就锁在衙内一间空房,用四名役人看守,不许外面走漏风声,待等审明此案,然后释放。

役人领命不必细表。包公暗想:如今不是口说无凭了。刘太后反行贿赂于臣下,这是凭据。我想王炳往日为官,却无差处,故而由他领办,我也放得下心。岂料刘太后竟将贿赂暗行,古人云:“财帛动人心”,倘若王炳从中作弊,不独老夫遭害,即李太后十八年之冤,亦必难明。或另有一说,刘太后行贿于他,王炳不便推却,暂时收领,以待日后抱赃呈首,也未可知。王炳你若有此心,才算你与老夫是同僚年交故友;你若贪婪贿赂,欺瞒君上,暗弄弊端,管教你钢刀过颈。也罢!是非曲直,且不声张,暗察他机关为要。

不表包公神算,且说王刑部是夜差心腹人到天牢,悄悄将郭槐扶引至内衙,王炳鞠躬迎进内堂,见过礼,当中南面摆下一位,请郭槐坐下,王炳朝上面东而坐。当日泼天胆狠的郭槐,虽被拿禁天牢,却也安然无虑,自知虽被禁天牢,太后得知,定然竭力周全,不用心烦。今见王刑部相请,心头喜悦,知道太后娘娘已有关照,即开言道:“王大人,今日既不审问,请咱家到来是何缘故?”王炳道:“千岁老公公,只因包拯无风起浪,要陷害于你,下官心有不平,即满朝文武亦皆着恼。若非下官领办,圣上定必发与包黑,倘经他之手,老公公必定吃苦。”郭槐道:“这也不妨,由他放我在钢刀之下,也决不招认。”王炳道:“老公公如受他之刑法,不如下官不得罪的更妙。”郭槐称是,又问道:“太后有什么话来?”王炳即将太后行密旨,并赐金珠,一一说知。又道:“下官未得密旨,已存庇护之心,今既承懿旨,何敢不遵?但日间犹恐耳目招摇,故乘此夜静更深,方敢来请,待下官上敬薄酒,以当负荆。”郭槐大悦,道:“王大人是明白快士,且拿酒来,我与你细叙谈情。”当下郭槐公然正坐,王炳侧坐相陪,传杯把盏叙谈。

不知二奸如何叙话,且看下回分解。

第五十六回

王刑部受贿欺心　包待制夜巡获证

却说是夜王炳与郭槐开怀畅饮，酒酣耳热，便对郭槐说："老公公，下官断案之法，早已算过，照计而行，万无一失。"郭槐喜道："你且将审法说与咱家得知。"王炳道："下官并不怕别人，只忧包拯，他久惯搜人破绽，涧①人罅漏②，须防他暗里来探着机关，又不好用刑审讯。如要瞒人耳目，用刑审讯，须要觅一人面貌和老公公相像的，待他当起刑来，公公且躲避一旁，大声哀喊，糊糊涂涂审了一堂，便去复旨，那时包拯妄奏朝廷之罪非轻。"郭槐听罢，满面喜悦，叫道："王大人，你若将此案办得妥当，不但咱家感你之恩，即太后娘娘也见你之情分。今赐些小金珠，有甚稀罕，还要升个极品之荣。"王炳道："全仗老公公，且用酒吧。"你一杯，我一盏，甚是相投。郭槐又对王炳面上一观，呼道："王大人，你因何忽然呆呆不语，何故似有所思？"王炳道："老公公有所未知，你事容易妥办，只难觅一人像老公公的体貌，下官是以内心踌躇。"郭槐想了一想，道："王大人，方才咱家下狱时，只见一犯人生得身材肥胖，差不多与我一样。咱家也曾问他姓名，他言蓝姓，排行第七，人人呼他为蓝七，乃是汴京人氏，只因打死人问成死罪。你若弄得他来，即可顶冒了。"王炳听罢欣然。

次早，王炳差人到狱中，唤到司狱，说明此事，又许赏以金银，加封官爵。这狱官朱礼，乃是刑部的属下，怎敢违逆，立将蓝七带至。王炳一瞧，果然生得身长肥胖，面貌与郭槐也有几分相似，即将此情由告知蓝七，许他事完之后，定然开脱死罪，还有赏赐。蓝七听了禀道："大人，小人已是釜中之鱼，若受了些苦楚，得开脱此罪，实乃大人之德。"王刑部命取过新鲜服色，与蓝七穿起，又赏赐酒食。那时蓝七穿的服色与郭槐穿的一般，且躲在内衙一个闲静所在候审。这是王炳做成计策，一则忌着包拯探察，

---

① 涧（jiàn）——探视。

② 罅（xià）——事情的漏洞。罅，缝隙。

二来刑部衙役人多，只有二名心腹家丁，一名钱成，一名李春，与狱官朱礼得知此事。

且暂停此话，再说刘太后打发三名内监，到刑部衙中，有那扛抬金珠的内监两人回来，却不见王恩回话，不知何故。当晚刘太后心乱如麻，倒睡牙床，不能成寐。

不表是夜太后心烦，且说次早天子坐朝，文武参谒毕，君王开言问王刑部道："王卿！朕昨天发交郭槐审办，未知审断如何？"王炳奏道："还未审供。"君王道："缘何还不审勘？"王炳道："臣思此事关系重大，未便草率从事，况圣限三天，待臣细细严加勘究，依限复旨。"嘉祐王道："卿家，寡人知你是忠良之臣，此事须认真办理，休得疏忽。曲直须当分明决断，受不得贿，容不得情，若究明此事，寡人得母子重逢，王卿即有天大之功；若是存了私，欺瞒于朕，定加处斩，决不轻饶！"王炳道："领旨。微臣深受王恩，当思报效。有此重案，自当秉公办理。"天子点首退朝。百官纷纷轿马归衙。有包公出至朝门，叫道："王年兄，乞念多年故旧之情，务必诚心着力而办，弟便感激不尽。"王炳道："年兄何出此言？"包公道："王年兄，此事与小弟所关非浅，年兄如若审坏了，小弟难免谎奏欺君之罪。"王炳冷笑道："年兄此言差矣！小弟与你是同里故交，一殿同僚，相与伴驾多年，岂可欺君自污，以害年兄？但有一说，如果此事假伪，我也难审作真情复旨。"包公道："这也自然，只要年兄秉公审断，无欺无隐就是了。但今天不审，明天定然要审明复旨，倘明天仍不审断，小弟要劾奏你故违钦限之罪了。"王炳应诺，又道："年兄言之甚公，明天定然审明不误。"说罢，二人拱手而别。

不言包公自去，却说王炳回衙，进内堂见了夫人，不谈别话，只言领审之事。马氏道："老爷，你此事既然安排妥当，何不今天即刻审讯一堂，也好放心。缘何应承着包拯明朝审断？闻这黑炭他最把细明察，如一泄漏些风声，却麻烦了。"王炳笑道："你不明白，下官亦非尽愚呆，今故意诓哄他明天审断，使他今夜不加提防。我却审过一堂，明朝即上朝复奏圣上。你道这妙算如何？"马氏听了大悦，道："老爷福至心灵，算计极是。"

不表夫妇闲谈，且说是晚日落西山，王刑部尚未升堂，先将郭槐藏在案桌下，然后传谕夜堂候审。一班衙役，俱已齐集，在天牢内吊出假郭槐。法堂上只挂一盏玻璃灯，又传谕出来，说事关重大，须当秘密，衙役吏员等须要站立远远候着，不许近听审词。这是王刑部怀着私弊，只恐灯烛一多，看出桌下真郭槐，听出他口诉之音。当时众役人哪里知此弊端，只依着王大人吩咐远远排班。

当下王刑部带到郭槐，案基一拍，大喝道："郭槐！你可将十八年前狸猫换主之事，明白招认，若有半字支吾，难当夹棍之刑。"蓝七只不开言，郭槐在桌下口口声声叫屈道："王大人，休听包拯妄奏谎言，要咱家招出什么狸猫换主来。"王炳喝道："本部也知你倔强，不动刑怎肯招认？"喝令上刑，早有左右两名排军，一声答应，恶狠狠提起生铜夹棍，将假郭槐夹起。可怜蓝七痛得死去还魂。若问蓝七犯罪已经定案，只候一刀了决，余外没有一些苦痛，岂知今夜又在刑部堂中再尝铜棍滋味，这是他倒运，祸不单临。当时只夹得悠悠苏醒，但闻郭槐轻轻叫屈。一人真痛，一人假喊，其声音却是差不多。不独站立衙役听不出真假，即行刑的排军也难辨其喊叫之声。

且说包公是夜又带四名健汉，青衣小帽，夜出巡查。侧耳听得街上两个行人，其中一人说："事关钦案，非同小可，但不知审得如何。"一人道："既然开了衙门审讯，缘何不许闲人走进观看？"一人道："刑部衙门威严赫赫，岂容闲人喧哗？"包公听了，满腹狐疑，心想：王炳约吾明日听审，因何今夜晚堂即审？其中必然有弊。急急忙忙带了张、赵、董、薛四人向刑部大街而去。但见门首大灯笼点得光辉，包公进内，即问管门人道："你家王大人可是审夜堂否？"有把门官认得包公，跪而答道："正是。"包公又问："审讯何案？"把门官道："启上包大人，审讯狸猫换主之案。"包公道："且待本官进去看看。"把门官道："如此且待小的通报，迎接大人。"包公道："不消通报，老夫与你大人同年故交，无庸拘礼。"把门官称是，请大人进内。包公便呼张、赵、董、薛随后，一同进内，直至中堂。只见差役远远排班，只因灯光之下，又值正在讯夹郭槐，这些行役人等面向刑部大人，只望堂上，不顾堂下。王刑部也只顾问供假郭槐，哪里有眼目看瞧堂下？包公主仆五人，悄悄打从堂侧黑暗中走上，远离刑部半丈之隔。只闻王炳呼道："郭槐，速将真情承认！"只闻哭叫之声，喊声不绝。王炳喝道："还说冤屈！"喝令再收。包公天性聪明，况又分外留神，听其声音，不甚惨切，不是犯人喊苦。即踩开大步，跑上堂道："王年兄，下边夹者是何人？"王炳侧身一看，吓得魂也失去，犹如烈雷轰顶，立起身硬着头皮言道："小弟在此审讯狸猫换主之事，下边受刑的是郭槐。”包公道：“据小弟看来，此人非是郭槐。”即持案烛东西一照，伸手将桌帷一撩道：“在此了！”夹领将郭槐一把抓定，叫张龙、赵虎连忙把他拖出。包公更不怠慢，扭住王刑部，两个巴掌，夹面打去，不问长短，即命董超、薛霸将王炳锁住。

当时一堂差役吃惊不小，如别位官员犹可，一见此位黑阎罗拿了王大人好不惊骇，大家一哄而散。包爷当下坐了王刑部的公位，吩咐放起犯人夹棍，大喝道：“你这奴才是何人，听信何人来顶冒当刑？招出情由，本官决不罪你。若不明言，即上铡刀分段不饶。”蓝七听了，心想：久仰包黑大名，不是好惹的，如今料想瞒不过了，只得将情形一一禀知。包公听罢，冷笑道：“王炳，你果然弄得好神通，岂料事有凑巧，我包拯又无通风密报，自来戳破机关。老夫不与你多言，明日面圣再议。”王炳心中着急，只得恳告：“年兄，小弟一时差见，望兄大德周全，宽容于弟，再不敢欺瞒了。”包公全然不睬，命张龙将蓝七发回原狱，赵虎锁了王炳，董、薛带了郭槐，回衙管束，明朝见驾。好一位堂堂刑部官，皆因听了愚妇之言，欺君贪财，今已鱼投缯网①。

慢言包公带去犯人，且说王府家丁慌忙进内报知夫人。马氏一闻，吓得战战兢兢，咬牙切齿，恨包公将丈夫拿去，定然凶多吉少，怎生是好，一众使女丫环也纷纷谈论不表。却说包公回归府内，已是四更漏下，不去安睡，停一会命四健丁，持了提灯，带了两名犯人到朝房。众官也觉惊骇，庞洪道：“包大人，两名犯人是哪个？”包公道：“国丈，你去认认，像是何人？”庞洪免不得走近前一瞧，骇然道：“这是王炳，此是九千岁。”包公道：“你身居国丈之尊，还要逢迎奸佞，呼他九千岁，自倒威权！”庞洪还要诘问，只听得钟鸣鼓响，天子临朝，各官无甚奏章，只有包公出班道：“臣有事启奏。”天子道：“包卿有何奏闻？”包公即将昨夜三更左右，稽查奸宄②凶民，偶到刑部衙左近，有街衢往来之民私语，方知刑部审询夜堂。自己前去察看，方知暗弄机关等情，逐一奏闻。又道：“臣已将二钦犯拿下，带至午门外，恭候圣裁。”嘉祐君王闻奏，不觉龙颜大怒道：“可恨王炳如此欺瞒！”即差御前校尉速拿王炳上殿，校尉领旨下去。

不知王炳进殿性命如何，且看下回分解。

---

① 缯(zēng)——古代对丝织品的统称。缯网，丝织的网。

② 宄(guǐ)——奸宄，即为坏人。（由内而起叫奸，由外而起叫宄。）

第五十七回

勘奸谋包拯持正　儆贪吏王炳殉身

当时庞国丈想道：这包黑是难以瞒昧的，他在朝中，任谁有些破绽，都被他揭破，实在可怕。正想着，早有王炳带到，俯伏阶下道："罪臣王炳见驾。"嘉祐君王龙颜发怒，骂道："胆大王炳，寡人待你并无差处，因何不念君恩，欺瞒昧法。朕也曾再三叮嘱，如断明此事，朕自然知你之劳，见你之情，缘何口是心非，贪婪财宝，辜负朕恩，实乃畜类！你今有何分说，只管言来。"王炳伏倒御前道："陛下开恩，罪臣原立定主见，即将十八年屈事伸理明白，只因不合听信了旁人之言，故今做出误国欺君之事，悔恨已迟了。"君王道："你听了哪人撺唆①的？"王炳道："陛下，臣不合耳软，误听臣妻马氏之言，唆臣趋奉刘太后娘娘为上，破窑内贫妇日久年多，不知她果是李太后否。或是此妇乃痴心妄想，审不明白时，即招二位太后娘娘嗔怪，官也做不成，命也活不得。误听妻言，实乃罪臣志气昏迷，万望我主念臣一向无差，法外从宽，赦臣重罪，深感天恩。"君王听了王炳之言，不觉笑怒交半道："亏你身居刑部，听信妇人之言，作此欺君坏法之行。你妻比之尹氏，真有天差地远之别了。"当时君王想道：妇人断没此胆量，也许是王炳推却之词，无凭之言，不能深信。便命将马氏拿下，交与包公，与郭槐一并审讯。当有庞国丈道："臣有奏，此案发不得包拯审问。"君王道："此是何故？"庞洪道："如今包拯是个有罪之人，如何还发他审讯？"君王道："包卿有何罪可指？"庞洪道："臣启陛下，这王炳乃包拯保荐的，岂非包拯先有大罪？"君王一想，还未开言。包公道："臣误荐王炳，原甘待罪，念臣有一功，可以将功赎罪，仰乞龙心鉴察。"君王道："包卿有何大功，可奏朕知。"包公道："臣前夜二更天，微行访察，路遇一人，月下看得清楚，乃是内监。臣即诘他何往，他不回言，逃走如飞，启臣疑心，即拿他回衙审问明白，方知他名王恩，是刘太后娘娘着他行贿赂于刑部。贿赂是黄金五

---

① 撺唆——从旁鼓动挑唆。

十锭、明珠三百颗,此是狸猫换主之实据,十八年前之冤可以大白,伏唯陛下龙心详察。”国丈道:“臣还有奏,臣思包拯前夜拿了内监,何不昨天奏明陛下,直至今天启奏,内监不见拿到,乃是口说无凭,希图卸罪。伏乞我主鉴察。”

当下你一言,我一语,反弄得君王分辨不清,只见左班中一位老贤臣俯伏奏道:“老臣富弼有奏。”君王道:“老卿家请起,有何奏言,与朕分忧。”富太师谢恩已毕道:“臣思包拯乃是忠肝义胆之臣,众民人人感德,个个称能。目今此案所关重大,非比等闲,乃是我主内廷重事,况此事乃包拯得据而来,他怎敢存私,自取罪戾。万望陛下休听国丈之言,如发交别员究断,已有王刑部前辙可鉴,不如放开龙心,发交包拯,方可明白十八年前之冤。如今王恩已被他拿下,看来不是无凭无据的谎言,再差官往刑部衙中,捉拿马氏,并搜出金珠行贿之物,正如拨开云雾,复见青天,一事考真,诸疑可白,望我主聪鉴参详。”天子听了此奏,点首道:“老卿家之言,甚属有理。”又向包拯问道:“包卿,内监可曾捉下否?”包公道:“臣即晚已将王恩拿下。”君王道:“现在囚于何所?”包公道:“未发天牢,现押于臣署中。”君王即降旨着学士欧阳修往府衙将王恩押至金銮,欧阳修领旨而去。

又差国舅庞志虎往刑部衙收检金宝,并拿马氏到来。庞国舅正要领旨,有阁老文彦博连忙出班道:“老臣有奏,如今此案这庞姓一人也用不着,陛下如差国舅去搜,倘存一线弊端,谎言贿物未获,即天大事情,又属狐疑不决了。”庞家父子暗暗生嗔,又不能强辩,却有知谏院杜衍俯伏道:“微臣愿往,如有徇私,即与罪臣一同正法。”君王道:“二位卿家平身,即差杜卿前往便了。”文、杜二臣谢主,领旨而去。殿上君臣还在议论,已是红日东升,又有黄门官启奏道:“欧阳学士已将王恩拿到。”天子宣进,王恩犹如万箭攒心,战战兢兢地俯伏金銮,连呼:“万岁开恩!”嘉祐王道:“王恩,你今奉着何人差使,缘何在包拯署中?一一奏与寡人得知。”王恩道:“太后娘娘差奴婢往刑部衙署赐送赤金五十锭、明珠三百颗,密诏一封。此是太后娘娘懿旨,奴婢如何敢违逆不往,还有二人同去,交卸了金珠,二人先回复旨,只有奴婢后回。道中却遇包拯,被他拿下。”君王正要开言,早有杜爷带了从人,将马氏押至午门以外,金宝贿物扛至驾前,一一交代,当时天子也觉无颜,面色转红。只得命王恩速速还宫,懿旨金珠,一并携回。刘太后得知,心中倍加慌忙着急。

按下休提,只言殿上君王命包公将男女钦犯,尽行带去审断,须要严加细究,不容少缓。分派已毕,带着羞怒,圣驾回宫。群臣各散,单有包公领旨,将犯人带回衙门,刑部狱官朱礼吓得寝食皆废,恐事有干连,身入网中。

慢言朱礼惊惧,却说包大人转回衙中,立刻坐堂,公位排开,差役两行伺候,吆喝威严,真乃是:

法堂好比森罗殿,公位犹如照胆台!

包公当中坐下,一拍案基喝道:"带钦犯!"王炳只叹昨天是堂堂刑部之官,今日做了犯人,一到法堂,心中惊烦,当圣旨位,双膝跪下。包公道:"王炳,你难道不知食君之禄,必忧君之忧。领旨之时,圣上何等面谕,即本官也再三嘱托,倘皂白分明,国母离殃,君王母子重逢,你没有加恩升爵,也可扬名后世。因何口是心非,欺君卖法?若非本官勘查,岂不混浊难分!金珠是宝,妇言是从,你还有何话说?"王炳闻言,低着头哀告道:"原乃犯官痴愚,听不贤妻唆惑之言,实无颜面,只求大人法外从宽,足感大德。"这王炳若念夫妇之情,不攀出马氏,只言刘太后行贿,也可脱卸马氏之罪。偏偏王炳恼恨马氏,心想:我原要做个好官,却被你言三语四,弄得我变节行歹,如今害得我如此光景,如我王炳一死,将此贱妇留存,乃是一生未了之事,何不一同死去,岂不干干净净!是以一口咬定马氏。包公听了冷笑一声道:"亏你堂堂刑部,七尺男儿,偏听妇言。为民上者,家既不齐,焉能治国?欺君误国,犯法贪赃,国法森严,岂容私废?死有余辜,还望什么法外从宽!况你既身居刑部,知法岂容犯法!"王炳只是叩头,苦苦哀求道:"犯官果然昏聩。"求情不已。包公吩咐将王炳押过一边。又唤马氏上堂,低着头跪下,一双媚眼,两泪交流,包公问道:"你也曾叨诰命,应念君恩,何故不守妇道,挑唆丈夫干此不法欺君之事?今日罪有所归,皆你不贤起祸,且直言与本官知之。"马氏道:"大人,休得听信王炳之言,我妇女之辈,怎敢唆惑男子?只因他不明事理,一心贪贿,欺瞒圣上,妾曾将良言劝谏,不独不依,反嫌多言,要将妾处治。如今见事已泄,仍然怀恨于心,实欲牵连在案,害我一命。"包公听此诉词,冷笑一声,叹道:"好一个伶牙俐齿的妖娆刁妇!"即呼王炳对质。当时夫妇情面俱无,一个怨她多言唆耸,一个骂他妄扳牵连。包公见他夫妻二人对质不明,吩咐将王炳夹起，又将马氏拶①起，一人夹，一人拶，夫妻二人哪里抵挡得住，只得直供，招出真情。包公命人松了夹棍、拶子，又问王炳道："你妻唆耸在前，还是太后行贿在先？也要说个明白。"王炳道："实是马氏唆耸在前，太后行贿在后。"包公又诘马氏，口供原是一般。包公得了口供，判道：

刘太后既为天下母仪之尊，不应行贿于臣下，倒置尊卑，失于礼体。即陛下不知内宫邪弊，又焉知天下之邪正，亦不免失察，且俟审明郭槐，然后定夺。

当日包公指出太后、圣上也有不合之处，失察之由。又上本劾奏王炳，职司刑部之权，身居司寇之任，不能报效君恩，混听妻言，并贪财宝，误国欺君。马氏身为妇女，不守闺阁之条，唆耸丈夫欺君大恶，此等刁恶妇人，一者瞒欺君上，二者惑陷丈夫，一刻难容，应与王炳一同腰斩，以正国法。当时审断已完，仍将犯人一并发下天牢，连郭槐也押去，待次日上本奏明圣上再审。按下不表。

次早五更初，天子临朝，圣上准依包公定断之法，就命包公斩决王炳夫妇。众奸党人人畏惧，庞国丈吐舌摇首，道："多有包拯一辈之人，连老夫的乌纱也保不定了。"当日包公押出男女二犯，捆绑至法场中，王炳怨着不贤妻唆耸于她，至今一命难逃；又有不贤马氏，深恨丈夫何故没一些夫妻之情，牵扳于她。当时你怨我恨，有闲民远远观看，涌道填街，内有百姓道："包大人回朝，不上半月之间，斩了数位官员，今日杀一位，明日杀一双，岂非不消一年半载，众官被他杀戮尽绝了！"又有一人道："杀的是奸臣，是妙不过的，灭绝奸臣，使忠臣致太平之治。"

住语众民闲谈，且说时辰一到，包公吩咐开刀，王炳夫妻二人已是了决性命，即命家人备棺成殓，运回故土，此是包公存心忠厚之处。次日早朝复旨。缺了一官，自有挑选补缺，不用烦提，只有嘉祐君王因此案未明，龙心抱闷。

不知发交哪官申办，且看下回分解。

---

① 拶（zǎn）——拶子，旧时夹手指的刑具。拶，此处作动词用。

第五十八回

怀母后宋帝伤心　审郭槐包拯棘手

当日嘉祐王龙心不悦，只因生身母后屈于泥涂之中。初时据包公陈奏，还属将信将疑，费心推测，岂知刘太后暗中行贿于臣下，又得包拯机智，察出原赃，情真事实无疑。不意果然落难贫妇，竟是生身之母，子为九五之尊，母后屈身市廛①乞丐，难道有此奇闻？意欲即往陈州迎母后还宫，但郭槐尚未亲供招认，须待审讯明白，方可前往迎请。因此，即敕旨包公审办郭槐。包公奏道："微臣不敢领旨。"君王道："卿如不领办，谁可领办？"包公道："臣保荐国丈，可以承办此案。"庞洪心想：这包拯昨天言老夫办理不得，今日反荐我承办，不知想什么诡计来算计老夫？他为人厉害，不可上钩。即忙奏道："前日包拯言臣领办不得，望吾主另委别人办理。"君王复问包公道："如此发交何人方可？"包公道："国丈既然辞却，别员总是力办不来。"君王道："据卿所言，难道此事即罢了不成？"包公道："罢不来的。莫若陛下当殿亲询，此冤必可大白。"当下君王烦闷，呼道："包卿你自己所办多少离奇异案，一片丹心，为国勤劳，今日国母遭此灾难，因何不与朕分忧，何以故意推辞不办？"包公奏道："臣启陛下，并不是微臣故意力辞逆旨，只因国丈曾经有言，来说是非者，即是是非人。微臣不承办此案则已，若将此事发交于臣，总要办到彻底澄清，据法律，此案连及安乐宫刘太后娘娘，如若定了太后娘娘之罪，岂非臣有藐君犯上大罪？国丈劾奏于臣，臣即有口难分，望乞我主开恩，免发此案。"君王见奏，想来此论不差，即道："包卿且免多忧，如若太后娘娘应得定罪，亦难掩饰，依卿定断。倘国丈多言，亦须拟罪，如今不须多虑了。"包公道："臣领旨。"国丈此时再不敢言，只在班中气得二目圆睁，众臣亦各议论纷纷，不表。

再说宫中太后心内着急，又打听明白，圣上发旨包拯审供，不如别位

---

① 廛（chán）——古代城市平民所居的房屋。

官员,可以行旨恐吓,行贿私传,看来大事不妙了。

不表太后心惊,宋君纳闷,只言包公退朝回衙,用过早膳,即传令吏役往天牢调出郭槐,顷刻间呼喝升堂,正门大开,书役左右分排,包公正中坐下,调出郭槐。此奸平日倚着刘太后恩宠,威权妄专,即当今天子,也因太后听政,让他自逞自尊。是以王刑部领审时,看得甚是轻微。今因包公看破王刑部,又着人禁守天牢,虽亦有些胆怯,然而心中主见有定,自思:太后娘娘待我恩深,今日平地起此风波,还送金宝与王炳相救,岂料包黑贼硬捉破绽,领旨审供。他比不得别官,免不得严刑勘断,他的刑法虽狠,咱家情愿抵死不招,以报太后娘娘厚待之恩。正想间,有四名军健,如狼如虎,将他往法堂当中啪嗒一声,撩掼尘埃,跌得头昏眼花。郭槐骂道:“包拯!你有多大的官儿,将咱家如此欺凌,圣上虽隆宠于你,只可压制下属卑官,即朝内众官也欺侮不得。今如此轻视于我,劝你休得如此猖狂,也须留情一二才好。”包公冷笑,大大喝道:“胆大奴才,图谋幼主,你欺瞒得人,湛湛青天焉可瞒昧。今日罪恶满盈,不期天理昭彰,报应有时,速速招出狸猫换主、放火焚宫的奸计,倘若半字含糊,生铜夹棍,做不得情的。”郭槐听了,叫道:“包拯!你真乃是愚人,世间多少刁民猾吏,将假作真,你既然为官清正,并无私曲,缘何今日混听破窑贫妇的胡言,竟来谎奏昏君,实乃无证无凭,无风起浪,比之刁民猾吏又加凶狠。你陷害咱家也罢了,又扳害太后娘娘,以臣下诬陷君上,岂非大逆不道,罪恶滔天!悉听你酷刑惨法,咱家断不胡乱招供,以害太后娘娘。”包公道:“郭槐,你这奴才,休得强辩,若说当年无此情事,贫妇焉能有此大胆,诉此大冤?刘太后暗中行贿,蓝七又替你受刑,再莫言口无凭据。又如那贫妇亲口言来,陛下手足有山河社稷四字为证,岂非是大大的凭据!本官也知你这奴才平素骄横,看得国法轻如鸿毛,今且尝此滋味!”喝令排军将他狠狠夹起,左右吆喝答应。头号生铜夹棍,非同小可,如换别人,早已痛得发晕了,唯郭槐精神倍于常人,一味抵挨疼痛,还不肯招认。包公又喝令收紧,郭槐连声喊痛,还喝道:“包拯!你之刑法虽狠,但咱家万难以假作真,休得错了念头。”包公暗忖:这奸贼果然挨当得刑苦,但我审断过多少奇难冤屈案情,都能审出真情,分断明白,难道此案便办不来?如审不得口供,就难以复旨了。

大凡案情定有两造对供,询问了原告,再勘被告,又有见证推详,反反复复，三推五问，自然有机窍可寻。只有此案，原告乃是李太后，被告乃刘太后，二人皆不在法堂之上，故只将郭槐一人究问。如郭槐硬帮被告，原告难免输亏，因他是案中一犯，又是见证，所以包公一定要郭槐招供才能定案。无奈郭槐今日抵死留头不留脚，不愿死在他铡刀之下，只是不招，弄得包公也摆布不来，只得重新盘诘，细细推问。郭槐反是高声狠骂，包公吩咐将他上脑箍。若问脑箍这件东西，是极厉害之物，凭你铜将军，铁猛汉，总是当受不起。郭槐上了脑箍，略略一收，顷刻间冷汗如珠，眼睛突暴，叫一声："痛杀我也！"登时晕了过去。有健汉四人左右扶定，冷水连喷，一刻方得渐渐复苏。包公道："郭槐，你还不招么？"郭槐道："你若要咱家招供此事，除非红日西升，高山起浪！"包公道："郭槐，在本官案前，由你不招，难道你没有死的日期么？有日命归阴府，阴府也要对案分明，阳间做下欺瞒事，阴府犹有阎君明察，看你也胡赖得成否？"郭槐道："包拯，咱家实对你言，我若有一线之息，凭你敲牙碎骨，总只难以招认。除非归阴，在着阎罗天子殿前，方能说出。"包公听了，自忖道：原来这贼奴才是畏惧阎君的。点点首，即吩咐将他松刑，押回大牢，四名大汉把他扶下法堂，上了脚镣手铐而去。郭槐虽然精强神旺，唯生铜夹棍不是好玩耍之物，且脑箍倍加厉害，一至狱中，两胫酸麻，头痛脑疼，竟觉身轻脚重，如痴如梦，日间不知饥饿，夜里不知睡眠，大不如往日强健。

不表郭槐在狱受苦，且说包公是日退堂，想道：这贼奴才，抵死不招，反说在阎罗殿下，方肯实说，我不如将机就计，进朝奏知圣上，就御花园改扮成阴府，等候夜静更深，然后行事，唯宫中刘太后和庞氏众奸党须要密瞒。包公定下计谋，便更换朝衣，即到午朝门对黄门官说知有机密事，面奏君王。黄门官深知包公是清白之官，皇上又将郭槐发交他审问，定因此事而来，故即允诺请驾。一重重传进内宫。君王一闻此言，龙心略觉开怀，即在便殿召见。包公遵召进殿。君王道："包卿，此地休拘君臣之礼，且坐下细谈。今见寡人，想必郭槐一案已审得机窍了？"包公谢主坐下道："上启陛下，只因事关机密，若待明朝启奏，朝臣人人得知。倘然机关泄漏，事更难明了。"君王道："卿既有机密，速奏朕知！"包公道："臣今天严究郭槐，奸贼抵死不招，反说在阎王殿上方招实言。故臣拟将计就计，将御花园改作阴府，如此如此，待到更深夜静，又如此作用，赚得他认不真，便可吐出真情了。"嘉祐君王巴不得早见生身国母，故于包公所言，无有不依,还呼包公道:“包卿真乃朕手足心腹之人!”包公又道:“陛下安乐宫中,休得走泄机关,倘太后娘娘得知,事便难成了。”君王允诺。计议已定,是晚忙差人将一座御花园装作森罗阴府,刘太后宫中既不晓,即众妃嫔处也都不知。

且说包公辞驾,回转衙中,用过夜膳,已是初更鼓响,即于阶下吩咐排开香案,当空祷告,禀道:“当今国母身遭大难,将历二十年屈苦。信官道经陈州,得蒙东岳大帝梦中指示,太后娘娘向包拯诉冤,方知有此奇事。今夜奉君审断,只因奸邪郭槐抵死不招,只好将御花园改作阴府,以赚郭槐招供。但今夜月色光辉,狂风不起,伏乞苍天后土诸位神祇,威灵赫赫,大显神通,即夜施法,使狂风黑云四起,遮蔽星月,以瞒好恶,吐出真情,方得当今认母,仰感天恩。”包公祷告毕起来。天交二鼓,果然乌云四起,星月无光,顷刻间狂风大作,树木摇摆,呼呼响起,胆小者惊惶无措,皆言天公之变化莫测。

闲言休表。当夜包公吩咐众军役人等,如此如此,依计而行,各有重赏,如有一人抗令泄漏者,斩首不饶。众役人诺诺领命,依计而办。包公出衙,一人来见圣上。其时已是二更,有圣上扮为阎罗王,包公扮作判官,还有数名内侍,扮为鬼卒,列在两行,朝着阎罗天子;包公手下众健汉、役人,搽花了脸,扮作夜叉狱卒,四边绕立,排齐妥当,往拿捉郭槐。

未知可能审得郭槐招供,且看下回分解。

第五十九回

假酆都郭监招供　真惶恐刘后自裁

却说君臣人等装扮阴府事毕，众人或朱紫涂脸，或墨水涂面，披头散发，绕立四旁，正是阴风飒飒，惨雾纷纷，再加天随人意，助发狂风，吹得树木间一派凄凉，殿廷上烛光明灭，恍闻鬼声盈耳，顿觉阴气逼人。

当日郭槐罪恶满盈，该当报应，日间受刑，押下天牢时，已是神思恍惚，心下糊涂，夜半正在似睡非睡，又见奇形怪状，狰狞凶恶，催命鬼手执钢叉，跑进监牢，吓得仰面一跤，跌得昏迷，认做已死，只由他拘锁而去。押到一个去处，只见阴风惨惨，冷气森森，东也鬼叫，西也神嚎，黑暗中一披发长鬼，厉声喝道："鬼门关哪得私走？"有后边拘押众恶鬼，喝道："他有大罪在身，奉阎王之命，拿捉讯究，休得拦阻。"那长大凶鬼，"呵"的一声，闪去不见。这郭槐正在朦胧之际，悠悠醒转，说道："不好了果然我已死去，到了鬼门关了。"只觉黄泉路上，渺渺茫茫，行一步跌翻数尺，黑暗中隐隐鬼声嚎泣，又闻处处铜锤铁链之声，惊得魂魄离身。忽然拘至森罗殿中，郭槐微微睁目，见殿中半明半暗，阎罗天子远远南面而坐，两旁恶鬼，披头散发，一赤发红脸鬼将他抓提上阶，往当中一掼，郭槐伏在地下，再也不敢抬头，只低声道："阎王饶恕！"阎王厉声喝道："郭槐，你在世间干了欺君恶事，可知罪么？"郭槐发抖，只是求饶。阎王喝道："你在阳门希图将幼主谋害，烧毁碧云宫，谋害君嗣，罪孽深重。阳间被你瞒过，今阴府中断难遮瞒，如有半字虚情，定不饶恕，众鬼中，将此奸贼先撩入油锅之内。"早有青黄赤黑四凶鬼，"嗷"的一声，一把拖下。郭槐慌忙中哭喊道："乞阎王宽宥，自愿招实。悔我当初不该与刘太后设计，实是一时糊涂，身为内监，还望什么富贵荣华。只因先帝北征未回，李宸妃娘娘产下太子，适值东宫刘氏生下公主。是时刘娘娘起了妒忌之心，只恐先皇回朝，宠眷西宫，因思将他母子陷害，是我不该施谋宰杀狸猫裹好，那日刘娘娘亲往碧云宫，声言公主要哺乳，又值圣上亲征，实在寂寞，邀请赴宴。李娘娘不知计谋，将太子付与刘娘娘，转交于我，将此狸猫用锦帕遮盖，送还碧云宫，告知宫监，太子睡熟，不许惊动。是夜刘娘娘密差宫女寇承御，将太子撩弃于御花园金水池中。我对刘娘娘道：'先帝还朝，李娘娘将来上奏，恐有后患，不若斩草除根，才是稳妥。'我遂于是夜放火焚宫，不料寇宫娥早已通知李娘娘逃去，只烧死太监宫人百余名。后来寇宫娥尸首浮于金水池中，方知大事不好。她既通知李娘娘，谅来未必肯将太子抛于池中，因四下差人密察，李娘娘隐藏无踪。至今已近二十年，才知当今圣上非南清宫狄太后所生，实是陈琳当初暗将太子怀归八王爷府中，由狄后抚育长成。先帝回朝，只痛恨李后母子被火遭殃，哪知被我谋害。如今所供，句句是实，一字不讳，敢于哀恳阎王爷开恩免罪。"当时假扮阎王的嘉祐皇帝听毕，心如刀割，止不住泪下如珠。暗道：可怜母后遭此劫难，至今将有二十载，当初之时，暗如黑漆，朕哪里得知？若非包拯明哲忠贞，冤屈沉沦，不孝之罪，何时得谢！当下仍命将郭槐收禁，包公早将郭槐口供，一一录清，殿上烛灯复明，众人洗洁形容。少刻，云开月亮，君王开言道："包卿，寡人虽已明白了母后冤情，但朕孝养有亏，有何面目为君，更何以见生身之母？"包公道："陛下请自宽心，太后娘娘流落异乡，全由刘太后妒心，郭槐鬼谋作弄，我王正在乳哺之年，难以不孝见罪！如今郭槐供明，明日临朝，还要问询陈琳。既然曾将小主救出，缘何先帝回朝时不奏明此事？"君王道："包卿言之有理，深称朕心。"当晚早有内侍提灯引道，君先臣后，同至偏殿，更换衣冠。时将四更，君留臣宴，也不烦陈。御花园内假装阴府排场，自有人拆卸，包公机智，非比别员，早已吩咐得力家丁看守天牢，不许一人私至狱中窥探。是夜君臣叙谈不表。

时至五更，百官齐至朝房候旨。片刻间圣上驾临，百官朝拜毕，圣上降旨，往南清宫宣召陈琳。只为老陈琳自救主之后，狄太后知他救主有功，赐敕安享，年登九十二，虽然须发如银，精神尚是强健。常常想起郭槐害主之事，缘何日久全无报应，安然无事，不免满腹狐疑。这一日早晨起来，梳洗毕，忽来宣召，不知何故，焉敢迟延？当时年老之人，步履艰难，只得坐轿来至朝房，两个小内监扶上金銮殿，三呼已毕，君王问道："陈琳，当初火焚碧云宫之日，你既救出太子，先帝班师回朝，缘何不即启奏？须将真情奏知寡人。"陈琳闻得，吓了一跳，口未开言，暗想：今日圣上何以忽然盘诘此段根由？但思此事无人得知，今当驾前，叫我说明，我真不知如何回奏？包公明知陈琳事当两难，即朗声言道："狸猫换主，火焚碧云宫，已经郭槐招供得明明白白。今圣上询及于你，不过对取口供，你乃是有功之人，须当直说。如若藏头露尾，登时加罪。”陈琳听了包公之言，方才放心道：“郭槐既经招认，我亦不妨直言奏明圣上。奴婢当初只因八王爷庆祝千秋，故早一日奉了狄妃娘娘之命，到御花园采取仙桃花果。只见寇宫女眼泪纷纷，站在金水池边，手捧一小孩儿，问及情由，方知刘太后妒忌西宫李娘娘，寇宫女奉命抛弃太子于金水池内。当时奴婢也自惊慌无措，只得不再折取花果，将太子藏于盒内。幸得天未大明，并无人知，当时胆战心寒，急匆匆奔回王府，将此情由禀明八王爷。其时千岁接过太子，一惊一喜，又是重重发怒，专待先帝回朝奏明奸陷，收除妒逆，将太子交于狄妃娘娘，只作权养在南清宫。不料是夜忽然火焚碧云宫，内监宫人烧死百余人，想是李娘娘也遭此灾。只落得狄妃娘娘抚养太子，并常常思念李娘娘。”圣上道：“你既洞明天大冤情，先帝北征回朝之日，何不将此事奏明？”陈琳回奏道：“陛下未知其详，只因先帝未回朝之先，八王爷染病，一日重一日，年余而薨。次年先帝方回，狄妃娘娘见八王爷去世，想来刘太后势大，不敢结怨于她，故未敢启奏。奴婢乃是宫奴，更不敢多言。”圣上又问道：“如今太子何在？”陈琳回奏：“若言太子根由，即是当今陛下。”圣上又问道：“如此说来，朕不是狄娘娘所生！”陈琳又回奏道：“陛下乃是西宫李娘娘诞育圣躬，奴婢安敢妄奏！”圣上点首，命侍御扶起陈琳，对他说道：“你乃忠诚之人，立志堪嘉，待朕迎请母后，再加升赏。”又命内侍数人扶挽护持，送他还南清宫去。文武百官尽皆感叹，不意有此奇冤异事，如非包拯精明察理，谁能剖冤？

当日圣上传旨，暂且退朝用膳之后，单召包公与太师富弼、国丈庞洪、吏部天官韩琦、枢密院欧阳修、参知政事唐子方随驾，前往陈州迎接国母。又领内监宫娥二十名，前往服侍李太后，暂且不提。

先说陈琳老内监回到南清宫，一路暗想，包公实乃神人，二十年冤情，被他一朝审明，不枉圣上将他当作心腹耳目之臣。一路想来，不觉已到南清宫，即将宣召情节，禀明潞花王母子。狄娘娘闻言，忧喜各半，忧的是冒认太子为己子，有欺君之罪；喜的是西官李氏娘娘还在，二十年之冤情，幸得今日包拯办理明白。潞花王亦不知当今圣上非母后所出，至今方知，不胜骇异。

又言刘太后一自郭槐被拿，包公又捉破王刑部贿赂，真乃计不成而机先泄露。这几日心闷意烦，纵珍馐佳味，玉液琼浆，也难进口，只觉坐卧不宁，心神恍惚。是夜，倒在龙床，翻翻复复不能成眠。一至天明，忽有内监急忙奔进道："启上娘娘，大势危矣！奴婢奉命探听，圣上设朝，已经审明狸猫换主，是圣上与包拯亲审，郭公公招认分明，又宣召陈琳对实口供，丝毫无差。今圣上、包拯及几位大臣摆齐銮驾，往陈州迎李太后去了。"刘太后听罢，叹一声："果然危矣！"顷刻面上失色，玉手发抖，说道："包拯，我与你定然是宿世冤仇，至今生作对。郭槐难免凌迟碎剐之罪，我亦难免六律之诛。即今王儿不便加罪我嫡母，唯恐李氏回宫报怨，且包拯执性，挑唆王儿不容。不如早死，以免受辱。"刘太后即打发宫娥内监出去，闭上宫门，下泪数行，即下跪官房，拜叩先王，上谢恩德，将三尺红绫，自缢于宫中。

不知可否得救，且看下回分解。

第六十回

迎国母君王起驾　还凤阙李后辞窑

却说刘太后自缢宫中，可怜她自十六岁进宫，安享二十五年王后之福，只因从前作恶，妒忌生心，今日红绫惨死，原由立心不正，理直如此。早有内监宫娥尽知，吓得喧哗呼喊，飞报各宫妃嫔，打开宫门，纷纷解下红绫结索，救解多般。岂知刘太后大限难逃，三魂七魄，渺渺无踪，哪里救得还阳。

此言暂止，先说嘉祐皇帝銮驾登程，多少御前侍卫将军，剑戟如林，武士拥护，一队队的宫监、宫娥，龙车凤辇同行，几位大臣随驾，威武扬扬，音乐喧天，轰动万民，远远偷观。当日包公先作头队，来至陈州，地方官早已挂灯结彩，扫净街衢，安排香烛迎驾。

包公一到陈桥，下了八抬大轿，数十名铁甲步军，拥护包大人来到破窑门首。只因李太后不愿迁移别处，故众文武官员不得已将破窑改造高堂，画栋雕梁，并选侍女服侍，日用饮食器具俱备。郭海寿日中侍伴李后，一连等了十数日，此一天他进来说道："母亲，包大人来了。"李后问道："他在哪里？"海寿答道："现在门外，他言要见母亲。"太后道："我儿且请包大人进来。"海寿领命出去相请。包公吩咐护从在门外伺候，直至内堂，即俯伏朝见。李太后道："包卿休得拘礼，且请起来。"包公领诺起来，李后问道："包卿回朝，未知此事办得如何？"包公回奏道："臣启上太后娘娘，已将郭槐三番审究，方得他招认明白。今圣上亲排銮驾，到此迎接娘娘回宫。"太后闻言，大喜道："今得辨明此段冤情，实劳包卿大力，老身如不得回宫，抵当苦度至死罢了。只因身受不白之冤，仇人日享荣华，岂非天眼永久不开？"包公未及答言，郭海寿笑道："当今圣上也非贤君，不念生身诞育之恩，反认他人为母，难逃不孝之罪！满朝中只有包大人是忠心为国，待圣上来时，儿且代母亲娘娘骂他几声，方出此恨。"包公道："你言差了。圣上春秋只有十九，当初乃是哺乳小儿，焉知奸人暗害，怎晓娘娘有复盆不白之冤？"李后道："我儿休得生气，包卿之言不差，随娘在此，圣上到来,你若多言躁说,有失君臣之礼,反取罪戾,这是国法无私。"海寿道:"母亲既如此吩咐,孩儿焉敢不遵?"当下包公请娘娘更换凤冠官服,好待圣上前来迎请。太后道:"包卿,老身落难已久,褴褛衣裳穿惯了,而今不合穿着五彩官服。"包公道:"臣启奏娘娘,今非昔比,娘娘乃是凤体贵躯,前时落难,无人知之,以致衣食有亏。如今枯木开花,昏镜复明,断不可再穿此褴褛衣裳。况圣驾自来迎请,万人瞻仰,非同小可,今仍穿破衣,有甚威仪,伏望娘娘准依臣请,速换官服。"太后道:"既如此,且待圣上来相见过,老身然后更换宫服。"

正言之际,流星马报道:"万岁爷驾到。"包公出外一见,俯伏道旁,嘉祐皇帝道:"包卿平身。"当时圣上传旨不必放炮,恐惊国母。又命护驾官员,俱在大街伺候。天子不乘车辇,与随驾五员大臣,及宫娥内监,向破窑而来。包公引驾至内堂,仍然俯伏一旁,朗呼:"臣包拯有言启奏娘娘,圣上驾到了。"太后道:"皇儿在哪里?"娘娘当初因忧怒交加,已经双目失明,此时即将两手摸索呼唤。嘉祐皇帝见亲生国母如此模样,心如刀割,忍不住眼泪直流,抢上数步,跪倒垂泪道:"母后,儿已在此。"太后手按君王肩膊,不觉亦泪下如雨,哭道:"皇儿,追思二十年前逃难之后,苦挨至今,只道母子永无相会之期,何幸得上苍怜悯,包卿研讯,方得雪冤。但逃难至此,若无郭海寿义儿孝顺,亦不能度命至今。今日母子重会,赖包卿、海寿二人之力,恩重如山,皇儿切须念之。"言未了,喉间哽咽而无声。嘉祐皇帝带泪叫道:"母后,岂有娘遭苦难,儿登九五,玉食万方,儿罪该万死,有何面目为君。只求母后将儿处治,如若不忍,亦请贬弃幽宫,别立贤孝之君,以承宗嗣。至包卿与郭兄二人恩德,儿当铭于肺腑不忘。"说未完,惨切不能成声,感触了几位随驾大臣,人人下泪,个个动悲,同声奏道:"当初圣上正在襁褓,哪知祸起萧墙,伏乞我主勿过为伤感,有伤龙体。今得上天暗佑,复得母子瞻依,正当迎回太后,在宫孝养,实为喜庆之至。伏唯我主与太后娘娘准奏。"李后道:"众位卿家平身。老身双目失明,是个残废之人,回宫之念久灰。身躯微贱已久,不觉苦酸,但得今日一见皇儿,明白了前冤,即在破窑中度日,我心亦安。"众大臣未及回奏,嘉祐皇帝道:"母后休言此语,今既不加罪,正要迎回奉养,以报罔极[①]于万一,庶

① 罔(wǎng)极——古时特指父母对子女的恩德,以为深厚无穷。

几少赎儿罪。母后若不还宫,儿不敢独自回朝,也要在此侍奉母后,才免臣庶私议忤伦。”太后道:“皇儿休得伤心,你在襁褓,焉知奸徒诡弄,此事难罪皇儿。但我今二目俱瞽,即是回宫,也无光彩。”天子闻言,觉得凄惨,抽身伏跪阶前,祷叩上苍道:“今日寡人迎请母后还宫,只因双目失明,不愿回宫,如母后不回,寡人也难以回朝。伏乞皇天垂念微诚,使母后瞽①目重明,愿输国帑②,以济天下生灵,大赦囚人,免征陈州赋税十年。”说来凑巧,李后双目失明,原由急怒交加,此日沉冤得雪,母子对哭,顿觉心怀大畅,目翳渐退,待到天子祷罢,李后二目果然复明。太后喜道:“皇儿,我双目果然渐渐生光,即是皇儿孝心感格,皇天怜念,神圣眷佑。”嘉祐皇帝喜出望外,众大臣拜贺称奇,郭海寿忍不住笑道:“妙,妙!母亲二目,果然复明了!”嘉祐皇帝龙目一观,问道:“母后,这是何人?”太后道:“这是义儿郭海寿,乃供养我的,皇儿且略君臣之礼,谢谢此子如何?”嘉祐皇帝道:“他是恩兄了。”唤道:“郭恩兄请上,受寡人一礼。”嘉祐皇帝正要下拜,包公奏道:“尊卑有序,君不拜臣,父不礼子。郭王兄须当力辞。”嘉祐皇帝无言可答,只得不下拜,双手一拱,口称:“恩兄,母后全亏你代朕孝养,方得生活至今,待回朝之后,再行思封,同享荣华。”若说海寿平日乃贫贱小民,礼法一些不懂,真所谓福至心灵,看见皇帝双手打拱,又听得包公所言君不拜臣,他即下跪道:“臣不敢当。臣向蒙娘娘教育,乃得成人,无殊儿子一般,稍有奉养,理所当然,焉敢受圣上作谢!”嘉祐皇帝道:“如此,恩兄请起。”说时伸手相扶。

再说太后双目复明,见众大臣俯伏在下,连忙说道:“众位贤卿还不请起!”几位大臣谢恩起来。圣上命郭王兄上前拜见众大臣,海寿领命下礼。众大臣仰体圣上并太后之意,要行参见之礼,海寿哪里懂得,只是答拜。圣上道:“他乃是后辈少年,哪里敢当,众卿休行参见大礼,还是行个常礼吧!”众臣礼毕,唯有庞国丈心中不悦。有包公请娘娘更换宫服起驾,太后准奏说道:“今已过劳包卿,回朝后再当作讲。”包公奏道:“微臣之劳,怎敢望娘娘赐谢。”早有宫娥内监,一同叩首,起来请娘娘更衣梳洗,众大臣辞退在外伺候。圣上命内监与王兄更换冠袍玉带,一同还朝,

---

① 瞽(gǔ)——眼睛瞎。

② 国帑(tǎng)——国库里的钱财。

内监领旨,捧上四爪龙袍冠带,跪在一旁,请王爷更换。郭海寿摇首道:“我久服粗布破衣裳,焉有此福,穿此龙袍,岂不过分?”正要退出,李后道:“我儿,你前时受了许多苦楚,今日理该同享荣华,休言折福。”圣上道:“恩兄陪伴母后十八年,方得朕母子相会,请更换衣冠,回朝厚加封赐,少尽朕知恩报恩之情。”海寿谢道:“圣上有命,臣本不敢逆,然我生成野性,甘守清贫,伏望圣上赐臣在窑过度光阴足矣。”太后道:“我儿休违圣上旨意,他与你乃是兄弟之称,然他是君上,你是臣下,为臣逆君,犹如子逆父母,况君言深为合理,你若这意,娘心有所不安。”海寿道:“母亲如此吩咐,孩儿焉敢不遵?”圣上欣然,看海寿更上衣冠,又谕知陈州地方官员,将此旧窑改作王府,依照王宫款式,所费银两,国库支领开销,限期办竣,作为郭王府第。旨意一下,本地官员遵旨照办。

且说太后当日登辇,宫娥内监拥护两旁,圣上驾上銮车,众大臣与海寿坐起大轿,众护驾武官,骏马高乘,排开队伍,一路笙歌嘹亮,香烟杳杳。太后心花大放,不道落难后竟有回朝之日,算来实是包拯之功,回朝后加封包拯,以表忠劳,此是后话,不提。

不知太后回朝如何,且看下回分解。

第六十一回

殡刘后另贬陵墓　戮郭槐追旌善良

话说李太后还宫，就有在朝文武官员探听消息。忽报銮车到了，一众官员纷纷至城外恭迎。只见旗幡招展，车驾已到。众官员两旁俯伏。圣上一进京城，敕令接驾文武官员不必在此伺候，众御林军速归本部，另候赐赉。命光禄寺排御宴款待王兄，着几位随驾大臣陪宴不表。

且说曹皇后带领三宫六妃，多少内监、宫娥，迎接太后进宫。先是天子，后是曹皇后参拜，朝礼毕，妃子宫嫔，人人都来朝见请安。李太后命各还宫，不必在此伺候，只留天子在宫。李太后嗟叹道："想起前情，不在皇宫已将二十载，只道永在陈州破窑中没世，岂料今日复得回宫，皆赖包拯之功。"圣上道："郭槐施谋陷害，必须明正典刑，安乐宫中刘太后焉能逃罪，南清宫狄母后欺瞒先帝，亦有未合，均请母后主裁。"李太后言道："皇儿，你枉为南面之君，此事尚难明决么？当日陈琳救你到南清宫，狄后襁褓抚育长成，虽非十月怀胎之苦，也有三年乳哺之恩。即今刘氏虽然心狠意毒，须念他是先皇元配，且免追究。唯陈琳是救你恩人，须当厚报，寇宫娥已自惨亡，须当追封旌表，此事当与参政大臣酌议。至凶恶郭槐，断然姑宽不得，速命包卿将他正刑。"天子诺诺领命，说道："母后仁慈，世所希见。"李太后道："皇儿，娘今日还宫，谅想刘氏无颜到来见我，我倒要进安乐宫见见她，看她怎生光景，有何言语。"说罢，李太后即唤宫娥引导。忽有宫娥启奏万岁爷与太后道："刘太后于圣驾出京之后，用红绫自缢宫中。"天子道："既有此事，何不早说？"宫女回奏道："东宫娘娘早已吩咐，言太后回朝，乃是喜事，不必早报，且待缓些奏知，故奴婢等不敢奏闻。"李太后听罢，嗟叹一声，不觉垂泪两行，说道："可怜她畏罪，先自寻死，岂知我并不计较。"天子道："刘太后既然缢死，可曾入殓否？"宫娥启禀道："因待万岁回朝做主，是以尚未成殓。"李太后道："须念她是先帝正宫，她已先寻自尽，且好生殡殓，安葬先陵。"天子道："此事不可。她虽是先皇元配，但她欺瞒先帝，罪重千斤，将她殡葬皇陵，先皇在天之灵岂容负罪之人依附陵旁？母后虽有容人之量，情理有偏，还应将棺柩另立坟茔，方于理无害。”李后道：“皇儿处分有节，依此施行便了。”当日天子下旨，将刘太后棺椁成殓，另立坟茔，不必举哀。若论到刘太后乃是先皇正后，只因一念之差，死于非命，不成丧，不举哀，中外百官不挂孝，只用棺柩一口，悄悄收殓，不容安葬皇陵，犹如死了无位宫嫔一般。

刘太后身亡之事交代明白。再言南清宫狄太后，只因有了冒认太子之罪，是以进宫来见李太后。当日狄太后要行君臣参见礼，李太后执意不肯，竟如姊妹平礼相叙坐下。狄太后心有不安，局促赧颜，李太后反是再三致谢，言道：“当初我儿身遭大难，多蒙贤妹收留抚养，乃得接嗣江山，洪恩大德，何以为酬？今日母子完聚，皆得贤妹维持之力。”狄太后道：“哪里敢当娘娘重谢，说来更使臣妾羞愧。但当时迫于势所难言，一说明此事，先结怒于刘太后，实乃事在两难。然亦不知寇宫女通知娘娘，逃出别方，只道被奸监焚害了。今娘娘得叨天佑，仍在人间，实乃可喜。”姐妹正在言谈之际，忽值天子进宫，朝见狄母后，狄太后大觉羞愧。当日李太后又差内监往杨府邀请佘太君进宫，太君请安毕，叙谈一番。顷刻间内宫排宴，三尊年一同畅叙，各宫都排喜宴，不能一一细述。

次日天子临朝，百官朝见已毕。天子说道：“包卿，朕思寇宫女曾将寡人母子救出，投水而亡，今陈琳现在亦有救主之功。生死之恩，据卿应如何旌赠。郭槐罪恶滔天，如何正法，卿家也须代朕处分。”包公奏道：“启上陛下，寇宫娥有功惨死，应得追封，可起柩附葬于皇陵脚下，再建祠庙，追封为天妃元母，旌表流芳，永受香烟。陈琳身为内监，忠贞救主，加封公爵，另建府第，御赐宫监侍奉，永食王家厚禄，死则敕附太庙之中。郭槐害幼主于先，谋主母于后，斩绝王家宗嗣，十恶大罪，例应抽筋割舌，粉骨扬灰。臣拟如此，伏乞圣裁。”天子道：“依卿所拟。”即着包公押郭槐赴市曹正法复旨。包公道：“臣启陛下，郭槐、陈琳俱为内监，郭槐害主，其心险恶；陈琳救主，其善堪嘉。二人之心，有大渊之别，可着陈琳督同往观正法，使其悦目爽心，庶不负他救主之功。”天子听罢，喜道：“卿处置得当，深慰朕心。”即下旨到南清宫宣召陈琳。

是日退朝，众官各散。包公回到衙中，着百十差军，往天牢调取郭槐。这郭槐连日饮食不进，也不知饥寒，问他不言不答，犹如痴呆一般。当时提至法场上，包公与陈琳先后齐至，见礼毕，二人分东西对坐。郭槐赤着身体,捆绑坚牢,朝上下跪,正乃善恶相对。包公吩咐行刑,刀斧子领命,因系凌迟之刑,故安放一大桶在侧,先割去手足,一刀将头颅斩下,抛入木桶之中。老陈琳点头长叹一声,不觉呵呵发笑道:"郭槐,可恨你当初立心不善,欺君害主,罪重深渊。只言历久年深,并无报应,岂知天理昭彰,不容脱漏,分明报应不爽。"此番竟乐杀老陈琳,呵呵大笑。只因他年纪已近百岁,气息精神到底衰弱,一刻间笑至气不复返,有呼无吸,倒在交椅中。包公即命左右呼唤,不见答言,众人都吃一惊,启上包公道:"陈公公笑得气绝了,唤之不醒,想已死去。"包公听罢说道:"不用喧哗,倘若解救不来,奏知圣上,然后成殓便了。"众军奉命解救陈琳,取来通关药末之类,用参汤灌下,岂知身体渐渐冷冻如冰。一众役人禀知包公:"小人等用药救之不活,除非大人的御赐法宝可救。"包公道:"陈公公并非冤枉而死,纵有还魂之宝,亦难救转。"吩咐且将尸首看管,待奏知圣上,然后开丧收殓。众军领诺,包公离座,走近一看陈琳,长叹一声道:"可惜陈公公,今日反是包某害你身亡,念你年高九十有零,虽未寿享期颐,唯生死本何足惜,只要馨香百世,青史流芳,虽死犹生了。"言罢,喝道:"进朝复旨!"天子一闻,又悲又喜,喜的是郭槐正法,报却母子宿仇,悲只悲笑死老陈琳,未受封赠而身先亡。即诏着文武官员,代朕设祭,令合宫内监尽至法场伺候,人人挂孝穿素。众皆嗟叹郭槐害主,粉骨扬灰,正如其罪;陈琳忠心救主,功劳重大,只可惜未受君恩而先死。今日得天子知恩报恩,令许多大臣祭殓,亦可谓生荣死哀了。

不表众人争羡,且说郭海寿久惯清贫,不贪繁华,不愿为官受职,只要回陈州居住。天子款留不住,李太后不觉动悲,唤道:"孩儿!我母子相依十八年,受尽多少苦楚,而今离灾得贵,理当在朝伴驾,娘也得时常见你。因何执意要回陈州?撇别为娘,实不该当。"海寿道:"母亲休得愁闷,儿原是久乐清贫,母也洞知。况在朝礼数不周,岂非见笑于各位文武大臣?娘今已得亲生儿子聚会,今非昔比。陈州离王城,不到三天路程,儿可常常来往,承欢膝下,望乞圣上母亲,恕臣儿逆旨之罪,深沾洪恩。"郭海寿虽然如此说,早已含着一汪珠泪。他天性至孝,原不忍离亲,只是不愿在朝。李太后与他相处将二十年,岂有不知他之性情,万事未有一次逆忤母意,今不愿留此,也出于万不得已。故李太后不敢苦留他,下泪道:"儿且等候数天,前者圣上已着令陈州地方官赶造府第,且待王府告竣时,差官送你荣归。”郭海寿依命等候。当有潞花王、静山王、汝南王与六卿四相大臣都敬他是当今圣上的恩兄,又知是大孝贤良,所以今日我请宴,明日他邀迎,不能细述。

且说李太后今乃苦去甘来,居处宁泰宫,安享暮年之乐,天子并后妃每早请安。当日李太后细加观察,众后妃姿质不一,唯有庞氏贵妃,虽则花容月貌,姿色娇妍,然而柳眉有杀气,玉貌现凶形,看来此女决非循良之妇,实乃刘后一般人物。一日后妃俱不在侍,李太后叮嘱皇儿:勿将庞妃加宠,她蛇蝎成性,妒忌生心,如加恩倍宠,她必要乘风作浪。天子谨遵母命。太后道:“寇宫娥、陈琳已死,未沾国家点滴之恩,须及早追封,使他仙灵有感。包拯有此忠劳,也须加恩隆爵。郭海寿执意要回陈州居住,不必强留,且加封官爵,从厚赐赉,以酬供养之德,前旨着陈州地方官员建造府第,谅可告竣,可使海寿进府居住,皇儿须早颁旨。”天子领命。

不知如何,且看下回分解。

第六十二回

安乐王喜谐花烛　西夏主妄动干戈

话说圣上母子商议恩封有功之人，天子道："母后前在陈州时，儿已祷告上天，母后二目复明，愿免陈州十年国课。今果得母后二目重明，儿如今即欲颁旨使下民知悉。"太后说："皇儿言之有理，今日母子团圆，正该蠲[1]免陈州国课，天下囚犯，须当减等宽恩。况陈州连年灾荒，穷困不堪，即有一二富厚之家，设法施救穷民，无奈一连六七岁，颗粒无收，人民已是水深火热，目今得皇儿敕免征课，实乃万民之幸了。"

是日，天子敕封寇宫女为淑德元君，陈琳谥为忠烈公，各造庙祠，春秋二祭，永受香烟。郭海寿敕封安乐王，赐黄白金各万斤，并赐宫娥内监一十六名，不必朝谒，陈州地方文武官员，每月朔望请安。包待制加进龙图阁学士，恩赐上殿坐位，五日一登朝参。大赦天下囚犯，十恶大罪，俱减一等，小罪一概赦免，陈州国课免征十载。诏旨颁行，各省共沾皇恩。

过不多时，朝中接得陈州表章，建造王府已竣。天子降旨，着包公、庞国丈二人护送安乐王荣归。着庞国丈先回复旨，包公仍留陈州完了赈饥，然后回朝。当下又命钦天监选定良辰，登车起驾之日更有文武官员俱来送行。郭海寿进宫拜别母后娘娘，太后嘱咐须要一月一来朝觐[2]。安乐王连声诺诺，母子洒泪而别。又辞了天子，众大臣纷纷饯送。京城内外居民店户，夹道而观，不能细述。

众文武送别数里俱回，只有庞国丈、包大人一路同行，处处地方官迎送。

一日到了陈州，轰动了本处多少人民，纷纷议论，都说郭海寿幼年时，母子二人也曾作过乞丐，后来长成，方得肩挑背负，贩菜度日。他一贫如洗，仍不失奉养，原算是个孝顺之人。今有发达之福，皆由孝养中得来。当

---

① 蠲(juān)——除去，免除。

② 觐(jìn)——朝见君主，朝拜圣地。

日郭王爷未进陈州城,早有大小文武官员、本地缙绅耆①老,车马纷纷,在此恭迎。一路行来,文武军兵拥护他进了王府。郭王爷当中坐了,众文武官员参见,大员打拱,小员俯伏尘埃。这郭海寿本是小户出身,饭也讨过,菜也卖过,虽见过包大人,朝参过圣上,对这些繁文缛节,却是全然不懂。坐定金交椅,由得众官叩首,不说一声"免礼",亦不说声"请起"。只有庞国丈好生气恼,暗暗生嗔,旁有宫监代说一声免礼,众官才起来。庞国丈向包公首一摇,目一睁,显出大不耐烦的样子。包公会意,便道:"千岁,庞国丈职在中书,不便在此耽延,理宜速速还朝。"郭王道:"哪个留他耽延,由他自便罢了。"包公道:"下官也要辞驾了。"郭王道:"包大人你去不得,且在此与我作伴,未知尊意如何?"包公道:"只因赈饥未毕,不得久留,故亦要相辞。"郭王道:"既包大人要去,本处地方官员也可退回,不必在此,日后亦不必日日来此拜谒请安,反觉麻烦,不便。"众官员拜谢千岁并国丈、包公,俱已登程去讫。原来郭海寿是淡泊胸襟,厌烦朝廷一定之规,故吩咐本处官员不用天天来拜,只乐得本处文武官员省了日日请安之劳,暗自喜悦不提。

是日包公、国丈辞别安乐王,分程而去。国丈回京复旨。包公仍往赈饥。不觉光阴迅速,一连三月,已是秋稻收成,十分丰稔,万民歌颂天子、包公恩德。

话休多烦,只有郭海寿今已贵为王爵,又乃当今圣上的恩兄,他虽自甘朴素,本处文武官员,谁敢简慢。这陈州有位致仕宰相姓王名曾,只因年老归隐,有孙女名唤美珠,年方及笄②,尚待字闺帏,生来中人之貌,只是性格贤淑端庄。王太师知安乐王尚未婚娶,有意缔结丝萝。一日,包公赈务事毕,来拜望王太师,言及招亲之由,包公一诺担承道:"包某依命,当告知安乐王,谅来门第相当,正好结秦晋之好。"王太师喜道:"此事全仗包大人,只是有劳大驾,于心不安,容当后谢。"包公道:"此乃和谐美事,何足言劳。"登时告别王太师。太师送出门外,包公相辞登轿而去。一到王府,见了安乐王礼罢坐下,郭王问道:"包大人赈饥劳忙,今日何暇到此?"包公即道:"本处王太师有一位孙女,年将及笄,未曾受聘,生来性情端重,意欲送进王府,以待巾帨。包某特来作伐,望千岁允纳勿辞。"郭王听了微笑道:"我出身微贱,偶然得遇母后,不期一朝显贵,岂敢妄想高门?虽然向日贫时,蒙王太

---

① 耆(qí)——六十岁以上的人。耆老,是老年人。

② 及笄(jī)——古代女子满15岁结发,用笄贯之。也指到了结婚的年龄。

师周济粮食，唯王小姐乃千金贵体，我系卑寒出身，岂敢相攀，望包大人转告她另择良配。”包公道：“此乃王太师有意招亲，你前时寒苦，今日贵显封王，他是世代名门阀阅①，两相匹配，甚属相当，千岁休得过辞。”安乐王听了包公劝言，不好当面力辞，只得说道：“感包大人情意殷殷，只我贱性不恋奢华，不贪欢乐，今既蒙大人此番美意，且为我奏知圣上，待旨允准如何？”包公道：“千岁高见有理，待老夫与你修本奏明。”言罢，抽身作别，仍回相府，将情复达王太师。太师大悦道：“奏明圣上做主，更觉有光。”

当日，包公辞别王太师，即回寓署，写成本章，差官赍送到京。非止一日，到了汴京，黄门官接了本章，送呈御览。天子看毕，龙颜大喜。进宫奏明母后，太后闻言大悦，欣然道：“老身在陈州，久知王太师为人忠厚，乃先帝老臣，此段姻缘实甚相当。”太后即赐花粉银十万两，另有珠翠金宝，圣上敕封王小姐为王妃夫人，御赐珠冠玉佩。批了本意，即着包拯为媒，钦赐完姻，迥异寻常。到了吉期，老太师送孙女到郭王府，此番热闹非凡，本州大小文武官员尽皆拜贺。王府外殿内堂，尽行挂灯结彩，多设筵宴，十分丰盛，终日歌声音乐，响彻云霄。郭王夫妇和谐，且置不提。

却说天子自迎国母回宫，朝中文武各加升赏，再差官赶上孙兵部，不用清查仓库。又值杨元帅表奏战功，遂加封狄青为副元帅之职，与杨宗保一同镇守边关。其时焦廷贵也赶回关中，众将士俱有加升官爵。元帅与众将谢恩已毕，天使回朝复命，不必细述。

只说国丈恼得纳闷昏昏，一心算计要害狄青，岂知反被他们联成一党，养成羽翼。喜得包拯现不在朝，正好寻个机会与他算账，不料君王又依着包拯，调回孙秀，不查仓库，反加狄青为副元帅之职，真是可恨。

不表庞洪烦恼，再说边关杨元帅，见四员虎将均沾圣恩，封赠统制官员，狄青又加封副元帅，关上文武官员，人人喜悦。忽然狄副帅染病，卧床不起，一连数日，水米不沾。杨元帅与范爷、杨将军，自然延医调治，弟兄们天天来到帐前问候。杨元帅心中忧闷，只得与范爷酌议，赍本回朝奏知圣上，即日差官而去。

次日升帐，忽然有探子报上：“西夏王复兴兵三十万，拜上将薛德礼为灭宋元帅，离关五十里屯扎。”杨元帅闻报，自仗本领高强，兵精将勇，全不

---

① 阀(fá)阅——‘阀’指功劳，‘阅’指经历，阀阅指有功勋的世家。

介怀。即令孟定国传齐部将,并众兵俱至帐前参见元帅候令。是日番营内战书投发进关,杨元帅批回决战之词,不一刻有飞报进营道:“启上元帅,番将薛德礼在城下讨战。”元帅听报,令焦廷贵领兵一万,与薛德礼会阵,须要小心。焦廷贵口称得令,上马开关,轰天炮响,手拿铁棍,杀气腾腾,一马当先,一万精兵旂幡飞扬,喊喝如雷。焦廷贵一看西戎番将,生得蓝面獠牙,三绺花须,丈余身材,手持一柄大钢刀,座下一匹五色花鬃豹。焦廷贵胆气雄壮,一马相迎,铁棍当头打下。薛德礼乃西夏国有名上将,焦廷贵哪里是他的对手?交锋不上二十回合,连叫数声厉害,即带兵逃走回关。薛德礼催兵追赶,只见城上箭如雨发,反被射伤兵丁数百,只得收兵回营而去。

杨元帅正在帐中与范礼部、杨将军商议退敌之策,忽见焦廷贵来至帐前,尚是气喘吁吁,打躬呼道:“元帅在上,末将杀不过薛德礼。这贼十分厉害,人雄马壮,一柄大刀大如板门,重如泰山,小将与他交锋五六十合,抵敌不过,只得败回。望元帅恕罪。”元帅道:“胜败乃兵家之常事,何得说谎?你出关片时即回,不像五六十回合的工夫,岂非谎言!”焦廷贵听了,忙说:“小将说错了,原是十五六回合。”杨元帅想道:西夏初阵逞强,谅来番将本事高强。但本帅有雄兵四十万,猛将数十员,岂惧小小番奴,管教你马倒人亡而回。

次日,探子报进,薛德礼坐名元帅会阵,十分猖狂。杨元帅发令张忠出战,至四五十合,大败进关;元帅又差李义出马,仍是败回。薛德礼连胜了三员虎将,杨元帅好生不悦道:“薛德礼果然骁勇,但狄王亲患病未痊,待本帅明日亲自出马,与他见个高低。”

次早又报薛德礼讨战,杨元帅择定此日亲临赴敌,上马提刀,浩气腾腾,好一位保国的老元勋。银盔高竖赤帻①,背插八角彩旗,三绺银须,飘扬脑后,高乘银獬豸,三声号炮,三万铁甲军拥随左右,焦、孟二先锋护卫阵脚,张忠、李义冲头,一同飞拥出城。薛德礼一见来将生得威风凛凛,手执金刀,乘着白马,身长丈余,白面银须,比昨日来将大有分别。薛德礼冲近喝道:“来将可是狄青否?”元帅道:“无名小卒,有目无珠,人也不曾认得,还来混扰乱言!”薛德礼道:“你既不是狄青,且报名来!”元帅道:“本帅乃天波无佞府山后老令公之孙,官封定国王,大宋天子驾下敕授天下招讨使杨宗保是也!”

不知薛德礼听了如何答话,且看下回分解。

---

① 帻(zé)——古代的一种头巾。

第六十三回

杨宗保中锤丧命　飞山虎履险遭擒

当下薛德礼言道："原来你是杨宗保。你若知时务，就应献城投降，归顺我主，难道不封你一侯王之位？如不听好言，只怕你此番性命休矣！"杨元帅大喝道："逆贼，敢出大言！"金刀一起，光辉耀目，薛德礼青铜刀急架相还，真乃龙争虎斗，南北二员虎将，杀得难解难分。薛德礼虽是西夏国一员勇将，到底及不得杨元帅老当益壮，刀法精通。二人冲杀百合，夏将抵挡不住，大呼道："杨宗保老头儿果然厉害，本帅杀你不过，且让你多活一天。"说着拍马败走，杨元帅大喝道："贼奴哪里去！"飞马追赶，薛德礼心下慌忙，即取出混元锤回马当头打去，实有万道金光夺目，杨元帅觉得眼花昏乱，闪躲不及，混元锤打在左肩上，疼痛难当，拿不定大刀，口吐鲜血，翻身跌下雕鞍。早有张忠、李义二马飞赶上前，一人挡住贼将，一人背了元帅飞逃回关。薛德礼催动西兵，卷地杀来，宋军见元帅被伤，大惊四散。焦、孟二先锋抵挡不住，众兵被杀得七零八落，三万精兵折损一半。余众逃回城中，紧闭城门，严防攻打。

再言薛德礼大胜回营，喜气洋洋道："妙，妙！杨宗保乃宋邦主帅，有名上将，本帅却杀他不过。今被吾打了一锤，也不过三天毒发而亡。今日除了杨宗保，惧什么狄青！少不得也一同伤他性命，宋主还有何人抵敌，本帅岂不功居第一？"是夜，西夏营排宴，犒赏三军，也不多提。

再表宋军败回城中，元帅受伤，范爷一见大惊，急召医生看治。杨青气恼得二目圆睁，骂道："可恶叛逆奴才！战不过元帅，用锤伤人，真真可恼！"当日元帅倒睡床上，范爷吩咐紧闭城门。到了半夜，元帅昏沉不醒，服药不效，大小三军惊慌无措。范爷连夜修本，差岳刚飞赶回朝。若问薛德礼的混元锤，乃是异人传授，用毒药炼成，如中了一锤，由你英雄健汉，不出三天，定然血肉销尽而亡，并无药饵可救。今元帅被打了一锤，遍身疼痛，死去还魂，也无一言说出。一身肌肉，渐渐消磨，可怜元帅一生为国忠良，今日死于肌消肉化，只留得一堆白骨。范、杨二人惨切伤心，文武官员、大小三军，无不坠泪，只得收拾骨骸殡殓。范爷是日又上一本，即差沈达并送骨骸回朝。此时薛德礼因伤了杨元帅，领兵至城下攻打关门甚紧。范爷权掌帅印，发令四门倍加弓箭石灰炮火，日夜巡查。

慢表边关危急，且说峨眉山王禅老祖，清晨袖占一课，已知西夏复兴雄师，杨元帅被薛德礼用混元锤伤了，化血身亡，路途遥远，不能搭救。但薛德礼有此混元锤，宋朝虽有上将，不能抵敌此锤，即贤徒狄青亦难收取此锤。不免打发石玉下山收取此锤，以免西戎猖獗。

且说石玉居住仙山已经一载，习得双枪纯熟。只是忆念老母、岳父母、贤郡主，音信难通，他们哪里晓得我耽搁仙山。这一日见童子来唤道："师兄，师父唤你，速随吾来。"石玉应允，即随童子弯弯曲曲来到禅房参拜，言道："师父在上，弟子石玉参见。"仙师道："贤徒免礼，我今唤你前来，非为别事。只因西夏将薛德礼有一混元锤，非兵刃可挡，杨元帅中他一锤，已经化血身亡。宋朝虽有上将英雄，难以抵挡此锤。我今赠你风云扇一柄，到边关上出敌。他用锤飞打过来，你即将风云扇轻轻一拂，便可收取此物。那薛德礼乃巡海夜叉，凶恶星转世，应得凶恶死亡。你今回关，与狄青贤徒一同立功，显扬当世，方不负为师收留你二人一番心血。还有八句偈言相赠，是你一生结果。"言罢，袖出一柬，石玉双膝跪下，双手接过收藏。又道："弟子蒙师带上仙山，习艺已经一载，传授枪法，已得精妙，深沾洪恩，难报万一，即此拜别。"仙师道："徒弟不须多礼了。"石玉叩谢已毕，起来又与师兄师弟拜别，藏好风云扇，提着两条三尖枪下了仙山。当日上山时，并无马匹，仙师只得将云架起，送到边关。下了云头，石玉将师父所赠之柬，拆开观看，并无一物，只有七律诗一章，诗曰：

仙缘无分不须求，叨福人间勋业优，
年少只遭颠沛困，中途却喜战功稠；
三番历苦登王阁，二次平西进凤楼。
早运未通遭妒害，晚来除佞报亲仇。

石玉看罢，自言道：师父赠我诗偈，说我没有仙缘，只可立功取贵，但少年灾困，历尽苦楚，方得成功。又许我能报父仇，但思庞洪奸贼，正在势盛，未知何日可报不共戴天之仇。

不表石玉之语，却说边关杨元帅身亡，狄副帅病体虽然瘥愈①，然而还未强健，正在后营静养。范爷早已吩咐，元帅身亡之事众人切不可告知狄王亲，众人依言瞒着，狄青并不知外面缘由。西兵日日围城攻打，范礼部已飞本进朝，不知何日救兵到来。有飞山虎乃一鲁莽之人，大怒道："西夏番奴薛德礼，他的混元锤如此厉害，不知何物做成。待我驾起席云帕进他大营，一刀结果他性命，拿了此锤回关，发起大队军马，杀他片甲不留，方报却元帅之仇。"想罢，即禀范大人。范爷不许，道："刘将军乃粗莽之人，若不小心，反为不美，不可造次。"刘庆道："范大人休得多心，我若刺不着贼，定然盗他此锤，就不怕此番奴了。"范爷纳闷不言。

是夜初更，刘庆驾上席云帕，一到番营大寨四下一看，只见灯火光辉，是犒赏三军，正在那里吃酒。刘庆看见天色尚早，难以下手，按下云头，听候一会，已是二更时候。只见薛德礼斜倚营帐中交椅上，醺沉大醉，众将兵丁尽皆散归营寨，近身只存一个番女。飞山虎暗喜，降到营中，悄悄步进中营，一到薛德礼身旁，正要拔刀行刺，只听得一声娇喝："刺客慢来！"

再表此女乃薛德礼之女，名唤百花，乃是一员女将，学得武艺精通，随父行军。是晚出营，伺候父亲，吃酒已完，谈论一刻，薛德礼醉得沉沉入睡，百花女也伏案假寐。忽见人影近前，喝声："刺客！"飞山虎反吓了一惊，驾云不及，被她一把扭住，挣扎不得。百花女原是将门出身，两臂刚健。刘庆左手打去，她右手招架；右手打去，她左手招架，二人扭在一处。百花女道："你这蛮子，谁使你来作刺客？好好说明，送你归阴。"刘庆心凉意乱，犹恐她喊醒番将，只得说："我乃宋营中虎将刘庆是也！只因吾元帅被薛德礼打了一锤，化为血水身亡，是我忿恨，特来你营行刺。"这百花女见刘庆是位英雄，不觉有意，见父亲鼻息如雷，轻轻呼道："刘将军，薛德礼是奴生身父，你今夜特来行刺，断断不能。这边来吧！"一把扯牢而走。飞山虎暗思道：小丫头好生奇怪，不知她拉扯我何故？此时只得随她跑去，曲曲弯弯，到了后营。一看灯光如昼，侍女罗列。百花女吩咐众侍女退去。这些丫环互相评论道："此位将军不是我邦人，因何我小姐拉他进来？好羞人也。"有几个人说道："我家小姐未有丈夫，要扯此中原将来做夫妻，如今且先自叙会。"

---

① 瘥(cuó)——病好了。

不表侍女私言，再说百花女看中了中原将军，四顾无人，呼道："将军请坐，奴与你细谈。"刘庆见她姿色非凡，今又如此柔和，想道：她必有意于我，吾乃粗直之人，岂为女色所惑！况我已有妻子，你想与我成亲，真乃冰炭不交。"若问百花小姐生长外夷，年已及笄，有此美质，又因本邦男子都是粗俗不堪，所以尚未成亲。刘庆虽非美男子，但比之西戎蛮邦也有高低之别，因此未免有心。当下又道："刘将军，你敢来深夜行刺，好生大胆！若非被我拿下，我父一命休矣；倘被别将拿下，将军性命也难保了。"飞山虎道："我行刺你父亲，乃是两国相争，各为其主，怎顾得利害交关，倘小姐用情，放我回关，小将自是感德。"百花女道："将军既进我营，休思回去。"飞山虎道："小姐此言何解？"百花女道："将军，奴看你是一位烈烈英雄，谅必武艺高强，今日边关死了杨宗保，大宋还有何人保卫江山？奴劝刘将军投顺我邦，撇却宋朝。"刘庆道："小姐此言差了！你要我投降，今生莫想。"小姐道："你若不甘投顺，便休想回关。"飞山虎道："既然小姐不放我回关，甘愿一死。"百花女道："将军之言差矣！你既为堂堂丈夫，因何全无智量，倘投降我邦为官，美貌佳人却也不少，觅一位与你配亲，有何不妙？愿将军依奴劝言，是知机之辈。"飞山虎听罢，冷笑道："小姐，我刘庆岂是贪花爱色之人？而况已有妻子，哪敢贪恋你邦佳人？今日既入你牢笼，有死而已，何必多劝。刘庆虽是粗鲁之夫，乃是顶天立地之人，岂肯负君而降敌，休得妄自思量！"百花女听了，自言道：岂知此将有了妻子，我今囚禁不放他回关，且待明日爹爹发落。想罢，唤侍女数人，将这蛮子囚禁后营，好生看管，好待他心服归顺。侍女应诺，即时将飞山虎囚禁！

此事慢提。次日百花女梳妆已毕，来至中军，拜见父亲，说："昨夜二更时候，宋营中一将名叫刘庆，来作刺客，已被女儿拿住囚禁后营，禀知爹爹如何发落？"薛德礼道："可恶南蛮，竟敢混进大营，来作刺客。若非女儿拿住，几乎一命不保，且押出一刀两段，方不敢小觑我们。"百花女道："爹爹，此人乃宋邦猛将，倘得他投顺，与我们做个里应外合，此关便唾手可得了。"薛德礼笑道："女儿有此计谋，把他仍囚禁后营，劝他投顺罢了。"

住言父女机谋，未知边关如何，且看下回分解。

第六十四回

丢失毒锤西军败阵　安排酒宴宋将庆功

慢言西夏营中父女议敌，且说石玉得王禅老祖法力，一阵狂风，送至边关，说明缘由。范爷等方知石玉未死。石玉又说老祖赠来宝扇，可破混元锤。众位将军大悦。是日，范大人吩咐排酒，与石御史接风。石玉是个性急英雄，即言道："待小将破了混元锤，再来吃酒未迟。"范爷说："既如此，遵命了。"又道："昨夜刘庆往劫贼营图刺，要盗取混元锤，今天不见回来，谅来凶多吉少。他是粗莽之徒，不依人劝，今石大人马上出战，且探他消息如何。"

石玉即领精兵一万五千，顶盔贯甲，命人牵回昔日解征衣遗下之马，登时跨上，气昂昂炮响开关，手提双枪，大呼道："西夏贼听着！今石将军特来候战，速唤薛德礼番奴出营纳命！"早有小军报进，薛德礼即上马提刀，带兵飞出阵前，大喝道："小小犬儿，擅敢口出大言，且祭本帅大刀！"一语未终，当头劈下。石将军喝了一声："好家伙！"使动双枪架开，各逞本领，自辰时战至午刻，不分强弱。薛德礼自思："不好，这员小小宋将，看不出有此厉害双枪，看来难以取胜，不免又用混元锤伤他。"将刀一隔，即带转马头而逃，取出混元锤在手。石将军早已提防他，大喝道："逆贼，又思用此物伤人。"即高张宝扇，一见锤飞来，轻轻一扇打去。真乃仙家妙用，相生相克，混元锤早已拨于尘土。薛德礼大惊，拖刀败走，不敢收拾此锤，被宋队掠阵岳刚所拾。石将军拍马追赶，大喝道："贼奴才休走！"正要赶上，忽有百花女冲出阻挡，双双接战。百花女一见石玉生得面如美玉，比刘庆大相悬殊，不胜羡叹。心想如擒拿得回营，胜刘庆万分。岂料这石玉乃仙传枪法，薛德礼尚且不能取胜，百花女焉能抵敌？顷刻被擒过马。众西兵杀上要夺回小姐，有宋兵大队掩杀，西兵纷纷倒退，自相践踏，死伤遍地，不成队伍，四散奔逃。薛德礼几乎被残兵冲倒，哪里还敢杀上前去夺取女儿。只得弃马杂于乱军中，招集残兵，一路回营，仰天长叹道："不知那小将是宋军中何等之人，好生厉害，女儿被擒，又伤兵丁万余，真是可恼！罢了，待本帅明日与他决一死战。”

住语贼营内事，且说石玉生擒女将回营，大获全胜。范爷大喜，记录功劳，即日上本回朝。捆绑过百花女，她却立而不跪。范爷喝道：“小丫头，今既被擒，胆敢立而不跪！”百花女道：“南蛮听着，我非下流之辈，乃薛元帅之女，既被擒来，唯有一死，岂肯屈膝敌人！”范爷冷笑道：“你乃一小小丫头，擅敢在本帅帐下如此放肆！我且问你，昨夜我家一位刘将军，误进你营，偶然被获，今在哪里？”百花女笑道：“好老面皮的蛮子，既云上国义师，因何黑夜偷营，希图行刺？此人已经被我拿下，劝他投降不依，现在囚于后营。”范爷听了，心才放下。石玉闻此言：“刘庆既被擒囚在番营，待小将杀进，讨取回城如何？”范爷道：“石将军休得烦躁，如今天色已晚，且待明日救他未迟。”又吩咐将百花女囚禁后营。是晚，帅堂内外大排筵宴，犒赏三军，记录战功，上下欢呼。范爷、杨将军大赞道：“郡马一到，杀得贼兵胆破，与狄王亲一般年少英雄。”石爷谦逊不遑，言道：“刘将军被擒，明日须要杀入敌营，救回方妙。”范爷道：“吾已算定敌人捉了刘庆，谅情必不放回，幸喜郡马大人擒得百花女回关，不如明日以女易男，相互调换。”石爷道：“范大人高见不差。”众人饮毕，石玉邀同李义、张忠来看狄青。狄青之病已经痊愈，然精神尚未强健，故未登帅堂，在后面安息，即西戎来攻，范爷亦不令人说知。当时一见石玉，惊喜交集，问及原由，方知王禅老祖妙用引去。询知元帅中锤亡身，神色惨变，泪下数行。三人竭力劝解才罢。

次日天明，众文武在帅堂上酌议破敌，忽军士报进，番将薛德礼领了大队精兵，指名石大人、狄大人出敌。石爷听了冷笑道：“杀不尽的番奴！”言罢，即披挂上马，手提双枪，率着三万精兵，冲关而出，飞马当先，大喝道：“贼奴才！昨天杀得大败，饶你多活一天，何不早早回兵，献上降书，送刘将军回营，便饶你性命。”薛德礼道：“小小人儿，休夸大言，你若还了本帅百花女，我即还你飞山虎，然后交兵也可。”石玉道：“既如此，权且依你。”一边吩咐往后营放脱飞山虎，一边关内放出女英雄，男女二人，各归本阵。当时薛德礼与石玉复又交锋，一连百合，未分高低，两下军兵，混杀一场。时已日色沉西，彼此鸣金收军。石将军带兵进关，与范爷、杨将军细谈西夏赵元昊强盛，至今用兵已及二十载。北方契丹侵掠，损兵折将，亦不下百余万，惜乎真宗先帝失策，为一时计，不为后世计，当日未依寇准丞相之谋,乘得胜之日,制其称臣,故至当今又不免受侵凌之患,致民不聊生,武夫劳瘁。三人正在言谈嗟叹,刘庆上前拜谢救脱之恩。

次日,计点出战兵丁,折去五百余名,狄爷忍耐不住,径出帅堂对范大人言知,欲亲自交锋。范爷道:"王亲大人贵体尚未复原,须忍耐安息,未可造次。"狄爷道:"薛德礼如此猖獗,晚生病中,全然未晓。只恨元帅死于西戎之手,晚生与贼势不两立,非是他死,便是我亡。况我疾病已愈,安能坐视贼人猖獗,今日出城,定然见个高低!"范爷正要开言劝阻,军士叩报:"薛德礼领了大队军兵讨战。"狄青吩咐抬上金刀,披挂坐上龙驹,范仲淹、杨青二人劝阻不住,只得差孟定国、焦廷贵、张忠、李义四将,领兵接应。石玉言道:"待我与他掠阵。"焦廷贵大呼道:"你众人休阻,副元戎有仙法,岂惧薛德礼强狠!"当下狄青顶盔贯甲,金刀一摆,将龙驹连打三鞭,号炮一响,数万精兵拥关而出。一望敌兵剑戟如林,喊杀如雷,狄爷大喝道:"番奴死在目前,还敢大言,我乃副帅狄青是也!"薛德礼冷笑道:"本帅只道狄青怎生模样,岂知一小子耳!"狄爷大怒,喝道:"看刀!"二将催开坐骑,你遮我架,正是棋逢敌手,战了两个时辰。狄青病后,力气不足,看看抵挡不住。石玉一见狄青刀法将乱,即忙飞出接战。大喝道:"番奴休得逞强,石爷在此!"双枪照面门刺来。番将薛德礼好生着忙,闪开大刀,急架双枪。薛德礼抵敌狄青一人尚且占不得便宜,哪里架得住二般军器,正要放马奔逃,手法一松,腿上早中了一枪。喊声"不好!"又被狄青金刀一挥,正中肩膊,遂跌于马下。焦廷贵冲上,割下首级,喝声:"番奴,前天杀败我焦将军,又战我元帅不过,用妖锤伤人。往日强狠,于今何在!"

不表莽夫之言,且说此日二十万西兵一见主帅身亡,人心惊乱,不战自败。狄爷道:"愿降者免死!"内有逃不及者,都已投降,直杀得尸横遍野,血流成渠,甚属惨然。宋军所得刀枪马匹甚多,奏凯回关而去。败兵报知百花女,薛德礼被杀,谅来难以抵敌,不敢再出,只得弃了大营,领了男女兵数万逃回西夏而去。有关内杨青老将,提了百斤铁锤,与众小英雄领兵接应,杀进他大营,并无一卒,只得收拾遗下粮草马匹军器,运回关中。范爷大喜道:"二位王亲郡马大人,真乃国家之栋梁。"狄青、石玉谦道:"哪里敢当范大人过誉,扫除敌寇,乃天子洪福,又得众位将军协助之功,非晚生辈之力也。"范爷道:"王亲大人患病后,原气未复,还该静养才是。”狄爷道:“有劳大人费心,不胜铭感,但晚生贱恙已愈,身体复原,举动如常,请宽垂念。”范爷又吩咐焦廷贵,将薛德礼首级悬在辕门,并号令众兵及降卒各自归营候赏,刀枪马匹粮草,点清归入库房,并命孟定国率人掩埋尸骸去讫。是晚大摆酒筵,与众将庆功,各营哨兵都有犒赏,出战兵丁加倍犒劳。

这且休提。次日众将兵士,只因杀散西夏,解了城围,闲暇无事,各归营寨。只有范爷、杨将军、狄爷、石御史四人在帅堂,说起杨元帅一生为国,倍历艰辛,年交六十,未得一日安闲。一旦战死疆场,武臣为国,难免一死,言念及此,能不伤感。又谈及前月圣上颁诏到来,说当今国母李宸妃娘娘十八年前被郭槐唆惑刘太后,陷害太子,放火焚宫,今被包拯审究,李后还宫,郭槐处决,有此大大事情。范爷道:“十八年前,果也火烧碧云宫,烧死百余人,众言李宸妃母子已烧死在内,只付之叹息而已。其时我官居知谏院,目睹其事,怎知李宸妃逃难,越出宫闱之事,今将二十载,被包拯一朝究明,有此异闻,算他神智,非人所及。”杨老将军道:“若云内宫火焚一事,也有诏旨得闻,其时,老元戎去世已有二年,我与宗保元帅俱已得知。连范大人在朝都不知李妃逃难出宫,我与元帅领守边关,自然不知了。”言谈之际,不觉日坠西山。

要知后事如何,且看下回分解。

第六十五回

悼功臣加恩后嗣　虑边患暗探军情

不提边关众将言谈，却说朝中宋天子，一日得接边关一本，心下着忙道：西夏大起雄师，宗保殒命，狄青又染病不起，这便如何是好？幸有石玉、狄青破敌。但思及杨宗保久任边关，三十载保卫邦家，不能一日安闲，功勋素著，一旦阵亡，是国家折损一栋梁。想罢不禁泪下，颁旨往无佞府，钦赐王礼祭奠，敕文武百官俱素服一月，加谥杨宗保忠武王。其世子文广，年方十七，应袭世职，因在丧中，不必到边关就职，且随朝伴驾。当日，杨门一闻凶信，穆氏夫人以及大小人等，哀恸欲绝，佘太君伤心，更不必言，众夫人垂泪相劝，少不得外椁内棺，用王侯之礼殡殓，不必细述。

却说宋天子因杨元帅去世，朝中武将皆分镇边疆，老将曹伟、种世衡二人虽智勇兼备，唯其时北狄契丹入寇多年，兵势甚锐，二将早已领守边城，天子只得加封狄青为天下招讨元帅，石玉为招讨副元帅，同守边关，众文武俱加升三级。诏旨发往，下文自有交代，不必多表。

单言南清宫内狄娘娘母子，闻狄青在边关大败西戎，立了功勋，并因杨元帅阵亡，颁旨任他为边关正帅，母子大喜。太后道："不料侄儿少年英雄，马到成功，旦夕间外夷威服，乃先灵呵护所致。"

慢言潞花王母子喜悦之言，且说庞国丈自从李国母进宫，郭槐已诛，所有党羽，均被包拯剪除殆尽，是以凡事心寒，权柄渐减。这日自思：喜得杨宗保已死，今日老夫正在驾前保荐孙秀领镇边关，天子已有允准之意。无奈有富弼、韩琦阻挡，言我婿只可作文员在朝伴驾，不合往边关当此要任，反奏狄青、石玉等，乃少年英雄，又得范仲淹、杨青老成持重，屡立奇功，敌人畏惧，合当拜帅代杨宗保之任。圣上不准老夫之请，只依二贼之言，真令人可恼！可笑这昏君接得边关本章，闻杨宗保死了，便纷纷下泪，痛切连日。我想杨宗保死有什么干碍，却隆宠这班狗党。只今狄青与石玉都在边关，与那一班老少贼联成一党，势大权高，教老夫也算计他不来了。想我女儿进宫数年，屡邀圣上宠眷，乘间进奏，无有不准。一自李太后进宫,不知圣上何故将女儿渐渐冷淡,想必女儿与国母不甚投机,是以唆着圣上疏淡我儿,也未可知。但女儿不得圣上喜欢,老夫有事,与女儿通关节,定然不准,怎生是好?现今且喜包黑不在朝,待有机关,再行设施,定必弄倒边关这些狗奴才,方见老夫手段。正在自言之间,有家丁禀道:“孙大人、胡大人来拜。”国丈传令请进相见。孙、胡二人进至内堂,见国丈立起相迎,一同相见行礼坐下。国丈道:“杨宗保已死,正打点保荐贤婿往任边关镇守,谁知富弼、韩琦二个奴才阻挡圣上,反保荐狄青、石玉二小儿为正副元帅。今被他边关上联成一党,老夫正在心烦,又奈何他不得。”孙秀道:“前者奉旨复查仓库,正要将机就计,回朝劾奏,不料圣上半途召回,一场打算又落空了。”胡坤道:“老太师且免心烦,我想狄青、石玉今已权高势重,谅情弄他不倒,我儿之冤,难以报复了。”三人言论,只是烦闷着恼。这且按下休提。

却说勇平王高琼老千岁,是日接得边关女婿来书,喜悦万分,方知女婿上年被奸臣算计,果有妖魔陷害之事,幸得仙师带上仙山习艺,今日又得圣上颁旨加封副招讨使,与狄青同守边关,真乃妙极。即进内堂告知,夫人与郡主,真是喜从天降,言难尽述。高王爷即命郡主修家书一封与丈夫,待交付赍本钦差,顺送边关。郡主欣然领命,是晚修书,不必多叙。

再表边关狄青与石玉对坐私谈,狄青道:“如今边关之围已解,可以略松一口气了。”石玉道:“身为武将,当马革裹尸,以报国家付托之重。唯奸佞弄权,但知有家,不知有国,真乃令人可恼!可笑!”狄青道:“庞贼翁婿与胡坤屡次算计图害,恨若渊深,目下虽得身荣,怎奈奸党未除,岂可安然坐视!”石玉道:“小弟亦与庞贼有不共戴天之仇,无奈此贼当道,正邀圣宠,未知何日得报家父之仇。”二人正在言谈,范爷愁容满脸走进帅堂,二人并起迎接,众将亦到,随同见礼坐下。范爷道:“二位王亲与众位将军,力退西戎,不日间定有旨意颁来,二位王亲定敕主帅之权,只可惜杨元帅身遭惨死。”狄爷闻言,长叹一声道:“杨元帅乃保国功臣,血战多年,未得一日安闲,身受惨死,想来真是令人伤感。”言毕,不觉虎目中流泪不止。杨老将军与范爷二人只因与杨元帅镇守此关多年,情投意合,一旦言诀,也忍不住滔滔下泪。狄爷向范大人道:“杨元帅老成谙练,一朝逝世,犹恐西兵复扰,晚生辈才庸智浅,难当重任,还宜上本陈明,待圣上另挑老成,方当厥职。”石玉道:“哥哥高见不差,我二人少年后辈,怎能服得众三军,上本辞退为上。”范爷未及回言,杨青老将军道:“不然,狄王亲、石郡马武艺非凡,智勇兼备,一旦登坛拜帅,使外夷不敢南视。”孟定国道:“西夏屡次被我们杀得片甲不回,料他再不敢轻视我边疆了。”飞山虎闻言笑道:“事难逆料,他虽畏怯,到底也当防备,以免兵临城下,措手不及。况目下尚未投顺,焉知他是否从此无事,不若小将前往西夏打听虚实如何?”范爷道:“刘将军之言有理,但此去须要小心,不可被他们看破机关,须要早去早回,休得耽搁才好。”刘庆道:“小将自有道理,请勿多虑。”

当时刘庆正要抽身,旁有焦廷贵大呼道:“众人休听他言,昔往敌营作刺客,遇见百花女子,即受其迷困,反被拿下。全赖石郡马出敌,将百花女活捉回关,方得调换而回。如今又到西戎,定然贪爱娇娆,倘又被拿,如今更无别物相换了。”飞山虎听了一席之言,羞惭得口也难开。石玉看出刘庆羞惭,好生没趣,即忙说道:“焦将军休得妄言,前番刘将军粗心,为急思了决敌人,故有此失。如今只要小心,定然无虑,速去速回,以安众心。”刘庆道:“小将领命。”焦廷贵道:“今敌兵杀得寸草不留,正好吃些太平酒,享些太平安逸福,因何你们又要打仗?莫非还嫌杀得这些敌兵少,不知足,要寻些来杀着玩不成!”范爷喝道:“胡说!大胆焦廷贵,军无戏言,你敢乱军规么?”焦廷贵道:“范大人休得着恼,小将乃是真言,并无曲折,奈何你们不听。待等刘将军被百花女迷恋了,方知我焦廷贵之言不谬。”狄青冷笑道:“怪不得杨元帅在日,言焦廷贵是个痴呆莽汉,如小儿戏笑,一味啰唣,不分上下,弄唇翻舌。前时殴打了钦差,险些儿累及了元帅,若无包拯回朝分辩,你的吃饭东西也难保牢,看你还得在此多言么?”众将官听了,人人忍耐不住,发笑不止。焦廷贵道:“你们众人言皆至当,我说的皆是戏弄,从今日始,我闭口不言,像个木头人一般就是了。”当下飞山虎辞别众人,前往西夏而去。

过了数日,有朝廷钦差颁诏旨到来,外厢传鼓冬冬,狄爷传齐众将,同出帅堂,吩咐大开正南门接旨。早已排了香案,天使开读诏书道:“敕加副元帅狄青为招讨正元帅,石郡马为招讨副元帅。张、李、刘三将,俱封将军之职,以下众将官,俱加升三级,各军兵俱有奖赏。”敕命读罢,元帅众将与钦差赵林见礼,他官居参知政事之职,为人忠鲠,史称赵爷,与包公并列,二人皆是宋室之贤臣。君命在躬,宣读毕,即时告别。狄爷并众将款留不住,只得殷勤送至城外,登车而去。当下元帅以及众将各进帅府,范、杨二人相见称贺正副元帅，一同见礼坐下。狄爷道："今因杨元帅升天，蒙圣上洪恩，敕令忝居帅位，只忧才庸德薄，难当此任。伏望范大人、杨老将军诸事指教，并望诸位将军随时襄护。"众将齐道："二位元帅，功劳卓著，圣上加封拜帅，实称厥职，何用太谦？"狄、石二人称谢。石玉道："今虽敌兵远去，未能心服，难保无虞，当早为备战，策胜出奇，方不负圣上顾托深恩。"狄爷道："石大人之言，甚属有理，深谋远虑，我不及也。"是日，二人会商调遣，狄青乃正元戎，自然是他做主。

未知刘庆往西夏国探听得如何，且看下回分解。

第六十六回

稽婚姻狄青尽职　再进犯夏主鏖兵

却说赵钦差去后，一日石玉接得家书，即晚灯下观看，已知岳父母康健，郡主来书贺喜。意欲回家问候，只因道途遥远，并有王命在身，未敢擅离边关。次早，正副元戎升帐，大小三军参见已毕。狄元帅拔令箭一枝，对张忠说道："张贤弟，你统领偏将十员，一万二千五百精兵，俱穿青衣青甲，在东门镇守，太旗上书一'虎'字，灰石弓箭滚木齐备。倘有敌兵，以炮为号，西南北自来接应。"张忠领命而去。又拔令箭一枝，对李义说道："李贤弟，你统领十员偏将，一万二千五百精兵，各穿红衣红甲，在南方镇守，红旗上书一'虎'字。倘闻炮声一响，各处接应，不容怠缓。"李义得令而去。转想焦廷贵乃狂妄之徒，不堪把守重任，但刘庆未回，且等他暂守北方，待刘庆回来，再行交卸。元帅随呼道："焦廷贵听令！"焦廷贵踏步上前，叫道："二位元帅，有何军令差遣？"元帅道："北方尚缺领兵之人，只因刘庆未回，如今有屈将军代为把守北方，待他回关再行交卸。你领十员偏将，一万二千五百精兵，俱穿黑衣黑甲，把守北门，黑旗上大书'虎'字。一闻号炮，即要接应，不得延迟，如违定按军法，决不姑宽。"焦廷贵领命而去，自言道：难道我焦廷贵做不得领兵头目么！偏要待刘庆回关，真乃看我太轻。我今只不分辩，那时独自成功，方显我焦将军非居人下者。

元帅分派已定，自与石副帅镇守正西，五万精兵，俱穿五色青、黄、赤、黑、白，大旗亦分五色，另建高大白旗，上书"五虎卫金汤"五字。看东南西北四门城上，真乃杀气冲天，号令威严，众将兵哪个敢不遵服？

不表中原主帅调兵，且说西夏主元昊得报兵败，心实恼闷。这日坐朝，向众臣言道："孤一心贪图中原的锦绣江山，只道唾手可得，岂知兴师有年，胜败无常，计已折去精兵百余万，勇将数十员，昨差首将薛德礼攻瓦桥关，杨老将身亡，只道大宋稳拿，不料又出小将狄青、石玉等一班小奴才，如同猛虎，杀得我邦兵残将戕，孤心实有不甘。倘得一智勇兼备英雄，领兵复去搅扰他一番，侥幸得胜，统倾国之兵，杀进汴京城，倘苦不能取胜，然后度势而为，也未为晚。”言未了，部班中闪出一员凶狠武将，名唤孟雄，奏道：“臣闻中国狄青小将，善用一铜面鬼脸，吓死我邦上将无数，更兼箭法高强，故屡借二物取胜。今臣手下有部将二员善于喊叫，敌将一闻，犹如烈雷打顶，声似山崩，其人即心惊意骇，跑走不及。平日已于臣部署中试验，众将人人惊惧，今臣愿领兵进攻宋境，以拿狄青，仗我主之威，胜之必矣！”元昊道：“将军果有二将之能，即封为左右先锋，卿为统兵主帅，领兵二十万往灭狄青，以报御弟赞天王、薛元帅等之仇，少解孤心之恼。”当下孟雄领命，往教场中，点足二十万精兵，带了左右先锋，一名吴烈，一名王强。有百花小姐愿冲头阵，要报复父仇。

按下西夏调兵，先说刘庆席云腾上云端，一到西戎国境，早已探听分明。当日教场点兵之时，恨不能落下云头，将他领兵主帅割下首级。当下只因一人，本事纵然高强，怎敌得千军万马之众，倘有不测差池，岂非又被焦廷贵耻笑。况起行时众人叮嘱不可鲁莽，中人陷阱，不免早些回去，报知元帅，好预备迎敌之策，当下不分昼夜，席云赶回关中，只见刀枪密排，旗幡招展，东西南北四门，皆是一般森严。刘庆道：“这又奇了，难道贼师早已到关攻打不成？我驾云，他步走，岂能比我倍加捷速，谅来决无此理。定然元帅调拨兵将在此镇守，故今队伍严肃，刀斧交连，待我先从北门而进，看其动静如何。”远远只看见黑旗上大书“虎”字，尽是黑衣黑甲的军兵，不知何人在此把守，想来狄青乃一少年，今杨元帅死了，他为主帅，果有将才，怪不得杨元帅敬重。当时刘庆飞进城去。守城巡逻军一见，认得是刘将军打听军务回来，即去报知焦将军。焦廷贵想道：刘庆必是回家，耽搁数天，说什么打听西戎消息，待我玩耍他一番，然后禀知元帅，交卸北门与他。想罢，呆头呆脑地跑上城垛，喝道：“刘庆，你回来了么，好大胆子！也不令人早来通报！我命你探听西夏军情，且一一禀明我焦老爷得知。”飞山虎闻言，顿觉惊骇，因何焦廷贵出此大言，即道：“焦将军，你今领兵在此把守么？”焦廷贵道：“刘庆，你还未知其详，自那日你动身去后，圣旨下来，敕封狄王亲为正元帅，又敕封我为副元帅。你不该如此慢待，不敬我副元帅，有失军威。”刘庆道：“焦将军，果真如此，还是你妄言哄我？”焦廷贵道：“谁来哄你，且观几员战将，归我管辖，数万精兵，由我调拨，难道是假的？”飞山虎道：“但不知圣上颁来旨意，亦提及末将之名否！”焦廷贵道：“圣上诏旨全然未提及你之名姓，想必你无名小卒，只好做个军前探子。我当初原教你不要去探听为妙，如今且在我帐前做个当差之人！有功之日，候再提升吧！"刘庆听了，好生不悦道："岂有此理，难道我刘庆止做个探子当差之辈，我情愿隐藏山林，做个农夫，倒也无忧无虑，何苦强在营中效力疆场？"焦廷贵道："刘将军，休得动气，到底你探听得西夏贼情如何？且说个明白，待我交元帅印，让你统辖军兵，我却在你麾下听令，全凭差遣，如何？"刘庆道："此言差矣！你承圣上敕命，怎可让与别人？待我说知西贼之事，可笑夏主不知见机，重新又要兴大兵二十万，领兵主帅乃是孟雄，更有二位先锋，百花女将为头阵，不日杀奔前来。"焦廷贵道："如此果也元帅虑得到，你也算得探听分明，看来这副元帅只好让你做了。"当时焦廷贵说得糊糊涂涂，飞山虎听得将信将疑。焦廷贵又道："刘将军，你可在此管辖众兵，待我与你报知元帅。"刘庆道："不可，你乃执掌帅印之尊，如何教我代管，我亦不敢担当。待我自进帅堂报禀，方是合宜。"焦廷贵闻他此语，只得由他进去。

刘庆一路想着焦廷贵之言，只道他当真受封为副元帅，故今统领将兵，在北门驻守。但一心思量，意气不平，因何兵符副帅，属了此人，这样蠢夫，如何会提兵调将，岂不败坏了大事？此时已走到东门，只见高高插起青旗，上书一"虎"字，众将兵青衣青甲，又见南门西门，俱有兵将把守。进至中堂，正要通报，忽见圣旨下来。原因狄青少年尚未结婚，范大人的小姐，正当及笄之年，美丽非凡，范爷久已留心狄英雄，故前月附本奏闻圣上，求君做主，不怕狄青不依，又觉对面难于启口，故未发言。今日旨命一下，范爷早已明白，不觉喜色洋洋。狄元帅想道：军务在身，哪有闲暇议此婚事？当即辞谢。范大人笑道："此乃圣上美意，理当早谐花烛，小女纵然不才陋质，下官不敢仰攀，但念旨命难违，请允小女权执箕帚，王亲大人休得推辞。"狄元帅不便执拗，只道："蒙大人过爱，圣上隆恩，但今军情事急，且待兵退之日再议。有劳大人拜本奏复圣上，晚生也有本章附呈。"当时赍本钦差，乃是杨元帅之子杨文广。他在朝奏知圣上，要到边关助敌，建立武功。天子见他虽然少年，实乃将门之子，是以准旨允请，并颁旨附带范、狄联姻之事。当即会见正副元帅，范、杨等众位将军，一同见礼坐下。又见飞山虎到来，将西夏兴兵之由，一一禀知。狄爷道："范大人，可恶西夏贼复动干戈，如今且理军务，再议婚姻便了。"范爷听言无奈，只得允从暂停姻事。连夜修本，差人赍送，狄元帅也附一本，达呈御览。

话分两头，却说夏将孟雄带领二十万雄兵，左右先锋作头阵，一到边庭，探子报上离城不远。孟雄吩咐于五十里之外，安营下寨。

且言宋将刘庆，是日回关，已领守北门，方知焦廷贵满口胡言。忽一日探子报进，贼将带兵攻城。狄元帅传令，众将候差，真乃明盔亮甲，层层密密，剑戟如林。当时元帅差刘庆往冲头阵，着焦廷贵助阵，叮嘱小心为要。二将领兵二万，炮响出关，刘庆一马飞出，大喝道："杀不尽的贼奴，败而复来送死，今日休思逃脱！"西夏将吴烈大怒，手拿铁棍打来，刘庆用大斧急架，战杀一场。不意吴烈大喊一声，如同霹雳，马也惊走，刘庆吓得几乎跌于马下。这吴烈是惯家，趁敌人一惊，手略一慢，举棍打下。刘庆早驾席云帕，飞到天空，将马首打碎，跌扑尘埃。焦廷贵一见，怒喝道："狗奴才，休得逞凶！"一棍打去，吴烈接马交锋，各逞强狠，一连冲杀数十合。焦廷贵一生狂莽，何尝惧怯敌人，但本力欠三分，一刻抵敌不过，心中着急。想来可恼飞山虎，我与你掠阵助战，岂知你跑上空中，脱身而去，贼将又厉害不过，如今不妙了。果然抵挡不及，贼将铁棍照肩上打来，焦廷贵侧身一闪，已打中手上，血滴淋漓，大喊不好，忍痛拍马奔逃。贼兵呐喊如雷，追杀上来。宋阵上张忠、李义奋勇杀上，贼兵渐退。吴烈大怒，又大喊一声，宋兵吓得倒退，不敢追上，只有张忠、李义将刀枪并刺。吴烈不能抵挡二般兵器，只得复喊一声，二将连听数次，已经惯了，全然不惧，吴烈只得败走。又有王强上前助战，四将杀在一堆，未分胜负。

不知杀得如何，且看下回分解。

第六十七回

美逢美有意求婚　强遇强灰心思退

且说大宋四员虎将，与西戎二将各显奇能，直杀得烟尘滚滚，胜负难分，王强忽然大喊一声，比吴烈声音倍加响亮，二匹战马，惊跳起来，几乎将张忠、李义跌下尘埃，心下慌忙，刀枪略慢。狄元帅在旗下与石玉言道：“二将气力不加，不如收兵为上。”石玉道：“狄哥之言，甚合兵法，且收军吧。”即下令鸣金，张忠、李义带兵回关。西夏二将，也收兵回营。张忠进关，见了元帅道：“与贼将交战未分胜败，如何即刻收军？”狄、石二元帅道：“二位贤弟不知，本帅看来，二名贼将本领很强，一时恐二位贤弟有失。况焦廷贵现已受伤，想来二贼也是劲敌。行军之道，凡事俱要谨慎，切忌暴躁。今日暂且收兵，明日再议良策。吾等同心合力，何惧西戎？你二人劳苦半天，且往后营安歇。”二将谢别正副元帅而去。只见焦廷贵已在帐中狂喊叫痛，又怪刘庆走脱不来帮助。

不表三人在后营安歇，且说刘庆至帅堂缴令道：“小将奉令出敌，不意贼将大喊一声，犹如天崩地裂，幸得小将快驾席云帕逃生，战马已被打死，特来请罪。”元帅道：“胜败乃兵家常事，何须请罪？刘将军且退回本寨，明日出敌，自有破贼之策。”刘庆告退。

不提宋军归队，再说贼将收军回营，稽查军兵，折了八千余人。一进大营，来见孟雄元帅，禀知交锋情节，初阵打退二将，一将飞跑云头。第二阵又冲出二员宋将，本事高强，不畏咆哮，只因宋兵甚锐，反伤去兵丁八千余人，今日只作败阵，望元帅恕罪。孟雄听了冷笑道：“二先锋休奖宋兵之勇，反灭自己威风，且看本帅，明日亲临出敌，必定取胜。”

次日西戎主帅挑点精兵三万，带领左右先锋，并百花女一同来至关前，喊杀连天。宋阵中狄元帅自冲头阵，左孟定国，右沈达；中军石副元帅，领精兵三万；有杨文广督往后阵。号炮一响，二马齐出，狄元帅与西戎孟主帅两下交锋，各逞生平武艺，杀得尘扬丈余。西夏阵中飞出左右先锋，宋阵中孟定国、沈达也拍马出来接应。后阵百花女催动数万精兵，杀上前来，宋阵中杨文广小将军也催兵杀来。此战真是将与将战，兵与兵斗，杀得征尘四起，雾锁长空，战鼓如雷，喊声大震。

当时两位元帅刀斧交加，无分上下，你不饶，我不舍，战在一处。狄爷想道：西夏贼将本领高强，难以取胜，不免用穿云箭伤他便了。大刀一格，正要取出宝箭，只闻二个贼将大吼一声，真觉震天响亮。狄元帅也觉心惊，即忙收回宝箭，复又斗杀。那王强、吴烈喊叫全仗元气精神，喊叫过后，渐渐疲困，必须养息一会，方能再喊。此时连连杀喊，气力不支，抵敌宋将不住。又有孟雄与狄青杀个平手，石玉一马飞出，大喝道："逆贼休走！"举起双枪便刺，孟雄闪开，大斧架住，三马交战，孟雄怎能抵挡二般军器，渐觉两臂酸麻，不能抵敌，拍马而逃。狄青指挥众兵追杀，西兵因见元帅败走，心慌意乱，四边纷纷奔逃。后军百花小姐一骑飞出，适值杨文广小将军拍马杀出。百花女一见宋阵上一员小将，生得面如冠玉，不由心下惊骇。那杨小将军亦是翩翩少年，一见女将生得如花似玉，亦不觉骇异，暗想道：西域异邦也有如此美色。当时两下呆看，忽闻两边敌兵喊喝，二人方悟是在阵前。

各通姓名，百花女方知这位小将就是杨元帅之子，暗忖：常闻杨元帅威仪凛凛，穆氏夫人美质无双，是以此位杨公子如此美貌。唯思奴自母亲早丧，随父南征，又遭丧败沙场，本国并无弟兄亲属挂怀，不如投降中国，得配此位小将军，胜做王后。想罢，假意冲锋，不上数合，小姐拍马诈败而走。奔至郊外无人之所，即抽转马头，杨文广追至，催马数步，大喝道："小贱婢休走，吃吾一枪！"言毕，照着面门便刺。百花女用枪架住，呼道："杨公子，休得动手，容奴奉告一言。"

只说飞山虎未奉将令，暗驾席云帕见得众人得胜，心中暗喜。正要跑下助战，只见杨公子追赶百花女远远飞跑。想道：杨公子乃是将门之子，但百花女乃一员厉害女英雄，况公子年轻，初上战场，倘有埋伏追赶进去，一有疏失，如何是好？我不如就在云端，一路随他跑去为是。只见百花女回身向杨公子打躬，刘庆一看，早已会意，是她一心恋定杨公子了。只闻百花女呼公子说道："奴本是父母俱亡，更无兄弟亲属，有心归顺天朝，未知公子肯容纳否？"杨文广听毕，道："你果诚心归降，待我禀明元帅，约你回营，做个内应，不知你意下如何？"百花女四顾无人，开言道："奴实心归顺宋室，唯思乃一个年青弱女，无可为依，欲托微躯于公子，未知尊意若何?”杨文广听了怒道:“你乃一个女子,不知廉耻,不凭媒灼而私议婚姻,有是理乎?”百花女听了羞忿,面上通红,呆了半晌无言,又呼公子道:“奴非私奔淫女,因父母俱亡,终身无所依靠,故忍垢含羞,反为自荐。伏望公子谅情鉴察!”公子未及回言。这时飞山虎按下云头,反吓得二人一惊。刘庆笑道:“杨公子,既然百花小姐诚心归顺我邦,你亦何妨顺情俯就?况你二人皆是青年美质,堪为百年伉俪之好。”杨文广道:“刘将军,此言差矣!她既是青年少女,也不该在阵上说婚,岂不羞惭!”随即催马回关而去。刘庆道:“小姐既有实心归顺天朝,并公子婚事,都在末将身上,必不耽误小姐良缘。”百花女听了,自觉羞惭,又闻刘庆将婚配之事,一力担承,便道:“既蒙将军鼎力玉成,不胜感戴。日后倘有用奴之处,无不遵命。唯望将军回关,禀知元帅,实心归顺,不敢虚妄。”飞山虎允诺,说道:“此事一定圆成,小姐毋庸疑虑,如此请回以待好音便了。”飞山虎仍驾席云帕,腾空而去。百花女看见,不觉称奇。

且说刘庆回关,细将此事禀知元帅,狄元帅问道:“但未知杨公子意见若何?”文广道:“她乃敌国女子,况在阵上订婚,未曾禀知母亲,焉可行得?望元帅休听刘将军之言。”元帅未及回言,有范大人笑道:“此乃是一场美事。况此女今愿归降,并肯为内应,目下可以成功,与公子配姻,真乃天作之合,老夫定必与贤侄执柯①,奏明圣上做主。你言阵上招亲为非理,即杨元帅亦在阵上匹配穆氏夫人,是老夫目睹,贤侄休得推辞。”杨青笑道:“范大人好记性,将老元帅四十年前招亲之事又提一遍。想吾老杨自随延昭老元戎镇守此关,算来已有六十二载。人生在世,犹如一场大梦,回头一看,吾年已七十八了。吾劝贤侄,休得推却此段婚姻美事,范大人决不至陷你于不义。”众位将军听了,人人喜悦,都道:“老将军之言是也!”杨公子道:“二位大人与元帅之言,小侄怎敢不依?”范、杨听了大喜。是夜只因大胜回来,排筵犒赏不表。

且说孟雄败回营中,计点兵将,折去二万余人。受伤者不计其数。看来实难取胜,不如带兵回国,见了夏主,奏明求和。吴烈、王强二先锋说道:“元帅不可因败灰心,不若明日再决一死战。”百花女道:“不可,奴乃二次出师,看来不独狄青智勇双全,即众将个个都是少年英雄。兵精将

---

① 执柯——给人介绍婚姻。

锐,料难取胜,不如投降为上。”孟雄道:“小姐高见,甚合吾意,明日收兵还邦。”

且说次日五更,夏营正要拔寨登程,忽一队军马来投伙。此人姓牛名刚,在大狼山自与牛健分手后,又恐杨元帅领兵来征,故带兵丁回到磨盘山。忽遇着庞福、庞兴,三人合住在磨盘山,打劫抢夺居民。李继英是五云汛千总,张文是守备,二人几次打退他们,正商议强盗盘踞在此,有害居民,不如禀明元帅,调兵征剿。不想牛刚三人来投西夏。孟雄正在打点欲动身回国,不意中得了数万兵来投降,三人即时拜见,孟元帅心中疑惑不定,细细盘问,方知他们原是强盗,随即收下录用。重新整兵离营,尽数而出,单留一万兵与百花女在营。

却说狄元帅等在关前,有巡查军士,拾得百花小姐的箭书一封,始知磨盘山强盗投到西夏助战。狄爷对石玉道:“此乃癣疥之疾,何足惧哉!”忽又有继英、张文求见,请元帅发兵征剿山寇。元帅说道:“山贼已投西夏去了,无须发兵。”张、李大悦。是日,探子忽报西夏讨战,二位元帅随即分派四路军马迎敌,另点一军,暗抄后面,烧毁大寨,待他回营,无所驻足。

未知宋、夏交战,谁胜谁败,且看下回分解。

第六十八回

赵元昊兵败求和　宋将帅凯旋完娶

却说宋营调兵，元帅令张忠、李义领兵五千，担任头阵；又令沈达、刘庆领兵五千，担任二阵；尚有焦廷贵受伤未痊，在营养息。又令岳刚、牛健领兵五千，担任三阵；李继英、张文领兵五千，担任四阵。发兵一万，与小将杨文广，从后抄到西夏大寨放火，使他首尾不能相应，心慌意乱，无心恋战，可一鼓而擒之。分拨已定，正副元戎各带兵五千，攻击中军，即吩咐放炮开关。西夏军马不约而同，亦是分兵而出。张、李二人飞马并出，五千锐兵，喊杀如雷。却遇吴烈挥兵混杀。张忠、李义奋勇杀进，吴烈抵挡不得二般军器，逃走不及，已被杀于马下。西兵见主将已死，四散奔逃，宋军追杀，死者甚多。

不说张、李得胜，又言王强领兵一万正在骂战，有刘庆、沈达二人并马奔出，不问情由，双刀并举。王强急架过去，宋兵卷地杀上，西兵惧怯，早已纷纷逃散。王强压制不住，又抵挡不得，只好拍马回头而奔。沈、刘二将随后追杀，又遇着张忠、李义抄后杀来，拦住去路。王强着急，只得拨转马头，刘、沈赶到，一刀将他斩于马下，西兵数千，尽皆投降。

且说岳刚、牛健领兵五千，正遇着牛刚，牛健叫道："兄弟堂堂丈夫，不思故土而降于外夷。我与你虽是兄弟，今你投降西夷，就是敌国，今日在战场之上，不能以手足之私而废公论。"言毕，即举大刀劈去，牛刚急忙举枪架定道："哥哥说各为其主，不能以私废公，兄弟也不怪你。"二人动手起来，本领不相上下，杀得无分胜败。岳刚不知二人说的言语，想来牛健劝他投降不肯，故而杀将起来。岳刚把马一催，杀上前来，牛刚不能抵挡二般兵器，手略一慢，却被岳刚一刀，挥做两段。岳、牛二人合兵杀上，西兵各自逃生。

再说李继英、张文领兵五千，攻打第四阵，二马飞奔杀进，逢着庞兴、庞福正在耀武扬威。继英大喝道："该死狗强盗，今日也来送死，正好赏你一刀!"二庞并不答话,提斧杀来,张文、继英二人连忙举枪架过,你搠[1]我架,我劈他抵。杀了半刻,二庞本事不大,哪里抵敌得住,被李、张逼近身旁,一枪刺于马下。西兵杀得七零八落,纷纷逃窜,单剩得中军主帅孟雄,一柄大刀,抵住狄、石两位正副元帅,渐渐不支。又见宋将纷纷杀到,军兵四散逃命,方知难顾残兵,即闪开刀枪,拍马而逃,数万精兵,十去其七,所存者不过三分之一。

且说小将杨文广领兵一万,从后抄至贼营,正在喊杀,要放起火来。百花女跑出营来,看见杨文广,便道:"且慢放火,内有马匹粮草颇多,有兵万余,将粮草搬进关中,有何不美?"文广道:"小姐高见不差。"百花女随即回营,告众军道:"今日元帅大败,逃回本国去了,你等不如投降,免遭杀戮。"众军答道:"愿降!"百花女笑道:"如此可将粮草马匹尽行搬出。"众军登时照办,杨文广叫人放火,将大寨烧焚,随同百花女押送进关。

且说宋军得胜回关,人人献功,独不见了杨文广回关,元帅心中着急。唯有飞山虎道:"人人对垒,尽是军兵敌将,只有杨文广领兵去烧营寨,守营者乃是百花女,小将昨日窥测杨公子口虽推却婚事,心实所愿,我对百花女也曾一力担承。至今未回,谅必要与百花女一同回关,元帅何须多虑?"范爷笑道:"此事被刘将军猜着了。百花女早晨有书信言明,磨盘山强盗投降。今日百花女守营不出,公子奉命往烧贼寨,定必同百花女回关。"元帅道:"虽然如此,公子乃是杨门之后,倘有疏失,如何是好?不如着刘兄弟出关探听一下。"飞山虎正要出关,军士报道:"杨公子并投降女将,领了降军,现在辕门候元帅钧旨。"元帅听了大悦,即着请进,一同见礼坐下。元帅对范爷说道:"不若将百花小姐送至尊府,等赵元昊纳降之日,一并奏知圣上,以待公子完婚,老大人尊意如何?"范爷道:"元帅之言甚是。"即命将百花小姐送到范府,与范小姐一处住下。是日正副元帅,将众将官功劳一一记载明白,吩咐排宴,犒赏大小三军,饮至更深方罢。

当日敌人杀败,孟雄正欲回营,与百花女一同归国,岂知大寨火光通天,心中甚为惊骇,又不知百花女存亡,暗想道:"宋邦杨宗保虽死,又生出狄青等几个英雄,本帅深悔当初恃勇逞强,妄想侵凌,领兵二十万,猛将

① 搠(shuò)——戳,刺。

数十员,如今止剩得几千残兵回国,岂不羞惭!”走了数日,始到本国。这日早晨,国主临朝,孟雄跪奏领罪,将战败情由一一奏知。夏主听奏大惊。孟雄叩头谢罪。夏主道:“卿家平身,此非你不尽心竭力,乃狄青兵精将勇,更兼智谋,实难争锋。卿且回家养息一月,再作计谋。”孟雄谢恩出朝。夏主又与群臣酌议,众文武奏道:“大宋将勇兵精,实难取胜。我主屡次兴兵侵扰宋土,他若乘胜来征我邦,如何抵敌?不若趁宋军未到之前,先上降书请和为上策,未知我主圣意如何?”元昊说道:“众卿所奏有理,事有不可为而为之者,如今出于不得已,且修求和表文。”夏主当下修了表文,即传旨库中,取到金珠之物,用车辆载起,差文武大员,即日登程,望边关一路进发。

且说边关狄石正副元帅酌量,西夏兵竭将疲,不敢轻视我们,想必求和于我国。石玉道:“可恼西夏屡次兴师,侵犯边疆,若不分镇四路边城,则山西全省,非朝廷所有。”范爷道:“此患非今日初酿,前因吕夷简专权,先帝又为姑息,粉饰太平。夷简朋比为奸,蔽塞圣聪,将忠良之臣,纷纷贬黜,只图肥己,不顾天下之患。故西夏窥视我土,时犯我疆,皆是这班奸党之过,岂不可痛!”言毕,莫不感恨咨嗟不已。

这日元帅修齐本章,即差孟定国赶送汴京,达呈天子。其时包公陈州赈饥之事已完,回朝复旨。是日天子设朝,孟定国呈上表奏,俯伏金阶。本章上大意道:“西夏又兴兵二十万,力攻边关,已被杀败逃回。有百花女至关投降,并带粮草马匹无数,又与杨文广订定婚姻,臣等允其降伏,然招亲之事,不敢自专,恭候圣裁。”

天子观罢奏章,龙颜大喜,即道:“西戎大败,是国家之幸,既然女将归顺我朝,况有功于国,正该与杨文广婚配,待朕做主,着杨文广回朝完姻。狄青职司主帅之任,不容离关,即于关内与范氏完姻。边关出力将士一一加封,即着孟定国领旨回关,毋庸另派钦差往返。”孟将军谢恩出朝。过得几日,黄门官启奏:“西夏国差使臣二员来朝求和,有表章并土仪之物进贡,现在午门外候旨。”天子即传旨宣进,使臣来到丹墀,两班文武威风凛凛,侍立两旁。使臣一见,这与外邦威仪,大相悬殊,俯伏跪下,谨呈表文,略曰:

西夏罪臣赵元昊表奏大宋皇帝御前:罪臣不自忖度,屡次妄动干戈。天威临莅,罪及于臣,无可分辩。伏念臣因不修德而妄犯上,臣下武夫，更恃其强勇，百般唆诱。臣本愚昧，初不加察，利欲心动，兴兵侵扰，迨①雄师丧于疆场，勇将亡于越境，方知上天警戒战逆之戾。伏乞仁慈，泽被万方，恕臣万死，当世守臣节不敢再萌妄念。僻壤小邦，谨呈土物，冒渎天威，易胜战栗之至！

圣上览毕，又见表后附呈贡单，除珊瑚、玛瑙、沉香等物，尚有赤金五万两。圣上道："外邦使臣平身。"二人三呼万岁已毕，立于丹墀之下。圣主道："二卿，你主赵元昊屡次妄动干戈，理该征讨。既已知罪悔过，寡人且免究治，许其自新。二卿还邦，转达你主，自今之后，务须永守臣节，岁贡无误，各分边界，不妄生祸心。倘或再践前辙，朕决不宽容。"二使低首回奏道："仰感圣恩洪福，泽及边远微臣，邦主感激不尽，焉敢复怀邪念，以负圣恩？"当日册封赵元昊为西夏国主，厚赐使臣，着他即速回国而去。自此宋、夏相和，不复用兵。

按史：仁宗庆历三年西夏平伏，后传至第九主，至理宗宝庆三年，元灭之，与金同亡。此是后话，休多烦表。

且说孟定国归至杨府，把公子家书送与穆夫人、佘太君，二人大喜道："杨门有幸，今已立下战功，圣上敕赐完姻，更有荣光。"是日圣上敕旨，孟定国复回边关，即刻拜辞佘太君并穆夫人，登程而去。数十天水陆程途，方回边关。军士报进，元帅即令传见。孟定国道："有旨在外。"元帅即命安排香案接旨，仍是孟定国宣读旨意：狄青加升公爵，范小姐诰封一品夫人，吉日在关完婚。石玉加升侯爵，张、李、刘三将封五虎镇国将军，孟定国升威武将军，焦廷贵升威烈将军，岳刚升忠勇将军，沈达升义勇将军，张文封轻车都尉，李继英封都司，牛健封千户，杨青加授龙虎大将军，范仲淹召取还朝，入阁拜相。其时因吕夷简被众谏院劾他专权误国，加害忠良，他自知难掩公论，辞相位，致仕告退，圣上允准，故召回范仲淹还朝入阁。另旨：杨文广袭父王爵，不复加升，诰封百花女一品夫人，回朝完姻。其余副将偏将，共有百余员，论功升赏，并犒赏三军，不能一一尽述。

且说狄青遵旨在帅府完姻，大设筵宴，大小三军将士庆贺，更有天子钦赐之物，十分热闹不提。次日杨公子奉旨回朝，与范爷同往拜辞正副元帅并众位将军。狄青即修家书，接母亲、姐姐同至边关完叙。又有书五

---

① 迨(dài)——等到之意。

封，附搭杨公子回朝，一封与潞花王母子请安，并禀知自己授爵完姻之事；一封与呼延显老千岁请安，感谢提拔；一封托送韩府，亦是请安；一封托送包府，感谢请安；一封托送佘太君请安并贺喜。

杨公子回朝，先至金銮殿叩谢皇恩，然后回府拜见佘太君、穆氏母亲，并众夫人。先已选定吉日，奉旨结婚。是日杨府挂灯结彩，王侯大臣都来道喜庆贺，设排筵宴，一连数日。日后夫妇伉俪甚得。

再说石玉也有书信寄回长沙，接取母亲、姐丈、姐姐到关相叙，一封书送至高府向岳父母请安，并接取郡主到关完聚。

又有刘庆在关，对元帅说明，要回潼关，接取母亲并妻子到关。元帅说道："今已国家太平，有家属者正该迎取，未知贤弟何日动身，须要早去早回，免得本帅挂怀。"刘庆听了大喜，即谢了出去。

此时朝中尚有庞洪、孙秀、胡坤等三奸，见狄青、石玉等威镇边关，虽欲谋害，却是无计可施，只得闷闷不乐。日后也曾兴风作浪，却被包公、狄青识破。此是后事，也就不多絮烦了。

图书在版编目（CIP）数据

万花楼/（清）李雨堂著.—北京:华夏出版社，2015.6

（中国古典文学名著丛书）

ISBN 978-7-5080-8460-2

Ⅰ.①万…　Ⅱ.①李…　Ⅲ.①章回小说—中国—清代　Ⅳ.①I242.4

中国版本图书馆 CIP 数据核字(2015)第 083072 号

万花楼

作　　者　（清）李雨堂
责任编辑　韩　平
责任印制　顾瑞清

出版发行　华夏出版社
经　　销　新华书店
印　　刷　三河市万龙印装有限公司
装　　订　三河市万龙印装有限公司
版　　次　2015 年 6 月北京第 1 版
　　　　　2015 年 6 月北京第 1 次印刷
开　　本　880×1230　1/32
印　　张　9.625
字　　数　320 千字
定　　价　18.00 元

华夏出版社　地址:北京市东直门外香河园北里 4 号　邮编:100028
网址:www.hxph.com.cn　电话:(010)64663331(转)